SCIENCES PHYSIQUES

3e

J.-P. DURANDEAU
Inspecteur d'Académie et Inspecteur pédagogique régional

P. BRAMAND
Professeur à Salon-de-Provence

D. CAILLET
Professeur à l'Isle-sur-Sorgue

M.-J. COMTE
Professeur à Bordeaux

Ph. FAYE
Professeur à l'I.U.F.M. d'Aix-Marseille

Ch. RAYNAL
Professeur à Créon

G. THOMASSIER
Professeur à Marseille

HACHETTE
Éducation

Crédits photographiques

Couverture : © D. Head/VANDYSTADT ; **7.** © Zefa-Voigt/HOA QUI ; **8.** © A. Kubacsi/EXPLORER ; **9.** doc. B : © D. Bringard/ SUNSET ; doc. C : © J.-P. Lenfant/VANDYSTADT ; doc. D : © A. Béguerie ; **10.** © S. Bréal/COLIBRI ; **12.** doc. 1 : © A. Béguerie ; doc. 2 : © H. Berthe/ORANGINA ; **13.** doc. 3 : © VALORPLAST S.A. ; doc. 4 : © TETRA PAK ; **15.** © SALOMON ; **16.** © PEUGEOT Motocycles ; bouteilles : © VALORPLAST S.A. ; **17.** amphore : © X. Desmier/RAPHO ; vitrail : © GIRAUDON ; **18.** © P. Thompson/ PIX ; **19.** doc. B : © G.P.S./Université Paris VI et Paris VII ; doc. C : © A. Pasieka/S.P.L./COSMOS ; doc. D, cascade : © P. Thompson/ PIX ; **20.** Aristote : © J.-L. CHARMET ; Bohr : © S.P.L./COSMOS ; microscope : © PALAIS DE LA DÉCOUVERTE Photothèque ; **21.** Dalton , Faraday, Thomson : © M. Evans/EXPLORER ; **22.** doc. 3 : © CNRS-CEMES/LOE ; **25.** © COMPAGNIE FERMIÈRE DE VICHY ; **26.** © A. Béguerie ; **27.** © NASA/VISIONS/COSMOS ; **28.** sulfate : © A. Béguerie ; dentifrice : © A. Béguerie ; squelette : © M. Kulyk/ S.P.L./COSMOS ; **29.** © A. Béguerie ; **30.** © M. Crépin/Médiathèque E.D.F. ; **31.** doc. B : © ARCIS RAPHO ; doc. C : © ROGER-VIOLLET/Musée de Poleymieux ; doc. D : © CEAC ; **38.** © M. Troncy/HOA QUI ; **39.** doc. B : © A. Béguerie ; doc. C : © G. Lacz/SUNSET ; doc. D : © RMS TITANIC/RAPHO ; **43.** doc.1 (deux tours Eiffel), doc. 2 et 3 : © coll. Tour Eiffel/S.N.T.E. ; doc. 1 (une tour Eiffel) : © J.-L. CHARMET ; doc.1 (une tour Eiffel) : © LL-VIOLLET ; **44.** doc. 1 et 2 : © coll. Tour Eiffel/S.N.T.E. ; doc. 3 : © P. Thompson/SUNSET ; **46.** Opéra Garnier : © P. Jacob/ TOP ; Invalides : © C. Bibollet/ TOP ; cataphorèse : © Photothèque CITROËN ; **47.** © G. DAGLI ORTI ; **48.** © A. Patrice/VANDYSTADT ; **49.** doc. B : © Ed. Pritchard/FOTOGRAM-STONE-Paris ; doc. C : © A. Béguerie ; doc. D : © CRAMPON/JERRICAN ; **52.** doc. 5a : © L.-D. Bayle ; doc.5b : © coll. Fondation ELF-MNHN Paris/ photo L.-D. Bayle ; **54.** Versailles : © G. DAGLI ORTI ; feu coloré : © Zefa-Freytag/HOA QUI ; **56.** © GIRAUDON ; **58.** © STOCK IMAGE ; **59.** doc. B : © L. Aubert/STOCK IMAGE ; doc. C : © FOTOGRAM-STONE ; **63.** © F. Ancellet/RAPHO ; **66.** © A. Béguerie ; **67.** doc. B : © R. Bonzom/HOA QUI ; doc. C et D : © A. Béguerie ; **71.** © A. Béguerie ; **76.** doc. A : © BOYER-VIOLLET ; **77.** doc. C : © H. JOSSE ; doc. D : © J.-L.CHARMET ; **86.** Ph. Guignard ; **87.** camion : © VERRE AVENIR ; verre trié : © D. Bringard/ SUNSET ; calcin : © F. Ancellet/RAPHO ; four : © M. Setboun/RAPHO ; sortie du moule : © VERRE AVENIR ; bouteilles : © M. Gounod ; **88.** © VALORPLAST S.A. ; **89.** four acier : © P. Tourenne/PIX ; four aluminium : © RHENALU NEUF-BRISACH ; boîtes en acier : © Studio Pons/Photothèque USINOR ; boîtes en aluminium : © CHAMBRE SYNDICALE DE L'ALUMINIUM ; **90.** © TETRA PAK ; **92.** glacier : © STOCK IMAGE ; **93.** désert : © T. Field/STOCK IMAGE ; doc. B : © P. Bourseiller/HOA QUI ; doc. C, forêt : © D. Woodfall/FOTOGRAM-STONE ; Place de la Concorde : © M. Renaudeau/HOA QUI ; **95.** © P. Rigaud/C.N.R.S.- L.P.C. ; **97.** pollution industrielle : © STOCK IMAGE ; pollution urbaine : © V. Muteau/GAMMA ; **99.** © S. Battensby/FOTOGRAM- STONE IMAGES ; **100.** © B. Forster/FOTOGRAM-STONE IMAGES ; **101.** doc. C et D : © A. Béguerie ; **108.** casque baladeur : © CAMIF Photothèque ; **110.** © A. et H. Frieder Michler/S.P.L./COSMOS ; **111.** doc. B : © AKG Paris ; doc. C : © I.B.M. SYGMA ; doc. D : © A. Béguerie ; **116.** aimant : © P. Nieto/R.E.A. ; train : © M. Yamashita/RAPHO ; **121.** doc. B : © JEULIN ; doc. C : © C. Petit/G. Planchenault/ VANDYSTADT ; doc. D : © LE MOUV/RADIO FRANCE ; **125.** © A. Béguerie ; **128.** © Ph. Gontier/ EURELIOS ; **129.** doc. B : © 93 D. Vo Trung/EURELIOS ; doc. D : © A. Béguerie ; **134.** © P. Plailly/EURELIOS ; **138.** © S. Bréal/ COLIBRI ; **139.** doc. B : © P. Guignard ; doc. C : © H. Cazin/Médiathèque E.D.F. ; doc. D : © A. Béguerie ; **142.** © M. Morceau/ Médiathèque E.D.F. ; **144-145.** vue d'une usine : © Ph. Guignard ; turbine : © M. Morceau/Médiathèque E.D.F. ; rotor : © D. Poidvin/ Médiathèque E.D.F. ; transformateurs : © C. Pauquet/Médiathèque E.D.F. ; poste 380 V : © C. Cieutat/Médiathèque E.D.F. ; lignes T.H.T. : © F. Jourdan/ALTITUDE ; maison : © A. Béguerie ; **149.** doc. B : © F. Bouillot/MARCO POLO ; doc. C : © C. Pauquet/ Médiathèque E.D.F. ; **157.** © STOCK IMAGE ; **158.** © ELECTROLUX ; **159.** doc. B : © R. Escher/ANDIA ; doc. C : © E. Marque- fave/Médiathèque E.D.F. ; doc. D : © SCHLUMBERGER ; **162.** doc. 7 : © photo S.N.C.F.-CAV JJD ; doc. 8 : © S. Bréal/COLIBRI ; **164.** © SCHLUMBERGER ; **167.** fer et table de cuisson : © CAMIF Photothèque ; **169.** © M. Hans ; **170.** © V.C.L./PIX ; **171.** doc. B : © A. Ernoult/A.E.F. IMAGE BANK ; doc. C : © VANDYSTADT ; doc. D : © N. Thibaut/HOA QUI ; **172.** golfeur : © M. Hans ; **174.** © M. Hans ; **177.** téléphérique : © P. Roy/HOA QUI ; **178.** bateau : © C. Petit/VANDYSTADT ; voiture : © B. Picault/ L'AUTOMOBILE MAGAZINE ; **180.** duomo Steven E. Sutton/TEMPSPORT ; **181.** doc. B : © J.-M. Derey/STOCK IMAGE ; **182.** doc. 1a : © D. Iundt/SYGMA/TEMPSPORT ; doc. 1b : © C. Liewig/TEMPSPORT-SYGMA ; **183.** © D. Madison/TEMPSPORT ; **185.** © A. Baker/SUNSET PHOTOBANK ; **186.** doc. 2 : © M. Francotte/TEMPSPORT ; doc. 3 : © P. Aventurier/GAMMA ; **190.** © Poulet/GAMMA ; **191.** doc. B : © THE BRIDGEMAN ART LIBRARY ; doc. C : © NASA/Ciel & Espace ; doc. C : © Zao- Grimberg/THE IMAGE BANK ; **192.** © M. Hans ; **194.** © A. Béguerie ; **197.** © HOWELL/LIAISON/GAMMA ; **199.** © Y. Dojc/IMAGE BANK ; **200.** © A. Béguerie ; **201.** doc. B : © H. Raguet/EURELIOS ; doc. C : © A. Béguerie ; doc. D : © E. Sulle/IMAGE BANK ; **207.** © JEULIN ; **208.** grand-duc : © Mac Gregor J. R./P.A. BIOS ; reptile : © Dimijian/PHR/JACANA ; **209.** doc. B : © S. Bréal/ COLIBRI ; doc. C : © Dr J. Burgess/S.P.L. ; doc. D : © J.V.C. FRANCE ; **212.** œil : © F. Azan / lentille : © ALCON FRANCE ; **214.** © CAMIF Photothèque ; **216.** batterie : © CEAC ; perchiste : © D. Iundt/TEMPSPORT ; adaptateur : © S. Bréal/COLIBRI ; alternateur : © S Bréal/COLIBRI ; canettes : © CHAMBRE SYNDICALE DE L'ALUMINIUM ; amphore : © G. DAGLI ORTI ; **217.** caméscope : © J.V.C. FRANCE ; condensateurs : © A. Béguerie ; **218.** faisceaux : © D. Iunt/TEMPSPORT ; borne G.P.L. : © Aurel/JERRICAN ; lave : © Krafft/HOA QUI ; **219.** laser : © Devouard/REA ; Lavoisier : © H. JOSSE ; Newton : © THE BRIDGEMAN ART LIBRARY ; **220.** bouteilles : © RECYPET ; fusée : © P. Aventurier/GAMMA ; **221.** bateau : © H. Bertiau/HOA QUI ; transformateur : © H. Cazin/Médiathèque E.D.F. ; vitrail : © P. Stritt/HOA QUI ; Watt : © THE BRIDGEMAN ART LIBRARY.

Couverture et maquette intérieure : Evelyn Audureau

Suivi P.A.O. : Médiapar

Photos non référencées : Philippe Burlot

Schémas : Rémi Picard et S.G. Production

Dessins d'illustrations : Frapar (pp. 20, 21, 35, 80, 172, 176, 177, 179, 193 et le Petit Curieux) ; F. Poulain (pp. 84, 85, 86, 89, 90, 96) ; C. Darphin (pp. 154, 184, 187)

Recherche iconographique : Marie-Thérèse Mathivon

© HACHETTE LIVRE 1999. 43, quai de Grenelle, 75905 Paris Cedex 15
www.hachette-education.com
I.S.B.N. 2.01.125186.9

Sommaire

Matière

Électricité

Mécanique

Lumière

La page d'entrée introductive

La problématique générale introduit la leçon.

Les objectifs clairement définis.

Les documents photographiques posent des questions en rapport avec le cours.

Le cours

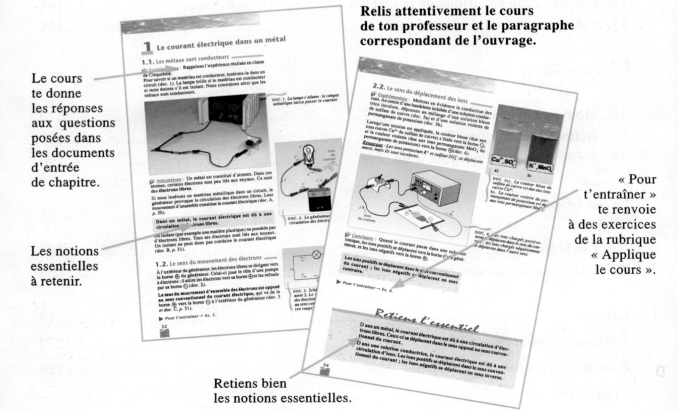

Relis attentivement le cours de ton professeur et le paragraphe correspondant de l'ouvrage.

Le cours te donne les réponses aux questions posées dans les documents d'entrée de chapitre.

Les notions essentielles à retenir.

« Pour t'entraîner » te renvoie à des exercices de la rubrique « Applique le cours ».

Retiens bien les notions essentielles.

Les documents

Une ouverture sur la vie (santé, citoyenneté, sciences de la Vie et de la Terre…) et sur l'histoire.

Réponds aux questions posées.

La fiche-méthode

Apprends à réaliser des expériences et à acquérir des méthodes de travail.

Les exercices

Tu peux résoudre ces exercices si tu as retenu l'essentiel du cours.

Cette rubrique te permet de bien assimiler les connaissances du programme.

Les exercices sont classés en 3 rubriques de difficulté progressive.

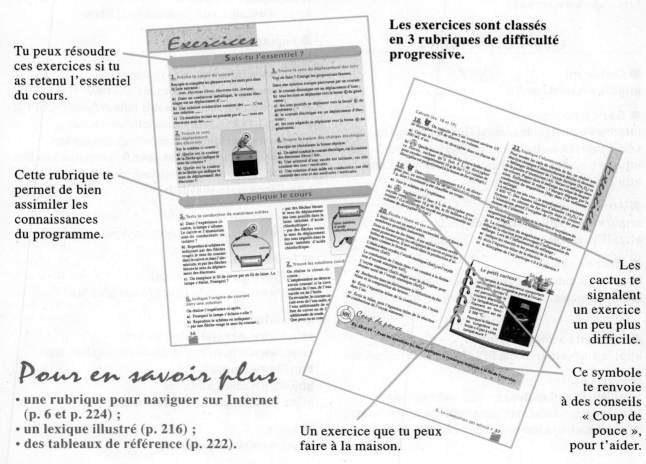

Les cactus te signalent un exercice un peu plus difficile.

Ce symbole te renvoie à des conseils « Coup de pouce », pour t'aider.

Un exercice que tu peux faire à la maison.

Pour en savoir plus

• une rubrique pour naviguer sur Internet (p. 6 et p. 224) ;
• un lexique illustré (p. 216) ;
• des tableaux de référence (p. 222).

En savoir plus avec Internet

Attention ! les adresses peuvent changer... Nous indiquons en gras le site, le reste de l'adresse est très mouvant. Certains sites ne fonctionnent qu'avec Netscape ou Internet Explorer.

Matière

CHIMIE

■ **Combustion des métaux**
http://**www.ac-clermont.fr**/pedago/physique/air.htm

■ **Combustion du butane**
http://**bleue.ac-aix-marseille.fr**/bleue/sciphys/
http://**www.nomade.fr**/entreprises_eco/chimie_energie
eau/gaz/
http://**www.primagaz.com**/fr/groupe/app.html

■ **GPL**
http://**www.total.com/fr**/produits/specialites.html#gplcarbu
http://**www.union-fin.fr**/natcog/at/publications/

■ **Monoxyde de carbone**
http://**www.ene.gov.on.ca**/
http://**www.sante-ujf-grenoble.fr**/SANTE/paracelse/
http://**cjonquiere.qc.ca**/actualite/smtoit/

■ **Feux d'artifice**
http://**mendeleiev.cyberscol.qc.ca**/carrefour/theorie/
pyrotechnie.html

http://**nicewww.cern.ch**/

ENVIRONNEMENT

■ **Carburant**
http://**www.total.com**/fr/

■ **Gaz carbonique**
http://**www.airliquide.com**/ALGroupe/fr/isec.htm
http://**paprika.saclay.cea.fr**/edit/iu95/402.html
http://**www.admin.ch**/bfs/stat_ch/ber02/fu0204.htm
http://**www.santecom.qc.ca**/

■ **Atmosphère**
http://**www.breitling-orbiter.ch**/breitling/breit97/fr/
http://**CyberScol.qc.ca**/Projets/Girouette/

■ **Effet de serre**
http://**www.union-fin.fr**/natcog/at/publications/
http://**www.oma.be**/BIRA-IASB/Project_educatif/Effet_
serre/17-1.html

■ **Polluants atmosphériques**
http://**ujf-iab.ujf-grenoble.fr**/SANTE/paracelse/envirtox

■ **Pluies acides**
http://**atlenv.bed.ns.doe.ca**/french/aeb/ssd/asd.html
http://**www.geocities.com**/CollegePark/Union/3039/30.html
http://**mendeleiev.cyberscol.qc.ca**/carrefour/activites/pluies
acides.html

http://**www.doe.ca**/science/issues/oct97/acid_f.html

■ **Ozone**
http://**atlenv.ns.doe.ca**/pollution/air_f.html
http://**www.ns.ec.gc.ca**/french/udo/
http://**nic.fb4.noaa.gov**/products/stratosphere/tovsto/

■ **Respecter l'environnement**
http://**www.ec.gc.ca**/pp/francais/stories/listing.html
http://**www.environnement.gouv.fr**/INFOPRAT/polatm.htm
http://**www.gertrude.fr**/sommaire.html
http://**www.geocities.com**/Eureka/5860/

■ **Rayonnements ionisants**
http://**www.dta.cea.fr**/wwwcea/cea.htm
http://**www.uic.com.au**/ral.htm

■ **Énergies renouvelables**
http://**www.arkham.be**/ecotopie/renouvel.html#guide
http://**www.ief.u-psud.fr**/~thierry/pedago/pedago.html

■ **Déchets**
http://**www.tredi.com**/coin/coin.htm
http://**www.stb.ulaval.ca**/recyclage/recyclag.htm

■ **Aquitaine environnement tout sur le recyclage**
http://**www.adef.asso.fr**/them/cfor118.htm

■ **Papier recyclé**
http://**web.fdn.fr**/
http://**www.ful.ac.be**/eurosymbioses/
http://**www.pandava.com**/envirF.htm#wat
http://**www.chambery.grenoble.iufm.fr**/home/SCUPE2/
http://**207.183.56.36**/francais/info/knowb.htm
http://**www.worldnet.fr**/~mnicolas/induspap.htm
http://**www.environnement.gouv.fr**/infoprat/dchets.htm
http://**www.citeweb.net**/siubhan/index.htm
http://**www.malmenayde.fr**/

■ **Aluminium recyclable**
http://**www.aia.aluminium.qc.ca**/Applications.html

■ **Emballage**
http://**www.gb.be**/envirfr.html
http://**www.washright.com**/fr/washright1.html

■ **Plastique**
http://**www.mev.etat.lu**/infplas.html
http://**www.ccip.fr**/bourse-des-dechets/qplasti.htm
http://**www.agropolis.fr**/
http://**www.soplachim.com**/
http://**www.ecopse.fr**/html/fradoc.html

■ **Verre**
http://**www.verre-avenir.org**

Matière

1

Les matériaux
dans notre
environnement

UNE MULTITUDE d'objets nous entourent. Pour les réaliser, de nombreux matériaux aux propriétés variées sont utilisés. Comment distinguer ces matériaux ?

OBJECTIFS

◆ Rassembler une documentation sur un sujet donné.

◆ Présenter les résultats d'une recherche documentaire.

◆ Faire la différence entre objet et matériau.

◆ Conduire un test permettant de distinguer des matériaux.

◆ Connaître quelques classes de matériaux : verres, métaux, matières plastiques.

Doc. A. Afin d'améliorer l'efficacité du patinage, on associe des matériaux souples et rigides. Quels sont les matériaux utilisés ?

Doc. B. Les scooters sont constitués d'un très grand nombre de pièces. Quels sont les matériaux qui interviennent dans leur fabrication ? Quelles sont leurs propriétés ?

Doc. C. Objet de conception moderne, le skateboard est pourtant constitué de matériaux très traditionnels. Quels sont ces matériaux ? Quelles sont leurs propriétés ?

Doc. D. Quels types de matériaux peut-on utiliser pour fabriquer des récipients pouvant contenir des boissons ?

Distinguons objets et matériaux

Observons les différentes parties d'un **skateboard** (*doc. C, p. 9 et doc. ci-dessous*).
Précisons la nature des matériaux qui constituent ces différents objets.
Pourquoi avoir choisi de tels matériaux ?

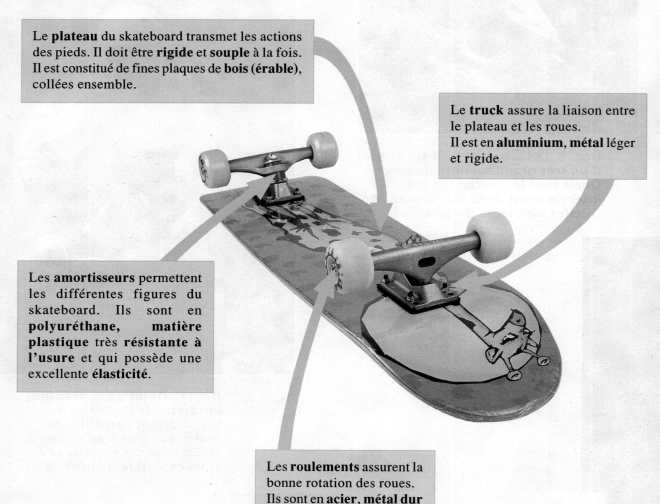

Le **plateau** du skateboard transmet les actions des pieds. Il doit être **rigide** et **souple** à la fois. Il est constitué de fines plaques de **bois (érable)**, collées ensemble.

Le **truck** assure la liaison entre le plateau et les roues. Il est en **aluminium, métal** léger et rigide.

Les **amortisseurs** permettent les différentes figures du skateboard. Ils sont en **polyuréthane, matière plastique** très **résistante à l'usure** et qui possède une excellente **élasticité**.

Les **roulements** assurent la bonne rotation des roues. Ils sont en **acier, métal dur** et **résistant à l'usure**.

Récapitulons, dans le tableau suivant, les matériaux constituant les différentes parties du skateboard :

objets	plateau	amortisseurs	roulements	truck
matériaux	bois	matière plastique (polyuréthane)	métal (acier)	métal (aluminium)
propriétés	rigidité souplesse	élasticité résistance à l'usure	dureté résistance à l'usure	légèreté rigidité

Un **objet** est construit pour remplir une fonction bien déterminée.
Les **matériaux** qui entrent dans sa composition sont choisis par les industriels en fonction de leurs **propriétés**.
Aujourd'hui, les industriels doivent aussi tenir compte des possibilités de **recyclage** de ces matériaux.

Classons les matériaux

Le matériau est-il conducteur de l'électricité ?

oui

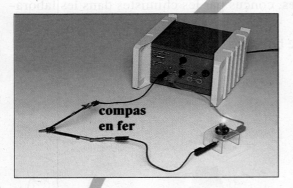

compas
en fer

non

C'est un **métal**.

Le matériau peut-il brûler ?

oui

non

C'est du **verre** (ou de la **céramique**).

Le matériau se déchire-t-il facilement ?

oui

non

C'est une **matière plastique**.

C'est du **papier** ou du **carton**.

Les matériaux dans les

L'Homme recherche constamment de nouveaux matériaux qui améliorent les qualités et les performances des objets qu'il utilise.

À côté des **matériaux traditionnels**, tels **le verre, les métaux et le carton**, se développent des **matériaux nouveaux**, comme les **matières plastiques**, conçus par les chimistes dans les laboratoires.

Étudions les matériaux utilisés dans les emballages de boissons *(doc. D, p. 9)*.

■ Le verre

C'est un matériau **transparent** qui constitue un excellent emballage pour les boissons *(doc. 1)*. Totalement **imperméable**, ce qui protège son contenu des éléments extérieurs, il assure une conservation parfaite et de longue durée.

Facile à mouler à chaud, il permet d'obtenir toutes les formes de bouteilles souhaitées. Il est **indéformable**, mais se casse facilement lors d'un choc.

Enfin, il possède une autre qualité très importante : il est **recyclable**. Il peut être refondu pour redonner du verre, sans perdre aucune de ses qualités.

DOC. 1. *Récipients en verre.*

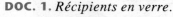

DOC. 2. *Boîtes pour conditionner les boissons.*

■ Les métaux

Les deux métaux utilisés dans les boîtes contenant les boissons sont l'**acier** et l'**aluminium** *(doc. 2)*.

Opaques à la lumière, ils assurent une parfaite étanchéité et sont résistants aux chocs.

Ces métaux ont une grande plasticité : l'emballage peut prendre des formes nouvelles. La surface est facilement imprimable.
L'acier et l'aluminium peuvent être réduits en feuilles : ils sont **malléables**. L'épaisseur des boîtes est très faible (0,1mm) : elles sont très légères.

Mais ces métaux peuvent être attaqués par les boissons acides. L'acier peut rouiller en présence d'air et d'eau. Il faut donc les protéger par des couches de vernis ou de peinture. L'acier et l'aluminium sont **recyclables**.

emballages de boissons

■ Les matières plastiques

DOC. 3. *Les bouteilles en P.E.T. sont utilisées pour le conditionnement des boissons gazeuses et des eaux minérales.*

Les emballages en matière plastique sont légers, facilement maniables et imperméables.

Les matières plastiques les plus utilisées dans les emballages de boissons sont :

– le P.E.T. (polyéthylène téréphtalate) pour les bouteilles d'eau minérale, de boissons gazeuses, de vin, de vinaigre, de cidre *(doc. 3)* ;

– le P.E.H.D. (polyéthylène haute densité) pour les bouteilles de lait, les cubitainers de vin.

Ces emballages sont **recyclables**.

■ Un assemblage de différents matériaux

Les emballages Tetra Brik® sont utilisés pour le conditionnement du lait et des jus de fruits.

Ils sont fabriqués à partir de **carton** qui leur confère de la rigidité, **d'une matière plastique, le polyéthylène**, qui assure leur étanchéité, et d'une mince couche **d'aluminium**, qui isole le produit contre la lumière, le dioxygène et les odeurs *(doc. 4)*.

Peu encombrants et légers (les emballages d'une contenance d'un litre ne pèsent que 27 g), ils permettent une manutention, un stockage et un transport économiques.

Ces emballages peuvent être **recyclés** *(voir chapitre 9, p. 90)*.

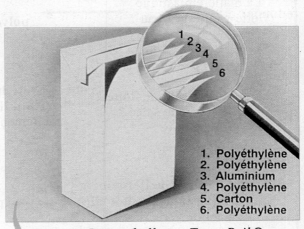

1. Polyéthylène
2. Polyéthylène
3. Aluminium
4. Polyéthylène
5. Carton
6. Polyéthylène

DOC. 4. *Les emballages Tetra Brik® comprennent du carton, du polyéthylène et de l'aluminium.*

Retiens l'essentiel

Pour fabriquer un objet, on choisit un matériau adapté.

Les métaux, les papiers et les cartons, les matières plastiques, les verres et les céramiques constituent des classes de matériaux.

Fiche-méthode

▼ Comment distinguer les métaux usuels ?

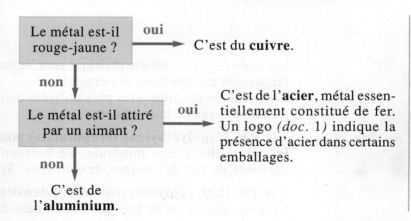

Le métal est-il rouge-jaune ? → **oui** → C'est du **cuivre**.

non ↓

Le métal est-il attiré par un aimant ? → **oui** → C'est de l'**acier**, métal essentiellement constitué de fer. Un logo *(doc. 1)* indique la présence d'acier dans certains emballages.

non ↓

C'est de l'**aluminium**.

DOC.1. *Le logo « acier recyclable ».*

▼ Comment distinguer les matières plastiques usuelles ?

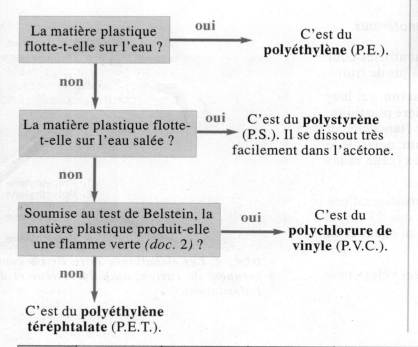

La matière plastique flotte-t-elle sur l'eau ? → **oui** → C'est du **polyéthylène** (P.E.).

non ↓

La matière plastique flotte-t-elle sur l'eau salée ? → **oui** → C'est du **polystyrène** (P.S.). Il se dissout très facilement dans l'acétone.

non ↓

Soumise au test de Belstein, la matière plastique produit-elle une flamme verte *(doc. 2)* ? → **oui** → C'est du **polychlorure de vinyle** (P.V.C.).

non ↓

C'est du **polyéthylène téréphtalate** (P.E.T.).

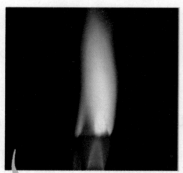

DOC.2. *Test de Belstein : chauffer un fil de cuivre, le mettre au contact de l'objet pour prélever un peu de matière plastique, et le placer à nouveau dans la flamme. Si celle-ci se colore en vert, l'objet est en P.V.C.*

DOC.3. *Pour faciliter leur tri, les objets en matière plastique portent souvent un logo affecté d'un chiffre qui indique la nature de la matière plastique.*

logo	♺ 1	♺ 2	♺ 3	♺ 4	♺ 5	♺ 6
nom	polyéthylène téréphtalate P.E.T.	polyéthylène haute densité P.E.H.D.	polychlorure de vinyle P.V.C.	polyéthylène basse densité P.E.B.D.	polypropylène P.P.	polystyrène P.S.

Sais-tu l'essentiel ?

1 Distingue objets et matériaux

Indique si le mot souligné représente un objet ou un matériau.

a) Le miroir du rétroviseur est en <u>verre</u>.

b) Le <u>verre</u> est plein à ras bord.

c) Le plafond est recouvert de <u>plâtre</u>.

d) Frédérique porte un <u>plâtre</u> à sa jambe.

e) En technologie, tu utilises un <u>fer</u> à souder.

f) La clôture est en <u>fer</u> forgé.

2 Cite des matériaux

a) Cite quatre classes de matériaux.

b) Donne un exemple d'objet fabriqué avec un matériau de chacune de ces classes.

3 Réunis les matériaux et leurs propriétés

Une brique de lait comporte plusieurs matériaux. Recopie le tableau ci-dessous en rejoignant par un trait le matériau et sa propriété essentielle.

matériau	propriété
carton •	• isole de la lumière, du dioxygène et des odeurs
polyéthylène •	• rigidité
aluminium •	• étanchéité

Applique le cours

4 Distingue certaines propriétés des matériaux

Le **collier** doit maintenir la cheville.
Il est à base de **polybutylène** et de **polyéther**, matières plastiques qui présentent une forte **résistance aux flexions répétées**.

La **coque** doit maintenir le pied. Elle est en **polyuréthane**, **une matière plastique** qui présente une bonne **flexibilité** et une excellente **élasticité**. De plus, elle est **recyclable**.

Le **châssis** assure la liaison entre la chaussure et les roues.
Il est en **polyamide**, **matière plastique** caractérisée par une **résistance mécanique** élevée et un excellent rapport **rigidité/ténacité**.

Les **axes** maintiennent les roues.
Ils sont en **acier**, **métal** aux très grandes qualités de **rigidité** et de **résistance**.

1) Recopie et complète le tableau ci-contre avec les objets cités sur la photographie.

2) Indique la fonction de chacun de ces objets.

3) Justifie le choix des matériaux utilisés.

objets	
matériaux	
propriétés	

Exercices

5 Distingue certaines propriétés des matériaux

Le miroir du **rétroviseur** permet de voir vers l'arrière ; il est en **verre**.

La **carrosserie** doit avoir une allure esthétique sans alourdir le poids du véhicule.
Elle est en **A.B.S., matière plastique** qui se moule facilement et est d'un poids très faible.

La **face avant du phare** laisse passer la lumière.
Elle est en **polycarbonate, matière plastique** transparente.

L'**enjoliveur d'échappement** et les jantes sont en **aluminium, métal** léger.

Le freinage est assuré par le **frottement** des **mâchoires** contre un **disque**.
Ce disque est en **acier, métal très résistant** à l'usure.

Le **pot d'échappement** doit résister à des températures élevées.
Il est en **acier**.

1) Pour chacun des objets cités, indique :
a) le matériau qui le constitue ;
b) la (ou les) propriété(s) qui justifie(nt) le choix de ce matériau.

2) a) Cite quatre classes de matériaux.
b) Indique la classe de chacun des matériaux cités dans le document.

Utilise tes connaissances

6 (sos) Réalise des tests

Fabrice possède trois échantillons de matière plastique, du P.E.T., du P.E.H.D. et du P.V.C., dont les logos ont disparu.

Quels tests doit-il réaliser pour les reconnaître ?

7 Détermine la part des matériaux dans les emballages

Le *document* ci-dessous représente, en masse, la part des différents matériaux dans le domaine des emballages.

Sachant que la production totale a été de 10,4 millions de tonnes en 1996, calcule la part de chaque matériau.

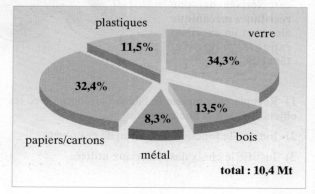

plastiques 11,5%
verre 34,3%
papiers/cartons 32,4%
métal 8,3%
bois 13,5%

total : 10,4 Mt

8 Utilise les logos de reconnaissance des matières plastiques

Au dos de différentes bouteilles en matière plastique, Joëlle a relevé les logos suivants :

eau minérale Vittel	lait Lactel	eau de source des montagnes
♲ 1	♲ 2	♲ 3

En te reportant au tableau de la page 14, indique avec quelle matière plastique est fabriquée chaque bouteille.

9 Les matériaux composites

Les matériaux composites comportent en général deux parties : des fibres et une matrice.
Les fibres de carbone sont les plus résistantes. Elles sont assemblées par une résine, un alliage métallique ou une céramique.

Les matériaux composites, qui peuvent être plus résistants que les aciers, présentent l'avantage d'être beaucoup plus légers.

Ils sont donc très utilisés dans le secteur de l'aéronautique (*Rafale*, *Ariane V*…) et le domaine des sports (planche à voile, raquette de tennis, coque de voiliers…).

a) Quels sont les deux constituants d'un matériau composite ?

b) Quels sont les avantages de ces matériaux ?

c) Recherche, dans un magasin de sport, la constitution d'un matériau composite utilisé dans une planche à voile ou une raquette de tennis.

10 Compare les masses des emballages et des produits

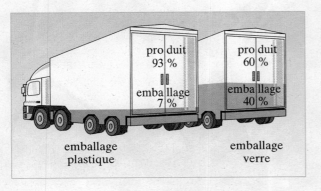

| pro|duit 93 % | pro|duit 60 % |
| emba|llage 7 % | emba|llage 40 % |

emballage plastique   emballage verre

Le schéma donne le pourcentage en masse de l'emballage et du produit. Dans le premier cas, l'emballage est en matière plastique ; dans le second cas, il est en verre.

Pour deux camions transportant chacun 30 tonnes de marchandises, quelles sont les parts respectives de l'emballage et du produit ?

11 Histoire

1) Les amphores

a) Quelle était la fonction des amphores utilisées dans l'Antiquité ?

b) Avec quel matériau étaient-elles fabriquées ?

2) Les vitraux

a) Un vitrail est constitué de différents matériaux ; lesquels ?

b) À partir de quel siècle a-t-on su fabriquer des vitraux en France ?

Le petit curieux

Comment distinguer une bouteille en P.E.T. d'une bouteille en P.V.C. ?

Retourne la bouteille. Si le fond fait apparaître un sourire : ⌣ , c'est une bouteille en P.V.C.

Si le fond fait apparaître un point : ⊙ , il s'agit d'une bouteille en P.E.T.

Rends-toi dans un magasin d'alimentation et indique quelles sont les boissons contenues :
– dans une bouteille en P.E.T. ;
– dans une bouteille en P.V.C.

SOS *Coup de pouce*

Ex. 6 → Reporte-toi à la *fiche-méthode* de la page 14.

2

Atomes et ions

À **LA RECHERCHE** *du plus petit élément de* la matière.
La longue histoire de la théorie atomique.
Qu'est-ce qu'un atome ?
Qu'est-ce qu'un ion ?

OBJECTIFS

◆ Connaître les constituants de l'atome et de l'ion.

◆ Savoir que les atomes sont électriquement neutres.

◆ Savoir que les matériaux sont électriquement neutres dans leur état habituel.

Doc. A. *Atomium,* monument érigé à Bruxelles à l'occasion de l'Exposition universelle de 1958. Qu'évoque ce monument ?

18

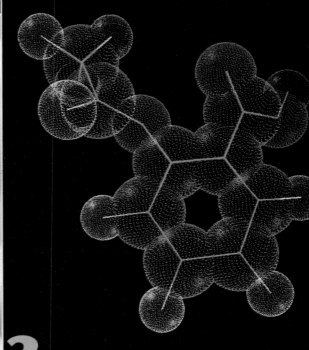

Doc. B. L'image ci-dessus représente les atomes d'un cristal de silicium. Elle est obtenue avec un microscope à effet tunnel.
Le microscope optique utilisé en biologie permet-il d'obtenir une telle image ?

Doc. C. L'image ci-dessus est la représentation d'une molécule d'aspirine obtenue par ordinateur. Elle montre que cette molécule est constituée d'atomes. L'atome est-il le plus petit élément de la matière ?

Doc. D. L'étiquette de cette eau minérale nous informe sur la teneur en ions (anions et cations). Qu'est-ce qu'un ion ?

Composition moyenne en mg/l:	
CALCIUM (Ca++)	41
MAGNESIUM (Mg ++)	3
SODIUM (Na+)	2
POTASSIUM (K+)	0
BICARBONATES (HCO3–)	134
CHLORURES (Cl–)	3
NITRATES (NO3– –)	3
SULFATES (SO4– –)	2
Résidu sec à 180°C	139
pH	8

1 La longue histoire de l'atome

À la fin du Ve siècle av. J.-C., Leucippe et Démocrite imaginent que la matière est constituée d'« atomes », particules indivisibles.

Aristote (384-322 av. J.-C.) affirme que la matière est constituée de quatre éléments : le feu, l'air, la terre et l'eau ; l'idée d'atome est abandonnée.

En 1986, le prix Nobel est attribué à l'Allemand E. Ruska (1906-1988) pour la construction du premier microscope électronique, ainsi qu'à l'Allemand G. Binnig et au Suisse H. Rohrer pour la découverte du premier microscope à effet tunnel permettant d'observer la surface d'un échantillon, atome par atome (document ci-dessus).

En 1922, le prix Nobel est attribué au physicien danois Niels Bohr (1885-1962) pour sa représentation planétaire de l'atome appelée modèle de Bohr. Son fils Aage Bohr reçoit en 1975 un prix Nobel pour ses travaux sur le noyau de l'atome.

John DALTON (1766-1844), chimiste anglais, est le père incontesté de la théorie atomique.

Le physicien anglais J.J. THOMSON (1856-1940) est à l'origine de la découverte de l'électron en 1881 (prix Nobel en 1906) (photo ci-dessous).
Le noyau est mis en évidence en 1911 par Ernest RUTHERFORD (prix Nobel en 1908).

L'Anglais FARADAY (1791-1867) explique la conduction dans les électrolytes par la notion d'ions. Il donne ainsi l'impulsion aux recherches sur la structure de l'atome.

2 La matière est constituée d'atomes

2.1. Où trouve-t-on des atomes ?

En classe de Quatrième, nous avons vu que les molécules sont constituées d'atomes associés entre eux (doc. 1 et 2).
Le monument de Bruxelles, l'*Atomium*, évoque la structure atomique (doc. A, p. 18).

DOC. 1. *Une molécule de dioxygène est constituée de deux atomes d'oxygène.*

DOC. 2. *Une molécule d'eau est constituée de deux atomes d'hydrogène associés à un atome d'oxygène.*

Tous les matériaux, toutes les substances sont constitués d'atomes.

2.2. Peut-on observer un atome ?

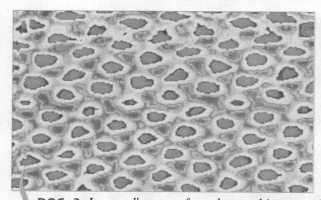

DOC. 3. *Image d'une surface de graphite.*

microscope	grossissement
microscope optique	1 000 fois
microscope électronique à balayage	20 000 à 500 000 fois
microscope électronique à effet tunnel	50 000 000 fois

DOC. 4. *Des microscopes pour observer la matière. Seul le microscope électronique à effet tunnel permet d'observer des détails de l'ordre de la dimension des atomes.*

Les dimensions d'un atome sont tellement petites, de l'ordre du dixième de nanomètre (1nm = 10^{-9} m), que l'on ne peut pas voir un atome avec un microscope optique ordinaire (doc. B, p. 19). Seuls certains microscopes électroniques confirment la présence des atomes dans la matière (doc. 3 et 4).
Sur le *document* 3, chaque zone bleue correspond à la position d'un atome.

▶ *Pour t'entraîner* → *Ex. 12 et 13.*

3 Les atomes

Contrairement à ce que l'on croyait, l'atome n'est pas le plus petit élément de la matière (*doc. C, p. 19*). Un atome est constitué par un noyau et des électrons en mouvement autour du noyau (*doc. 5 et 6*).

■ Les électrons

Ils sont tous identiques. Ils sont chargés négativement. Chacun porte une charge électrique élémentaire négative (élémentaire, car c'est la plus petite charge connue).

Le nombre d'électrons caractérise un type donné d'atomes.

■ Le noyau

Il est chargé positivement.
Ses dimensions sont environ 100 000 fois inférieures à celles de l'atome. Sa masse vaut des milliers de fois celle des électrons : toute la masse d'un atome est concentrée dans le noyau.

Contrairement aux électrons, tous les noyaux ne sont pas les mêmes : leur masse et leur charge varient selon le type d'atomes.

■ La charge d'un atome

La charge positive du noyau est opposée à la charge négative de l'ensemble des électrons.

> **La charge totale d'un atome est nulle : un atome est électriquement neutre.**
> **La matière, constituée d'atomes, est donc électriquement neutre.**

Par exemple, le *document 7* montre que tous les atomes de carbone possèdent 6 électrons. La charge totale des 6 électrons est égale à 6 charges élémentaires négatives. Le noyau de l'atome de carbone porte une charge opposée, positive, égale à 6 charges élémentaires positives.

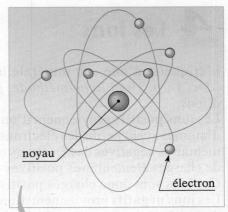

DOC. 5. *1911. Premier modèle atomique de Rutherford. Ce modèle d'atome est aujourd'hui dépassé, car les électrons n'ont pas des trajectoires bien définies.*

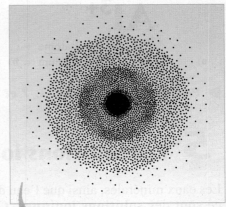

DOC. 6. *Modèle actuel de l'atome. On ne peut pas définir la position exacte de chaque électron. Ce modèle représente donc symboliquement la position des électrons autour du noyau. Plus les points sont rapprochés, plus on a de chance de trouver un électron dans cette zone.*

DOC. 7. *Tableau indiquant le symbole de quelques atomes, le nombre d'électrons et le nombre de charges élémentaires de leur noyau.*

	hydrogène	carbone	oxygène	aluminium	fer	cuivre	zinc
symbole	H	C	O	Al	Fe	Cu	Zn
nombre d'électrons	1	6	8	13	26	29	30
nombre de charges élémentaires positives du noyau	1	6	8	13	26	29	30

▶ *Pour t'entraîner → Ex. 5 et 6.*

4 Les ions

L'étiquette d'une eau minérale indique la présence d'ions (*doc.* D, *p.* 19 *et fiche-méthode, p.* 25). Il existe deux types d'ions.

Les **ions positifs** proviennent d'un atome ou d'un groupement d'atomes ayant perdu des électrons. Le nombre de charges élémentaires négatives des électrons est donc inférieur au nombre de charges élémentaires positives du noyau.
Ces ions sont donc chargés positivement (*doc.* 8 *et* 9a).

Les **ions négatifs** proviennent d'un atome ou d'un groupement d'atomes ayant gagné des électrons. Le nombre de charges élémentaires négatives des électrons est donc supérieur au nombre de charges élémentaires positives du noyau.
Ces ions sont donc chargés négativement (*doc.* 9b *et* 10).

nom	formule
hydrogène	H^+
sodium	Na^+
zinc	Zn^{2+}
argent	Ag^+
aluminium	Al^{3+}
cuivre II	Cu^{2+}
fer II	Fe^{2+}
fer III	Fe^{3+}

DOC. 8. *Les ions positifs sont appelés cations.*

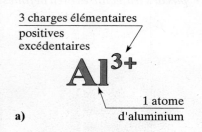

a)

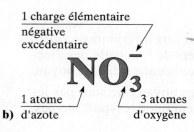

b)

DOC. 9. a). *Ion aluminium.*
b). *Ion nitrate.*
Le nombre de charges élémentaires excédentaires est indiqué en haut et à droite de la formule de l'ion. Ce nombre est suivi des signes + ou –.

▶ *Pour t'entraîner → Ex. 3, 7 et 10.*

5 Les solutions ioniques

Les eaux minérales, ainsi que l'eau de mer contiennent des ions : ce sont des **solutions ioniques**. **Ces solutions sont électriquement neutres**, car les charges positives portées par les ions positifs compensent les charges négatives portées par les ions négatifs.

Ainsi, une solution de chlorure de sodium (eau salée) contient autant d'ions Na^+ que d'ions Cl^- ; sa formule est $(Na^+ + Cl^-)$.
Une solution de chlorure d'aluminium contient trois fois plus d'ions Cl^- que d'ions Al^{3+} ; sa formule est $(Al^{3+} + 3\ Cl^-)$.

▶ *Pour t'entraîner → Ex. 16 et 17.*

nom	formule
chlorure	Cl^-
sulfate	SO_4^{2-}
nitrate	NO_3^-
hydroxyde	OH^-
carbonate	CO_3^{2-}
hydrogéno-carbonate	HCO_3^-

DOC. 10. *Les ions négatifs sont appelés anions.*

Retiens l'essentiel

Un atome est constitué d'un noyau, chargé positivement, et d'électrons, tous identiques, chargés négativement.

Un atome est électriquement neutre.

Un ion provient d'un atome ou d'un groupement d'atomes ayant perdu ou reçu des électrons.

Une solution ionique est électriquement neutre.

Exploite la formule d'un ion

L'eau minérale Saint-Yorre est particulièrement riche en ions hydrogénocarbonate de formule **HCO$_3^-$**.

Questions

1. De quels atomes cet ion est-il constitué ?

2. Quelle est la charge de cet ion ?

3. Combien d'électrons, excédentaires ou en défaut, possède cet ion ?

4. Combien d'électrons possède cet ion ?

On donne

• Le nombre de charges élémentaires positives portées par les noyaux :

atome d'hydrogène :   1
atome de carbone :   6
atome d'oxygène :   8

• Compréhension de la formule :

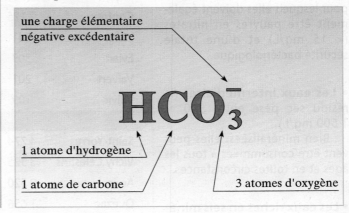

une charge élémentaire négative excédentaire

$$HCO_3^-$$

1 atome d'hydrogène

1 atome de carbone

3 atomes d'oxygène

Résolution

1. Cet ion est constitué d'un atome d'hydrogène, d'un atome de carbone et de trois atomes d'oxygène.

2. Cet ion est chargé négativement (c'est un anion). Il possède une charge élémentaire négative.

3. À chaque charge élémentaire négative correspond un électron. Cet anion possède un électron excédentaire.

4. Le nombre total des charges élémentaires positives porté par les noyaux est égal à :

$$1 + 6 + 3 \times 8 = 31.$$

Cet anion possède donc :

$$31 + 1 = 32 \text{ électrons.}$$

Les sources où jaillit l'eau Saint-Yorre sont protégées par des kiosques. Les eaux sont ensuite drainées vers le centre d'embouteillage où elles sont purifiées et mises en bouteilles.

Documents

À CHAQUE EAU SA MINÉRALITÉ

Les eaux minérales contiennent des sels minéraux que l'on trouve sous forme d'ions. Elles peuvent fournir un apport alimentaire en sels minéraux nécessaires à l'organisme. En fait, chaque eau a un profil minéral particulier.
On distingue les différents types d'eaux minérales suivants.

• Les eaux faiblement minéralisées (le résidu sec, lisible sur l'étiquette, pèse moins de 500 mg/L).

Elles sont particulièrement indiquées pour les très jeunes enfants, pour lesquels elles doivent également être pauvres en nitrates (< 15 mg/L) et d'une totale sécurité bactériologique.

• Les eaux intermédiaires (le résidu sec pèse entre 500 et 1 500 mg/L).

Bien minéralisées, elles peuvent être consommées à tous les âges et en toutes circonstances.

• Les eaux riches en sels minéraux (le résidu sec pèse plus de 1 500 mg/L).

Elles sont essentiellement composées de magnésium, de calcium et de sulfates.

Les eaux riches en calcium (> 150 mg/L) sont conseillées à tous ceux qui ont des besoins élevés en calcium (enfants et adolescents, femmes enceintes et allaitantes, personnes âgées) *(doc. 1).*

Les eaux riches en magnésium (> 50 mg/L) permettent de limiter les risques de carences de certaines catégories de population exposées (les personnes suivant un régime, les femmes enceintes et allaitantes, les personnes âgées) *(doc. 2).*

Les eaux riches en sodium (> 200 mg/L) sont déconseillées en cas de régime sans sel (cela ne concerne que certaines eaux gazeuses). Elles sont riches en hydrogénocarbonate de sodium *(doc. 3).*

	résidu sec	calcium Ca^{2+}	magnésium Mg^{2+}	sodium Na^+	hydrogéno-carbonate HCO_3^-
Eaux plates					
Hépar	2 580	555	110	14	403
Contrex	2 125	486	84	9	403
Vittel	841	202	36	4	402
Évian	309	78	24	5	357
Valvert	201	67,6	2	2	204
Volvic	109	9,9	6	9,4	65,3
Eaux pétillantes					
Saint-Yorre	4 774	90	11	1 708	4 368
Vichy Célestins	3 325	103	10	1 172	2 989
Arvie	2 520	170	92	650	2 195
Quézac	1 656	241	95	255	1 685
Badoit	1 200	190	85	150	1 300
Salvetat	850	253	11	7	820
Perrier	447	147	3	9	390

Éléments contenus dans les eaux minérales (en mg/L).

Doc. 1   Doc. 2   Doc. 3

D'après Guide d'achat Monoprix et Prisunic.

QUESTIONS

1. Cite :
– une eau faiblement minéralisée ;
– une eau intermédiaire ;
– une eau riche en sels minéraux.

2. Quelle est l'eau la plus riche en sels minéraux ?

3. Quelles sont les eaux particulièrement adaptées à une femme enceinte ?

Sais-tu l'essentiel ?

Décris la constitution d'un atome (ex. 1 et 2)

1 Recopie les phrases en choisissant la bonne réponse.

a) Un électron est chargé *positivement / négativement*.

b) Les électrons sont les constituants *du noyau / de l'atome*.

c) Le noyau d'un atome est *chargé positivement / chargé négativement / électriquement neutre*.

d) Un atome est *chargé positivement / chargé négativement / électriquement neutre*.

2 Corrige les affirmations fausses.

a) L'électron porte une charge électrique élémentaire négative.

b) Tous les atomes ont le même noyau.

c) Le noyau d'un atome porte une charge électrique égale à celle de l'ensemble des électrons de l'atome.

d) Un atome est électriquement neutre.

Complète (ex. 3 et 4)

3 Complète avec des mots pris dans la liste suivante :

positif, négatif, chargé, neutre, reçu, perdu.

a) Un ion positif peut provenir d'un atome qui a ..... des électrons.

b) Un atome qui reçoit des électrons devient un ion ..... .

c) Un ion est électriquement ..... .

4 Recopie en complétant le tableau avec les groupes de mots suivants :

chargé(e) positivement, chargé(e) négativement, électriquement neutre.

atome	électron	noyau	solution ionique
.....	.....	.....	.....

Applique le cours

Décris un atome (ex. 5 et 6)

5 Recopie et complète le tableau suivant :

nom de l'atome	aluminium	.....	.....
symbole de l'atome	.....	Fe	Zn
nombre de charges élémentaires du noyau	13	.....	30
nombre d'électrons de l'atome	.....	26	.....

6 La couche d'ozone nous protège des rayons ultra-violets émis par le Soleil. La formule de l'ozone est O_3.

a) Quelle est la constitution d'une molécule d'ozone ?

b) Le noyau d'un atome d'oxygène possède 8 charges élémentaires positives.

Combien d'électrons possède une molécule d'ozone ?

Exploite la formule d'un ion (ex. 7 et 8)

7 En traversant les roches calcaires (formule du calcaire $CaCO_3$), l'eau se charge en ions carbonate CO_3^{2-}.

a) Donne le nom et le nombre des atomes qui constituent cet ion.

b) Quel nombre d'électrons excédentaires porte-t-il ?

8 Étudie quelques ions négatifs.

Recopie et complète le tableau ci-dessous avec les mots pris dans la liste suivante :

nitrate, chlorure, sulfate, carbonate, hydroxyde.

formule de l'ion	SO_4^{2-}	NO_3^-	Cl^-	OH^-	CO_3^{2-}
nom de l'ion					
nombre d'électrons excédentaires					

Exercices

Donne la composition d'un atome et d'un ion (ex. 9 à 11)

9 Le sulfate de fer II est utilisé pour supprimer la mousse dans le gazon. Il contient des ions Fe^{2+}. L'atome de fer possède 26 électrons.

a) Quel est le nombre de charges élémentaires portées par le noyau de l'atome de fer ?

b) Quel est le nombre de charges élémentaires du noyau de l'ion Fe^{2+} ?

c) Quel est le nombre d'électrons de l'ion Fe^{2+} ?

10 Les solutions contenant des ions Cu^{2+} sont bleues. Le noyau de l'ion cuivre Cu^{2+} possède 29 charges élémentaires positives.

a) Quel est le nombre de charges élémentaires positives du noyau de l'atome de cuivre ?

b) Quel est le nombre d'électrons de l'atome de cuivre ?

c) Quel est le nombre d'électrons de l'ion cuivre ?

d) Quel est le nombre de charges élémentaires excédentaires de l'ion cuivre ?

11 Lorsqu'on laisse du sulfate de fer II dans une coupelle, sa couleur verte évolue vers la couleur rouille ; il se transforme en sulfate de fer III.

$$Fe^{2+}, SO_4^{2-} \qquad 2Fe^{3+}, 3SO_4^{2-}$$

Le sulfate de fer III contient des ions Fe^{3+}.
Un atome de fer possède 26 électrons.

a) Quel est le nombre d'électrons de l'ion Fe^{3+} ?

b) Quel est le nombre de charges élémentaires positives du noyau :
– de l'atome de fer ?
– de l'ion Fe^{3+} ?

Utilise tes connaissances

Calcule (ex. 12 et 13)

12 Quelle est la longueur correspondant à un million d'atomes de cuivre de diamètre 0,26 nm, placés côte à côte ?
(1 nm $= 10^{-9}$ m.)

13 Une feuille d'aluminium a 0,015 mm d'épaisseur. Chaque atome est représenté par une sphère de 0,3 nm de diamètre.
Combien y a-t-il d'atomes d'aluminium dans cette épaisseur en supposant qu'ils soient disposés les uns sur les autres ?
(1 nm $= 10^{-9}$ m.)

Donne la composition d'un atome et d'un ion (ex. 14 et 15)

14 Le difluor, F_2, est un gaz mortel. L'ion fluorure F^- protège des caries.
La molécule de difluor possède 18 électrons.

a) Combien de charges élémentaires positives possède un atome de fluor ?

b) Quel est le nombre d'électrons d'un ion fluorure ?

15 Le lait et le fromage sont nécessaires à la croissance du squelette, car ils contiennent des ions calcium Ca^{2+}.
a) Cet ion possède-t-il un excès ou un défaut d'électrons ?

b) Cet ion possède 18 électrons. Combien de charges positives élémentaires trouve-t-on dans :
– le noyau d'un ion calcium ?
– le noyau d'un atome de calcium ?

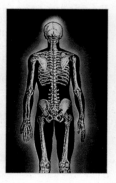

Étudie des solutions ioniques (ex. 16 et 17)

16

solution de...	ions présents dans la solution	
	cations	anions
chlorure de sodium	.....	Cl^-
sulfate de cuivre II	.....	.....
nitrate de fer III	Fe^{3+}	.....
chlorure de zinc	.....	.....

a) Recopie et complète le tableau ci-dessus en indiquant la formule de chaque ion.

b) Dans une solution de chlorure de zinc, combien y a-t-il d'ions chlorure pour un ion zinc ?

17  Recopie et complète avec les mots pris dans la liste suivante :

deux, trois, plus, moins.

Dans une solution de nitrate de cuivre, il y a ..... fois ..... d'ions nitrate NO_3^- que d'ions cuivre Cu^{2+}.

Exploite la formule d'un ion (ex. 18 et 19)

18 Les engrais phosphatés contiennent des ions dihydrogéno-phosphate $H_2PO_4^-$ (les plantes en ont besoin pour leur croissance).

a) Donne le nom et le nombre des atomes qui constituent cet ion.

b) Cet ion possède-t-il un excès ou un défaut d'électrons ? De combien ?

19 Dans le raffinage de l'aluminium intervient l'ion aluminate $Al(OH)_4^-$.

a) Donne le nom et le nombre des atomes qui constituent cet ion.

b) Quel est le nombre d'électrons excédentaires portés par l'ensemble de ces atomes ?

20 Calcule

a) Utilise le tableau de la page 26 pour connaître la masse d'ions calcium contenue dans 1 L d'eau d'Hépar.

b) Pour un adulte, l'apport journalier en ions calcium doit être de 800 mg.
Une personne qui boit 1,5 L d'eau d'Hépar par jour a-t-elle un apport suffisant en ions calcium ?

Étudie des solutions ioniques (ex. 21 et 22)

21 Le sulfate de fer III.

a) Rappelle la formule de l'ion sulfate et celle de l'ion fer III.

b) Quelle est la charge de l'ion sulfate, la charge de l'ion fer III ?

c) Dans une solution de sulfate de fer III, combien y a-t-il d'ions sulfate pour deux ions fer III ?

22 Le sulfate de cuivre est utilisé comme algicide dans les piscines.

a) En décomposant le mot *algicide* en sa racine et son suffixe, cherche sa signification.

b) Dans une solution de sulfate de cuivre, combien trouve-t-on d'ions sulfate pour un ion cuivre ?

c) Quel est le pourcentage d'ions cuivre par rapport au nombre total d'ions ?

Le petit curieux

Verse de l'eau du robinet dans une coupelle en verre. Place la coupelle sur un radiateur et laisse-la plusieurs jours.

a) Que constates-tu lorsqu'il n'y a plus de liquide dans la coupelle ?

b) Qu'est devenue l'eau qui était dans la coupelle ?

c) Sébastien pense que de l'eau s'est solidifiée. A-t-il raison ? Pourquoi ?

(SOS) *Coup de pouce*

Ex. 17 → Une solution ionique est électriquement neutre.

Ex. 18 → L'indice 4 n'affecte que les atomes d'oxygène. Le symbole P représente l'atome de phosphore.

Ex. 19 → L'indice 4 affecte à la fois les atomes d'oxygène et les atomes d'hydrogène.

Ex. 21 → Le sulfate de fer III doit être électriquement neutre.

Ex. 22 c) → Cherche le nombre d'ions cuivre contenus dans un nombre total de 100 ions.

3

Qu'est-ce que le courant électrique ?

COMMENT peut-on, à l'aide du modèle de l'atome, expliquer que certains matériaux sont conducteurs de l'électricité ?

? **Doc. A. Quelle est la nature du courant dans les fils métalliques de cette ligne haute tension ?**

Doc. B. Ces techniciens interviennent sur une ligne haute tension à l'aide d'une perche en matière plastique. Pourquoi n'utilisent-ils pas une perche métallique ?

Doc. C. André-Marie AMPÈRE (1775-1836), physicien français né à Lyon. Il a été le premier à interpréter le courant électrique. Il a défini le sens conventionnel du courant. Quel est ce sens ? Qu'est-ce qu'un courant électrique ?

Doc. D. Cette batterie d'accumulateurs au plomb contient une solution d'acide sulfurique. Comment le courant électrique peut-il circuler dans cette solution ?

1 Le courant électrique dans un métal

1.1. Les métaux sont conducteurs

▶ *Expérimentons* : Rappelons l'expérience réalisée en classe de Cinquième.

Pour savoir si un matériau est conducteur, insérons un objet constitué de ce matériau dans un circuit *(doc. 1)*. La lampe brille si le matériau est conducteur et reste éteinte s'il est isolant. Nous constatons ainsi que les métaux sont conducteurs.

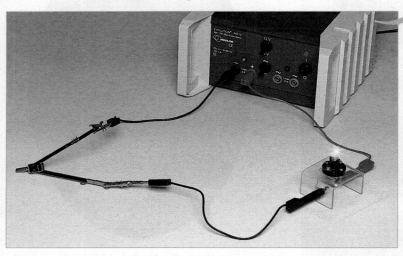

DOC. 1. *La lampe s'allume : le compas métallique laisse passer le courant.*

▶ *Interprétons* : Un métal est constitué d'atomes. Dans ces atomes, certains électrons sont peu liés aux noyaux. Ce sont des **électrons libres**.

Si nous insérons un matériau métallique dans un circuit, le générateur provoque la circulation des électrons libres. Leur mouvement d'ensemble constitue le courant électrique *(doc. A, p. 30)*.

> **Dans un métal, le courant électrique est dû à une circulation d'électrons libres.**

Un isolant (par exemple une matière plastique) ne possède pas d'électrons libres. Tous ses électrons sont liés aux noyaux. Un isolant ne peut donc pas conduire le courant électrique *(doc. B, p. 31)*.

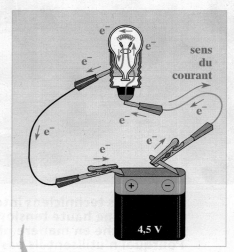

DOC. 2. *Le générateur assure la circulation des électrons.*

1.2. Le sens du mouvement des électrons

À l'extérieur du générateur, les électrons libres se dirigent vers la borne ⊕ du générateur. Celui-ci joue le rôle d'une pompe à électrons : il attire les électrons vers sa borne ⊕ et les refoule par sa borne ⊖ *(doc. 2)*.

Le sens du mouvement d'ensemble des électrons est opposé au sens conventionnel du courant électrique, qui va de la borne ⊕ vers la borne ⊖ à l'extérieur du générateur *(doc. 3 et doc. C, p. 31)*.

▶ *Pour t'entraîner → Ex. 5.*

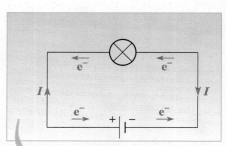

DOC. 3. *Schématisation du document 2. Le sens du déplacement des électrons (en bleu) est opposé au sens conventionnel du courant (en rouge).*

2 Le courant électrique dans une solution

2.1. Les solutions ioniques sont conductrices

▶ **Expérimentons** : Testons la conduction de quelques solutions à l'aide du montage ci-dessous (*doc.* 4a *et* b) et regroupons les résultats dans un tableau.

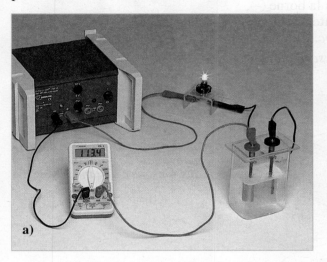

a)

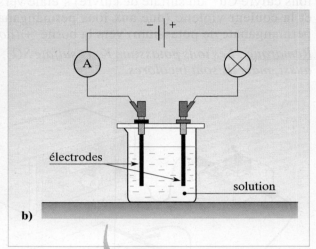

b)

électrodes

solution

DOC. 4a) et b). *Test de la conduction de quelques solutions.*

solution	la lampe brille	la lampe reste éteinte	intensité du courant
eau distillée		✗	< 3 mA
eau sucrée		✗	< 10 mA
eau salée	✗		113,4 mA

▶ **Interprétons** : Dans le cas de l'eau distillée et de l'eau sucrée, l'intensité du courant est très faible et la lampe reste éteinte : ces solutions sont très peu conductrices.
En revanche, l'eau salée est une solution conductrice.

L'eau distillée et l'eau sucrée sont constituées essentiellement de molécules.

L'eau salée est une solution de chlorure de sodium : elle contient, en plus des molécules d'eau, des ions chlorure Cl⁻ et des ions sodium Na⁺.
Ces ions sont donc responsables du passage du courant dans les solutions.

> **Dans une solution conductrice, le courant électrique est dû à une circulation d'ions.**

L'acide chlorhydrique et la soude conduisent le courant électrique. Ces solutions sont dites ioniques.
Le courant électrique à l'intérieur de la solution d'une batterie d'accumulateurs au plomb (*doc. D, p. 31*) est dû à la circulation des ions sulfate et des ions hydrogène constituant l'acide sulfurique.

▶ *Pour t'entraîner → Ex. 7.*

2.2. Le sens du déplacement des ions

▶ *Expérimentons* : Mettons en évidence la conduction des ions. Au centre d'une bandelette imbibée d'une solution conductrice incolore, déposons un mélange d'une solution bleue de sulfate de cuivre *(doc. 5a)* et d'une solution violette de permanganate de potassium *(doc. 5b)*.

Lorsqu'une tension est appliquée, la couleur bleue (due aux ions cuivre Cu^{2+} du sulfate de cuivre) s'étale vers la borne $\ominus$, et la couleur violette (due aux ions permanganate MnO_4^- du permanganate de potassium) vers la borne $\oplus$ *(doc. 6)*.

Remarque : Les ions potassium K^+ et sulfate SO_4^{2-} se déplacent aussi, mais ils sont incolores.

$$Cu^{2+}, SO_4^{2-} \qquad K^+, MnO_4^-$$

a)   b)

DOC. 5a). *La couleur bleue du sulfate de cuivre est due aux ions cuivre Cu^{2+}.*
b). *La couleur violette du permanganate de potassium est due aux ions permanganate MnO_4^-.*

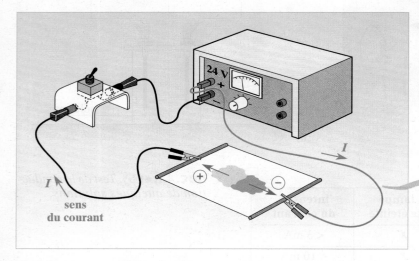

I

sens du courant

DOC. 6. *Les ions chargés positivement se déplacent dans le sens du courant ; les ions chargés négativement se déplacent dans l'autre sens.*

▶ *Concluons* : Quand le courant passe dans une solution ionique, les ions positifs se déplacent vers la borne $\ominus$ du générateur, et les ions négatifs vers la borne $\oplus$.

> **Les ions positifs se déplacent dans le sens conventionnel du courant ; les ions négatifs se déplacent en sens contraire.**

▶ *Pour t'entraîner* → Ex. 6.

Retiens l'essentiel

Dans un métal, le courant électrique est dû à une circulation d'électrons libres. Ceux-ci se déplacent dans le sens opposé au sens conventionnel du courant.

Dans une solution conductrice, le courant électrique est dû à une circulation d'ions. Les ions positifs se déplacent dans le sens conventionnel du courant ; les ions négatifs se déplacent en sens inverse.

Fiche-méthode

Comment trouver la formule d'une solution ionique ?

Exemple :

Quelle est la formule d'une solution de chlorure de cuivre ?

1. Cherche la formule des ions présents dans la solution.

2. Écris la formule de l'ion positif, puis celle de l'ion négatif, séparées par le signe +.

3. Recherche, quand c'est nécessaire, les coefficients pour chaque ion, afin que l'ensemble soit électriquement neutre, c'est-à-dire que le nombre de charges positives soit égal au nombre de charges négatives.

Application :

L'ion sulfate a pour formule SO_4^{2-}. Écris les formules du sulfate de cuivre et du sulfate de sodium en solution.

Le **sulfate de cuivre** comprend des ions sulfate de formule SO_4^{2-} et des ions cuivre de formule Cu^{2+}.

Ces deux types d'ions portent le même nombre de charges : 2 charges négatives pour l'ion sulfate et 2 charges positives pour l'ion cuivre.

Pour assurer l'électroneutralité de la solution, il faut autant d'ions sulfate que d'ions cuivre.

La formule du sulfate de cuivre en solution s'écrit : $Cu^{2+} + SO_4^{2-}$.

Le **sulfate de sodium** comprend des ions sulfate de formule SO_4^{2-} et des ions sodium de formule Na^+.

Pour assurer l'électroneutralité, la solution doit contenir 2 ions sodium pour 1 ion sulfate.

La formule du sulfate de sodium en solution s'écrit : $2\,Na^+ + SO_4^{2-}$.

Exercices

1 Précise la nature du courant

Recopie et complète les phrases avec les mots pris dans la liste suivante :

ions, électrons libres, électrons liés, ionique.

a) Dans un conducteur métallique, le courant électrique est un déplacement d'..... .

b) Une solution conductrice contient des ..... . C'est une solution ..... .

c) Un matériau isolant ne possède pas d'..... : tous ses électrons sont des ..... .

2 Trouve le sens du déplacement des électrons

Sur le schéma ci-contre :

a) Quelle est la couleur de la flèche qui indique le sens du courant ?

b) Quelle est la couleur de la flèche qui indique le sens du déplacement des électrons ?

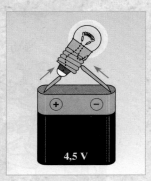

4,5 V

3 Trouve le sens du déplacement des ions

Vrai ou faux ? Corrige les propositions fausses.

Dans une solution ionique parcourue par un courant :

a) le courant électrique est dû à un déplacement d'ions ;

b) tous les ions se déplacent vers la borne ⊕ du générateur ;

c) les ions positifs se déplacent vers la borne ⊕ du générateur ;

d) le courant électrique est dû à un déplacement d'électrons ;

e) les ions négatifs se déplacent vers la borne ⊕ du générateur.

4 Trouve la nature des charges électriques

Recopie en choisissant la bonne réponse.

a) Un métal conduit le courant électrique, car il contient des électrons *libres / liés*.

b) Une solution d'eau sucrée est isolante, car elle contient des *ions / molécules*.

c) Une solution d'eau salée est conductrice, car elle contient des *ions et des molécules / molécules*.

5 Teste la conduction de matériaux solides

a) Dans l'expérience ci-contre, la lampe s'allume. Le cuivre et l'aluminium sont-ils conducteurs ou isolants ?

b) Reproduis le schéma en indiquant par des flèches rouges le sens du courant dans le cuivre et dans l'aluminium, et par des flèches bleues le sens du déplacement des électrons.

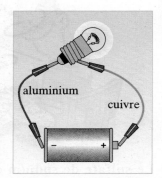

aluminium

cuivre

c) On remplace le fil de cuivre par un fil de laine. La lampe s'éteint. Pourquoi ?

6 Indique l'origine du courant dans une solution

On réalise l'expérience ci-après.

a) Pourquoi la lampe s'éclaire-t-elle ?

b) Reproduis le schéma en indiquant :

– par une flèche rouge le sens du courant ;

– par des flèches bleues le sens du déplacement des ions positifs dans la laine imbibée d'acide chlorhydrique ;

– par des flèches vertes le sens du déplacement des ions négatifs dans la laine imbibée d'acide chlorhydrique.

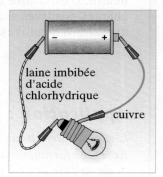

laine imbibée d'acide chlorhydrique

cuivre

7 Trouve les solutions conductrices

On réalise le circuit ci-contre.

L'ampèremètre ne détecte aucun courant si la cuve contient de l'eau, de l'eau sucrée ou de l'huile.

En revanche, le courant circule avec de l'eau salée, de l'eau additionnée de sulfate de cuivre ou de l'eau additionnée de soude.

Que peux-tu en conclure ?

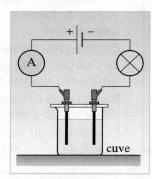

cuve

8. Mets en évidence le sens du courant

Considérons le montage ci-dessous :

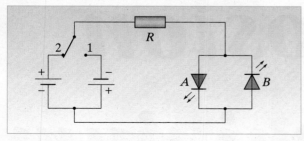

a) L'inverseur étant sur la position 2, quelle est la D.E.L. qui s'allume ?

Dans quel sens se déplacent les électrons dans la résistance R ?

b) Réponds aux mêmes questions lorsque l'interrupteur est sur la position 1.

2. Étudie la migration des ions

Dans une cuve, on verse une solution de nitrate d'argent. On réalise alors le circuit schématisé ci-dessous.

a) On constate que le courant passe. Que peut-on en conclure pour la solution de nitrate d'argent ?

b) Les ions présents dans la solution sont les ions argent Ag^+ et nitrate NO_3^-. Indique, après avoir refait le schéma, le sens du déplacement de ces ions.

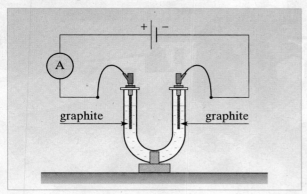

10. Étudie une expérience de migration des ions

Pour mettre en évidence le déplacement des ions dans une solution conductrice, on utilise le montage schématisé ci-après.
On fait passer le courant (100 mA environ).
Au bout de 20 min, il se forme un anneau orange du côté du pôle $\oplus$ et un anneau bleu-vert du côté du pôle $\ominus$.
L'anneau orange est dû aux ions dichromate $Cr_2O_7^{2-}$.
L'anneau bleu-vert est dû aux ions cuivre Cu^{2+}.

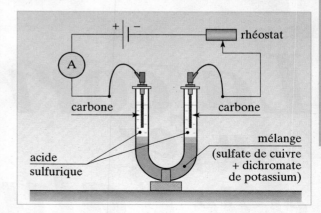

a) Indique le sens du déplacement des électrons dans les fils métalliques.

b) Dans la solution d'acide sulfurique, il existe principalement des ions H^+ et des ions SO_4^{2-}.
Indique leur sens de déplacement.

c) Quels sont les ions présents dans une solution de sulfate de cuivre ?
Indique leur sens de déplacement.

d) Dans la solution de dichromate de potassium, on trouve les ions K^+ et $Cr_2O_7^{2-}$.
Indique leur sens de déplacement.

e) Quelles sont les formules des solutions d'acide sulfurique, de sulfate de cuivre et de dichromate de potassium ?

Le petit curieux

Dans un verre d'eau, place deux charbons récupérés dans une pile plate usagée et réalise un circuit avec une pile et une lampe.

a) La lampe s'éclaire-t-elle ? Explique le résultat de l'expérience.

b) Verse du sel de cuisine dans l'eau. Qu'observes-tu ? Explique le résultat de l'expérience.

4

La corrosion
du fer
et de *l'aluminium*

QUE SE PASSE-
T-IL *quand
le fer rouille ?*

*Les objets
en aluminium,
contrairement
à ceux en fer,
ne se détériorent pas
à l'air ou dans l'eau.
Pourquoi ?*

OBJECTIFS

◆ Identifier l'oxydation du fer dans l'air humide comme une réaction chimique lente.

◆ Comprendre comment le fer subit une corrosion avec formation de rouille.

◆ Connaître la composition de l'air en dioxygène et en diazote.

◆ Comprendre le rôle protecteur de l'alumine.

Doc. A. Exposés à l'air humide, les toits de ces habitations en tôle ondulée sont recouverts de rouille. Pourquoi ?

Doc. B. Pour conserver les boissons ou les aliments, on utilise des canettes en aluminium ou des boîtes en « fer-blanc ». Pour emballer les aliments, on utilise des feuilles d'aluminium. Pourquoi ne pas utiliser du fer pur ?

Doc. C. La carlingue de cet avion est en aluminium. Pourquoi n'est-il pas nécessaire de la peindre ?

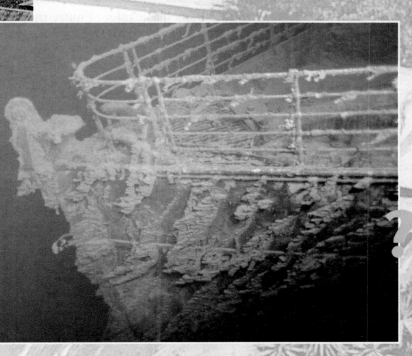

Doc. D. Pourquoi l'épave du *Titanic* est-elle en partie conservée depuis le naufrage de 1912, alors qu'une épave en surface est rapidement détruite ?

1 La corrosion du fer

Les *documents* A et D, *pp*. 38 *et* 39, montrent que le fer rouille à l'air ambiant.
Le fer est rongé : il subit une **corrosion**.

1.1. Les conditions de formation de la rouille

La formation de la rouille est importante dans les régions humides ou maritimes.
L'air, l'eau, le sel jouent un grand rôle dans la formation de la rouille. Mettons leur action en évidence.

■ *Le fer rouille-t-il à l'air sec ?*

▶ *Expérimentons et observons* : Un clou est placé dans un tube contenant du chlorure de calcium qui absorbe l'humidité de l'air *(doc. 1)*.

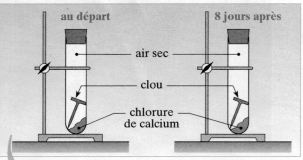

DOC. 1. *Le clou n'est pas attaqué.*

▶ *Concluons* : Le fer ne rouille pas dans l'air sec.

■ *Le fer rouille-t-il dans l'air humide ?*

▶ *Expérimentons et observons* : Plaçons un clou à moitié dans l'eau, l'autre moitié étant à l'air libre *(doc. 3)*.

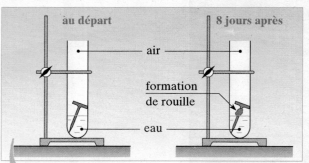

DOC. 3. *Le clou est attaqué, surtout au niveau de la surface libre de l'eau.*

▶ *Concluons* : Le fer rouille dans l'air humide.

■ *Le fer rouille-t-il dans l'eau privée d'air ?*

▶ *Expérimentons et observons* : Faisons bouillir de l'eau afin de chasser l'air dissous et plongeons un clou dans cette eau. Recouvrons l'eau d'une couche d'huile pour empêcher l'air de se dissoudre à nouveau dans l'eau *(doc. 2)*.

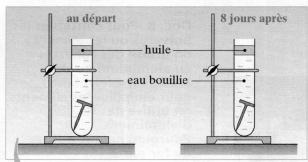

DOC. 2. *Le clou n'est pas attaqué.*

▶ *Concluons* : Le fer ne rouille pas dans l'eau privée d'air.

■ *Le fer rouille-t-il dans l'eau salée ?*

▶ *Expérimentons et observons* : Plaçons un clou à moitié dans l'eau salée, l'autre moitié étant à l'air libre *(doc. 4)*.

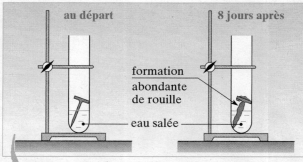

DOC. 4. *Le fer rouille rapidement dans l'eau salée.*

▶ *Concluons* : Le sel favorise la formation de la rouille.

L'air et l'eau interviennent dans la formation de la rouille.

▶ *Pour t'entraîner* → *Ex. 6.*

1.2. Le rôle du dioxygène de l'air

L'air contient essentiellement du dioxygène et du diazote. Ces deux gaz interviennent-ils dans la formation de la rouille ?

▶ **Expérimentons** (doc. 5a et 5b).

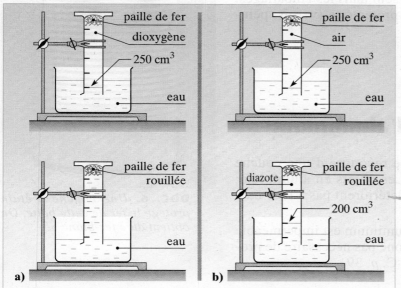

a)

b)

DOC. 5a). *La paille de fer est placée dans du dioxygène en présence d'eau.*

b). *La paille de fer est placée dans de l'air (constitué de 1/5 de dioxygène et de 4/5 de diazote) en présence d'eau.*

• Dans l'expérience a), le fer rouille, l'eau monte et remplit la totalité de l'éprouvette.
• Dans l'expérience b), le fer rouille, l'eau monte et occupe un volume de 50 cm³ dans l'éprouvette.

▶ **Interprétons** :

• Dans l'expérience a), tout le dioxygène (250 cm³) réagit sur le fer pour donner de la rouille. L'eau remplace le dioxygène disparu.
• Dans l'expérience b), l'éprouvette contient au départ 250 cm³ d'air, soit 50 cm³ de dioxygène et 200 cm³ de diazote. Seul le dioxygène, qui réagit avec le fer, disparaît. Il est remplacé par l'eau. Il reste les 200 cm³ de diazote.

> **C'est le dioxygène de l'air et non le diazote qui intervient dans la formation de la rouille.**

▶ *Pour t'entraîner → Ex. 10.*

1.3. La formation de la rouille est une réaction chimique

> **La rouille est un mélange d'oxydes et d'hydroxydes de fer. La formation de la rouille est une réaction chimique, car des réactifs disparaissent (fer, dioxygène, eau) et des produits nouveaux apparaissent (oxydes et hydroxydes de fer).**
>
> **L'équation-bilan de cette réaction chimique s'écrit :**
>
> **fer + dioxygène + eau → oxydes et hydroxydes de fer (rouille)**
>   réactifs   produits

La corrosion du fer est une réaction chimique lente. Il s'agit d'une **oxydation, car l'un des réactifs est le dioxygène**.

La couche de rouille, poreuse, ne protège pas le fer et la corrosion se poursuit jusqu'à la disparition totale du fer.

Le fer ne peut donc pas être utilisé seul dans les emballages. On doit le recouvrir d'une couche protectrice (vernis, peinture, autre métal…) *(doc. 6)*.

▶ *Pour t'entraîner → Ex. 8.*

2 La corrosion de l'aluminium

L'aluminium ternit à l'air, car il se recouvre d'une couche d'oxyde d'aluminium (alumine). Les objets en aluminium, contrairement à ceux en fer, ne se détériorent pas à l'air ou à l'eau *(doc. B, p. 39)*.

En effet, cette couche d'oxyde d'aluminium est imperméable à l'air et protège le métal. Il n'est donc pas nécessaire de protéger les objets en aluminium *(doc. C, p. 39)*.

DOC. 6. *Une couche d'étain protège le fer de cette boîte. On obtient du « fer-blanc ».*

> **La corrosion de l'aluminium conduisant à la formation d'oxyde d'aluminium (alumine) est une oxydation. L'équation-bilan de cette réaction chimique s'écrit :**
>
> **aluminium + dioxygène → oxyde d'aluminium**
> **réactifs   produit**

▶ *Pour t'entraîner → Ex. 9.*

Retiens l'essentiel

Un métal placé dans l'air subit une corrosion. Cette corrosion est une réaction chimique avec le dioxygène de l'air : c'est une oxydation.

La corrosion du fer est une réaction chimique entre le fer et le dioxygène de l'air, en présence d'eau. Elle conduit à la formation de la rouille. La rouille, poreuse, ne protège pas le fer.

La corrosion de l'aluminium par le dioxygène de l'air conduit à la formation d'oxyde d'aluminium (alumine). La couche d'oxyde d'aluminium, imperméable, protège l'aluminium.

LA TOUR EIFFEL

Au cours de la première moitié du XIXᵉ siècle, la révolution industrielle en Europe s'accompagne d'un essor de la métallurgie. La tour Eiffel, édifiée pour l'Exposition universelle de 1889, constitue un bel exemple des progrès accomplis dans la maîtrise des charpentes métalliques.

Carte d'identité

Date de naissance : 31 mars 1889.
Entrepreneur : Gustave Eiffel.
Poids total : 10 100 tonnes.
Matériau : fer.
Composition : 18 038 pièces métalliques, 2 500 000 rivets.
Hauteur : 318,7 mètres.
Illumination : 352 projecteurs de 1 000 watts.
Nombre de visiteurs jusqu'en 1996 : 167 664 889.

La construction de la tour Eiffel

Le montage des piliers commence le 1ᵉʳ juillet 1887 pour s'achever vingt et un mois plus tard (doc. 1).

Toutes les pièces sont préparées à l'usine de Levallois-Perret, à côté de Paris, siège de l'entreprise Eiffel (doc. 2).

DOC. 1. *La tour Eiffel en décembre 1887, septembre 1888, décembre 1888 et mars 1889.*

DOC. 2. *L'usine de Levallois-Perret.*

Le montage est réalisé par 150 à 300 ouvriers encadrés par des anciens ouvriers des grands viaducs métalliques.

Toutes les pièces métalliques de la tour sont fixées par des rivets, un mode de construction bien maîtrisé à cette époque.

D'après http://www.tour-eiffel.fr

La peinture de la tour Eiffel

Construite en fer, la tour est protégée de l'oxydation par plusieurs couches de peinture.

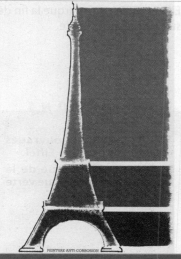

DOC. 3. *Le dégradé de trois couleurs.*

La tour a été repeinte dix-sept fois depuis sa construction, soit une fois en moyenne tous les sept ans. Elle a changé plusieurs fois de couleur, passant du brun-rouge à l'ocre jaune, puis au marron et enfin au bronze d'aujourd'hui, légèrement dégradé pour assurer une perception uniforme de la teinte dans le ciel de Paris (doc. 3).

Cinquante tonnes de peinture sont nécessaires pour la recouvrir, et il faut près d'une année à une équipe de vingt-cinq peintres pour la peindre de haut en bas.

QUESTIONS

1. Pour quelle manifestation la tour Eiffel a-t-elle été construite ?

2. Comment sont fixées entre elles les pièces métalliques de la tour ?

3. Pourquoi doit-on peindre la tour Eiffel ?

Documents

GUSTAVE EIFFEL

Ingénieur et industriel

Gustave Eiffel est né en 1832 à Dijon. Il a reçu une formation d'ingénieur à l'École centrale des arts et manufactures avant de devenir entrepreneur spécialisé dans les charpentes métalliques.

Après une carrière d'industriel bien remplie, il a consacré les toutes dernières années de sa vie à de nombreuses recherches dont certaines ont été mises en œuvre sur la tour Eiffel (expériences sur la résistance de l'air, installation d'une station météorologique et d'une antenne géante pour la radio naissante).

Il est mort, à Paris, le 27 décembre 1923.

Doc. 2. *Construction du viaduc de Garabit dans le Cantal (1882-1884).*

Constructeur de charpentes métalliques

Gustave Eiffel s'est illustré dans la réalisation des ponts (par exemple, les viaducs de Porto au Portugal et de Garabit dans le Cantal *(doc. 2)*).

Il est également à l'origine de la structure métallique de la statue de la Liberté à New York (1886) *(doc. 3)*, et bien sûr de la tour Eiffel (1889), qui marque la fin de sa carrière industrielle.

Doc. 1. *Portrait de Gustave Eiffel (1832-1923).*

QUESTIONS

1. Cite quelques ouvrages majeurs de Gustave Eiffel.
2. Pourquoi la statue de la Liberté est-elle devenue verte au cours du temps ?

Doc. 3. *Placée à l'entrée du port de New York, la statue de la Liberté fut conçue par Bartholdi. D'une hauteur de 33 m, elle est constituée de plaques de cuivre, soutenues par une armature de fer mise au point par Eiffel.*

Sais-tu l'essentiel ?

1 Complète

Choisis des mots dans la liste suivante :

fer, oxydation, eau, rouille, dioxygène, diazote.

a) La corrosion du fer est une ..... qui nécessite trois réactifs : ....., ... et ..... .

b) L'air est un mélange gazeux constitué principalement de ..... (4/5 en volume) et de ..... (1/5 en volume). Lorsque le fer rouille, c'est le ..... de l'air qui réagit.

2 Vrai ou faux

Corrige les affirmations fausses.

a) La corrosion d'un métal par l'air est une oxydation.

b) La couche de rouille, imperméable, protège le fer.

c) C'est le diazote de l'air qui réagit avec le fer.

d) L'air sec ne réagit pas avec le fer.

3 Donne une définition

Qu'est-ce que la corrosion du fer dans l'air ?

4 Choisis la bonne réponse

a) La corrosion de l'aluminium dans l'air entraîne la formation de *la rouille / l'oxyde d'aluminium.*

b) La couche d'oxyde d'aluminium est *poreuse / imperméable.*

c) La couche d'oxyde d'aluminium *protège / ne protège pas* l'aluminium.

5 Complète le tableau

réaction	réactifs	produit(s)
corrosion du fer	.....	.....
corrosion de l'aluminium	.....	.....

Applique le cours

Étudie la corrosion des automobiles (ex. 6 et 7)

6
Pourquoi la corrosion des carrosseries d'automobiles est-elle plus importante au bord de la mer ?

7
Une voiture a une carrosserie en aluminium, une autre a une carrosserie en acier, alliage de fer et de carbone. Un accrochage a lieu entre ces deux véhicules. Des éraflures mettent ces métaux à nu.

Que risque-t-il de se passer si les deux conducteurs attendent plusieurs mois avant de repeindre les parties endommagées ?

8 Étudie la corrosion du fer

La corrosion du fer par l'air est une réaction chimique.

a) Indique les réactifs et les produits et écris le bilan de cette réaction.

b) Pourquoi la corrosion du fer se poursuit-elle en profondeur ?

9 Étudie la corrosion de l'aluminium

La corrosion de l'aluminium par l'air est une réaction chimique.

a) Indique les réactifs et le produit et écris le bilan de cette réaction.

b) Pourquoi est-ce une oxydation ?

c) Pourquoi la corrosion de l'aluminium ne se produit-elle pas en profondeur ?

10 Étudie la formation de la rouille

On a réalisé l'expérience de la figure ci-dessous.

a) Pourquoi, le mercredi, l'eau a-t-elle complètement rempli l'éprouvette de droite et non celle de gauche ?

b) Cette expérience permet de déterminer la composition de l'air. Explique comment.

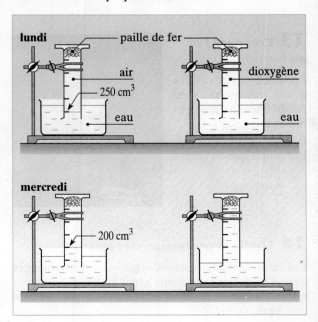

Exercices

11 Étudie une protection du fer

Pourquoi les barres de fer sont-elles parfois vendues complètement recouvertes d'un produit huileux ?

12 Réalise la corrosion du cuivre

Les toits de certains monuments sont verts. En fait, ces toits sont en cuivre. Le cuivre subit la corrosion en réagissant avec le dioxygène et le dioxyde de carbone présents dans l'air. Il se forme du vert-de-gris.

Pour fabriquer du vert-de-gris, procède ainsi :
– dans un bocal rincé à l'eau et non essuyé, mets une pointe de spatule de poudre de cuivre. Agite le flacon afin de répartir la poudre de cuivre sur les parois humides ;
– mets dans ce flacon un comprimé effervescent (aspirine, Alka-Seilzer) avec quelques gouttes d'eau. Bouche le flacon.

Au bout de 4 à 5 jours, tu observeras la formation de vert-de-gris.

a) Quels sont les réactifs qui réagissent pour former le vert-de-gris ?

b) D'où provient le dioxygène nécessaire à cette corrosion ?

c) L'action de l'eau sur un comprimé effervescent provoque un dégagement de dioxyde de carbone. Comment testerais-tu ce gaz ?

13 Compare l'or au fer

Le dôme des Invalides a été recouvert avec 550 000 feuilles d'or très minces.

Pourquoi a-t-on utilisé de l'or plutôt que du fer ?

14 Étudie la protection des carrosseries

Les carrosseries d'automobiles subissent des trempages dans 4 ou 5 bains différents avant le dépôt d'une première couche de peinture mate suivie d'une seconde couche de vernis.

Pour quelle raison doit-on faire subir ce traitement aux carrosseries en acier ?

15 Étudie un déshydratant

Dans la housse étanche en matière plastique où sont installés certains appareils avant d'être livrés (appareils photographiques, caméscopes…), on trouve des sachets de chlorure de calcium, produit déshydratant.

a) Que signifie le terme *déshydratant* ?

b) (SOS) Pourquoi les sachets sont-ils poreux ?

c) Léa place un de ces sachets dans un tube à essais contenant un clou et ferme le tube avec un bouchon.

– Fais le schéma de l'expérience.

– Le clou risque-t-il de rouiller ? Pourquoi ?

16 Analyse une expérience

Observe les schémas 1) et 2). On suppose que le fer est en quantité suffisante.

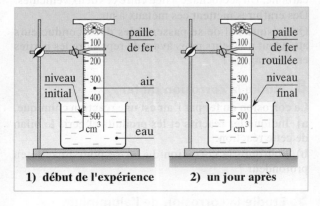

1) début de l'expérience   2) un jour après

a) Quel est le volume de dioxygène qui a participé à la formation de la rouille ?

b) (SOS) L'expérience est-elle terminée ? Sinon, jusqu'à quel trait de la graduation le niveau de l'eau doit-il monter ?

c) Reste-t-il des gaz dans l'éprouvette ? Si oui, lesquels ?

17 Cherche l'explication

On réalise la soudure de deux morceaux d'aluminium avec de l'argon, gaz inerte.

Pourquoi ne peut-on réaliser cette soudure avec un chalumeau ordinaire ?

Étudie des alliages (ex. 18 et 19)

18 Parmi ces trois alliages : *bronze*, *fonte*, *laiton*, un seul rouille.

a) Recherche dans une encyclopédie la composition de ces alliages.

b) Lequel rouille ? Pourquoi ?

c) Pourquoi les archéologues retrouvent-ils plus d'objets de l'âge du bronze que de l'âge du fer ?

19 Certains alliages contenant du fer ne rouillent pas. C'est le cas de l'inox.

a) Recherche dans une encyclopédie la composition de l'inox.

b) Indique quelques objets en inox utilisés en cuisine.

c) Explique pourquoi les cuves de vin ou de lait exposées à l'air sont en inox.

20 Relis le paragraphe 1.2, p. 41

a) Dans l'expérience a), tout le dioxygène disparaît. Est-ce qu'il en aurait été de même si l'on avait mis seulement deux brins de paille de fer au fond de l'éprouvette ?

b) Dans l'expérience b), le niveau de l'eau monte de 50 cm³. De quel gaz l'eau a-t-elle pris la place ? Qu'est devenu ce gaz ?

Le petit curieux

a) Réalise à la maison les deux expériences représentées ci-dessous.

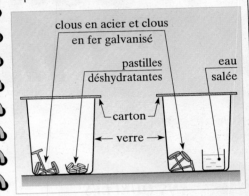

clous en acier et clous en fer galvanisé

pastilles déshydratantes

eau salée

carton

verre

Tu peux utiliser :
– des clous en acier que tu auras frottés à l'aide de papier de verre pour les décaper ;
– des verres à moutarde ;
– des pastilles déshydratantes (tu en trouveras dans le bouchon d'un tube d'aspirine effervescente).

b) Note tes observations au bout de quelques jours. Compare le comportement des clous en acier avec ceux en fer galvanisé.

SOS *Coup de pouce*

Ex. 15 → b) Recherche le rôle du déshydratant dans le cours.

Ex. 16 → b) Pense à la composition de l'air.

5
La combustion
des
métaux

DANS QUELLES
CONDITIONS
les métaux
peuvent-ils brûler ?
Que se passe-t-il
au cours de leur
combustion ?

OBJECTIFS

◆ Interpréter la combustion des métaux divisés dans l'air comme une réaction avec le dioxygène.

◆ Savoir que la masse est conservée au cours d'une réaction chimique.

◆ Savoir que les atomes se conservent lors d'une réaction chimique.

◆ Connaître les symboles Fe, Cu, Zn et Al.

◆ Interpréter les équations-bilans d'oxydation du fer, du zinc, du cuivre et de l'aluminium en termes de conservation d'atomes.

Doc. A. Pourquoi des gerbes d'étincelles se forment-elles sous la voiture ?

Doc. B. Quelle est l'origine des magnifiques effets observés lors d'un feu d'artifice ?

Doc. C. Pourquoi les casseroles métalliques ne brûlent-elles pas dans la flamme du gaz ?

Doc. D. Porté à haute température, le fer brûle. Que se forme-t-il ?

1 Les métaux peuvent-ils brûler dans l'air ?

▶ *Expérimentons* : Faisons brûler dans l'air différents métaux *(doc. 1, 2 et 3).*

DOC. 1. *À chaud, la poudre d'aluminium brûle dans l'air. Il se forme une poudre blanche d'oxyde d'aluminium.*

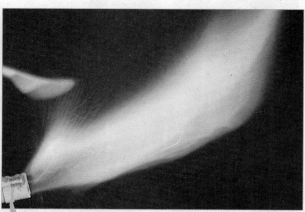

DOC. 2. *À chaud, la poudre de cuivre brûle dans l'air avec une flamme verte. Il se forme une poudre noire d'oxyde de cuivre.*

DOC. 3. *À chaud, la poudre de zinc brûle dans l'air. Il se forme une poudre blanche d'oxyde de zinc.*

▶ *Interprétons* : À la température de la flamme du bec Bunsen, les métaux brûlent vivement dans l'air. Il faut pour cela qu'ils soient à l'état de petits grains, c'est-à-dire à l'**état divisé**.

Ainsi, les étincelles produites sous la voiture de course *(doc. A, p. 48)* sont des particules de fer qui brûlent dans l'air. Dans les feux d'artifice *(doc. B, p. 49)*, on utilise des poudres de différents métaux pour obtenir des étincelles colorées *(voir documents, p. 54).*
En revanche, les ustensiles de cuisine sont constitués de métaux à l'**état compact** (fer, aluminium, cuivre, zinc). Ils ne brûlent pas dans une flamme *(doc. C, p. 49).*

> **À température élevée et à l'état divisé, certains métaux brûlent dans l'air.**

▶ *Pour t'entraîner* → Ex. 6, 7 et 8.

2 Combustion des métaux dans le dioxygène

◼ Combustion du fer dans le dioxygène pur

▶ <u>Expérimentons et observons</u> (*doc.* 4a, b *et* c) : Plongeons dans un flacon de dioxygène pur de la paille de fer portée à incandescence (*doc.* 4a).

Le fer brûle vivement (*doc.* 4b). Nous observons :
– la disparition du fer ;
– la formation de particules incandescentes (oxyde de fer) ;
– un échauffement du flacon.

À la fin de l'expérience, une bûchette incandescente plongée dans le flacon s'éteint (*doc.* 4c).

▶ <u>Interprétons</u> : Au cours de cette combustion du fer dans le dioxygène :
– le fer a été consommé ;
– le dioxygène a été consommé, comme le montre l'expérience du *document* 4c ;
– un corps nouveau s'est formé : un oxyde de fer appelé oxyde métallique ;
– de la chaleur s'est dégagée puisque le flacon s'est échauffé.

Cette combustion est donc une réaction chimique.

◼ Combustions d'autres métaux dans le dioxygène pur

Dans le dioxygène pur, les autres métaux usuels brûlent plus ou moins facilement selon leur état compact ou divisé en donnant des oxydes métalliques.

Ces combustions sont des réactions vives qui libèrent une grande quantité de chaleur en un intervalle de temps court, contrairement aux réactions de corrosion dans l'air qui sont lentes.

◼ Combustions dans l'air

Les combustions dans l'air font intervenir le dioxygène de l'air. Elles sont plus difficiles à réaliser que dans le dioxygène pur : les métaux doivent être à l'état divisé.

> **La combustion d'un métal dans le dioxygène ou dans l'air est une réaction chimique vive au cours de laquelle des réactifs disparaissent (le dioxygène et le métal) et un produit nouveau apparaît (un oxyde métallique).**
> **C'est une réaction d'oxydation, car l'un des réactifs est le dioxygène.**

▶ *Pour t'entraîner* → *Ex. 9.*

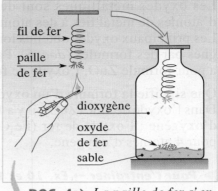

DOC. 4a). *La paille de fer s'enflamme très rapidement.*

DOC. 4b). *Le sable au fond du flacon protège le verre. La chute d'un fragment incandescent pourrait briser le flacon.*

DOC. 4c). *Une bûchette incandescente introduite dans le flacon ne se rallume pas : le dioxygène a disparu.*

3 Les oxydes métalliques

Les oxydes métalliques sont des corps solides constitués d'atomes de métal liés à des atomes d'oxygène (doc. 5). Les principaux oxydes obtenus lors de combustions sont désignés par des formules (doc. 6). Par exemple, l'oxyde de zinc a pour formule ZnO, l'oxyde de fer a pour formule Fe_3O_4.

Que signifie la formule d'un oxyde métallique ?
Dans l'oxyde de zinc (ZnO), il y a 1 atome de zinc pour 1 atome d'oxygène ; l'oxyde de fer (Fe_3O_4) contient 3 atomes de fer pour 4 atomes d'oxygène.

▶ Pour t'entraîner → Ex. 10 et 11.

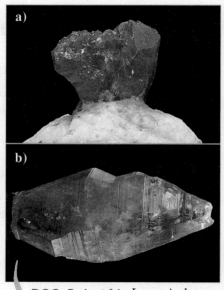

DOC. 5 a) et b). *Le corindon est une variété d'alumine (Al_2O_3).*
a) Teinté de rouge par un oxyde de chrome, c'est le rubis.
b) Teinté de bleu par des oxydes de fer et de titane, c'est le saphir.

4 Les équations-bilans

Le bilan des réactions de combustion d'un métal s'écrit :

$$\underset{\text{réactifs}}{\text{métal + dioxygène}} \rightarrow \underset{\text{produit}}{\text{oxyde métallique}}$$

Écrivons et équilibrons les équations-bilans :
• combustion du fer : $3\ Fe + 2\ O_2 \rightarrow Fe_3O_4$
• combustion du zinc : $2\ Zn + O_2 \rightarrow 2\ ZnO$
• combustion du cuivre : $2\ Cu + O_2 \rightarrow 2\ CuO$
• combustion de l'aluminium : $4\ Al + 3\ O_2 \rightarrow 2\ Al_2O_3$
La conservation des atomes entraîne la conservation de la masse.

> **Lors d'une réaction d'oxydation, la masse de l'oxyde métallique formé est égale à la somme des masses du métal et du dioxygène disparus.**

▶ Pour t'entraîner → Ex. 12 et 13.

symbole du métal	oxyde formé	formule de l'oxyde
Fe	de fer	Fe_3O_4
Zn	de zinc	ZnO
Cu	de cuivre	CuO
Al	d'aluminium	Al_2O_3

DOC. 6. *Formules de quelques oxydes.*

Retiens l'essentiel

Les métaux usuels (fer, aluminium, cuivre, zinc) réagissent vivement :
– avec l'air : à chaud et à l'état divisé ;
– avec le dioxygène : à chaud et même à l'état compact.

Ce sont des réactions d'oxydation, car l'un des réactifs est le dioxygène.

Leur bilan s'écrit : métal + dioxygène → oxyde métallique.

La masse de l'oxyde métallique formé est égale à la somme des masses du métal et du dioxygène disparus.

Fiche-méthode

Interprète une expérience

Réalise l'expérience suivante :
Pèse de la paille de fer dans une coupelle.
Place les lames d'une pile en contact avec la paille de fer ; la paille de fer est portée
à l'incandescence : le fer brûle dans l'air.

1. Coupelle contenant de la paille de fer sur une balance.

2. La même coupelle après combustion de la paille de fer.

On observe une augmentation de la masse. Pourquoi ?

Questions

1. Écris l'équation-bilan, sachant qu'il se forme de l'oxyde de fer Fe_3O_4.

2. Quelle est la nature du corps présent dans la coupelle avant la réaction ?

3. Quelle est la nature de la substance présente dans la coupelle après la réaction ?

4. Avec combien d'atomes d'oxygène se lient 3 atomes de fer lors de la combustion ?

5. À quoi correspond la variation de masse lors de la réaction ?

Réponses

1. $3\ Fe + 2\ O_2 \rightarrow Fe_3O_4$

2. La coupelle contient du fer métallique.

3. La coupelle contient de l'oxyde de fer et du fer n'ayant pas brûlé.

4. D'après l'équation-bilan, 3 atomes de fer se lient avec 4 atomes d'oxygène (2 molécules de dioxygène) pour former l'oxyde de fer Fe_3O_4.

5. L'oxyde formé reste sur la balance.
L'augmentation de la masse est due à la masse des atomes d'oxygène qui se sont liés aux atomes de fer.

LES FEUX D'ARTIFICE

Les premiers feux d'artifice étaient réalisés grâce à la poudre noire, découverte par les Chinois au VIIe siècle et rapportée en Europe au XIIIe siècle par Marco Polo. Jusqu'au XIXe siècle, les feux d'artifice étaient médiocres et manquaient de couleurs. C'est grâce à l'emploi de nouveaux produits chimiques que l'on obtient aujourd'hui de magnifiques feux d'artifice.

Quel est le principe des feux d'artifice ?

Les mélanges, dits pyrotechniques, utilisés dans les feux d'artifice contiennent :
– des substances libérant de l'oxygène (nitrates, chlorates) ;
– des substances qui captent l'oxygène et servent de combustible (soufre, carbone, bore, magnésium, titane).

Un dispositif d'allumage provoque une réaction chimique entre ces deux types de substances. Il s'agit d'une combustion, les atomes d'oxygène étant fournis par le mélange et non par l'air. Le dégagement d'énergie s'effectue dans un petit volume, entraînant l'explosion violente du mélange.

Fête à Versailles en 1664.

Comment obtenir de belles couleurs ?

On incorpore d'autres substances qui, portées à haute température par la combustion du mélange pyrotechnique, émettent de la lumière colorée. La couleur dépend de ces substances (tableau).

Il existe différentes pièces pyrotechniques : cascades, fontaines, soleils, feux de bengale, chandelles, comètes…

couleur	substances
violet	nitrate de potassium chlorate de potassium
vert	chlorure de cuivre sulfate de cuivre poudre de zinc
jaune	oxalate de sodium chlorure de baryum
rouge	nitrate de strontium chlorure de strontium oxyde de strontium
blanc	poudre de magnésium poudre d'aluminium
argenté	poudre de titane
étincelles	granules d'aluminium

QUESTIONS

1. Recherche dans un dictionnaire la composition de la poudre noire.

2. Dans les feux d'artifice, le dioxygène de l'air intervient-il dans la combustion du mélange pyrotechnique ?

3. Pourquoi le mélange pyrotechnique explose-t-il ?

4. L'effet argenté est obtenu par la combustion du titane (formule Ti). L'oxyde formé contient 1 atome de titane pour 2 atomes d'oxygène. Donne la formule de cet oxyde.

5. Recherche les sites Internet indiqués ci-dessous et amuse-toi à simuler des feux d'artifice.

http://www.sciences.univ-nantes.fr
http://mendeleiev.cyberscol.qc.ca/
http://nicewww.cern.ch/

Figures colorées d'un feu d'artifice.

Exercices

Sais-tu l'essentiel ?

1 Choisis la bonne proposition

Les métaux usuels réagissent vivement :

a) avec l'air *à chaud* / *à froid* à l'état divisé ;

b) avec *l'air* / *le dioxygène* / *le diazote* à chaud, même à l'état compact.

2 Complète

Les réactions de combustion des métaux sont des ..... vives.

a) Les produits formés lors de l'oxydation des métaux sont appelés des ..... .

b) Le bilan de la réaction s'écrit :

métal + ... → ..... .

3 Vrai ou faux ?

Corrige les affirmations fausses.

a) Dans un oxyde métallique, il n'y a qu'un seul type d'atomes.

b) Dans un oxyde métallique, il y a toujours des atomes d'oxygène.

c) Au cours de l'oxydation d'un métal, la masse des oxydes est supérieure à la masse des réactifs.

d) Au cours de l'oxydation d'un métal, la masse de l'oxyde formé est supérieure à la masse du métal disparu.

4 Équilibre des équations-bilans

En appliquant la conservation des atomes, complète par des coefficients les équations-bilans suivantes :

$$..... \text{Fe} + ... \text{O}_2 \rightarrow \text{Fe}_3\text{O}_4$$
$$\text{Zn} + \text{O}_2 \rightarrow ..... \text{ZnO}$$
$$..... \text{Al} + ... \text{O}_2 \rightarrow 2\,\text{Al}_2\text{O}_3$$
$$..... \text{Cu} + ... \text{O}_2 \rightarrow ..... \text{CuO}$$

5 Étudie les combustions dans l'air

Dans les expériences des *documents* 1, 2 et 3, page 50, écris le bilan des réactions et les équations-bilans.

Applique le cours

Étudie les combustions dans l'air (ex. 6 à 8)

6 Combustion du fer.

Les gerbes d'étincelles qui accompagnent le meulage d'une pièce en fer donnent des grains de couleur gris-bleu après refroidissement.

a) Donne le nom du produit qui constitue ces grains. Explique leur formation.

b) Cette transformation subie par le fer est-elle une réaction chimique ? Pourquoi ?

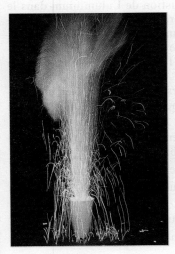

7 Combustion de l'aluminium.

La combustion de l'aluminium divisé dans l'air s'accompagne de gerbes d'étincelles.

a) Nomme le gaz qui réagit alors avec l'aluminium.

b) Quel est le nom de cette réaction chimique ?

c) Quel est le nom du produit constituant la poudre blanche et fine obtenue ?

8 Combustion du fer.

La combustion dans l'air du fer en poudre est une oxydation dont le bilan s'écrit :

fer + dioxygène → oxyde de fer.

a) Quels sont les corps qui disparaissent ?

b) Quel est le nouveau corps formé ?

c) Précise les réactifs et le produit de la réaction.

d) Pourrait-on faire brûler un fil de fer dans l'air ? Justifie ta réponse.

9 Relis ton cours

Les questions suivantes portent sur le paragraphe 2 de ce chapitre et en particulier sur le *document* 4, page 51.

a) À quoi sert la paille de fer ?

b) Pourquoi met-on du sable au fond du flacon ?

c) Quels sont les réactifs et le produit de la combustion ?

d) Pourquoi dit-on que la combustion est vive ?

e) Qu'est-ce qui permet d'affirmer que tout le dioxygène a disparu ?

f) Écris le bilan, puis l'équation-bilan de la réaction, sachant que c'est l'oxyde de fer de formule Fe_3O_4 qui est formé.

Exercices

Donne la signification des formules des oxydes (ex. 10 et 11)

10 L'oxyde de cuivre I (Cu_2O) est utilisé pour colorer les verres en rouge rubis. L'oxyde de cuivre II (CuO) sert à les colorer en vert.

Pour chaque oxyde :

a) Indique le nombre d'atomes de cuivre pour 1 atome d'oxygène.

b) Indique le nombre d'atomes respectifs de chaque type pour 300 atomes composant l'oxyde.

c) Calcule en pourcentage (%) la proportion d'atomes de cuivre et d'oxygène.

11 Le zinc pur ne se trouve pas à l'état libre dans la nature, mais sous forme de minerai.
L'un de ces minerais contient l'oxyde de zinc, appelé blanc de zinc. C'est une poudre blanche employée dans les peintures et dans les pommades antiseptiques.

a) Rappelle la signification de la formule de l'oxyde de zinc.

b) Écris l'équation-bilan correspondant à la préparation du blanc de zinc par combustion du zinc métallique.

12 Équilibre les équations-bilans

Lors des expériences de la combustion dans l'air des métaux divisés (*doc. 1 à 3, p. 50*), il s'est formé des oxydes. Samuel a écrit certaines équations-bilans :

$$Zn + O_2 \rightarrow ZnO$$
$$12\,Fe + 8\,O_2 \rightarrow 4\,Fe_3O_4$$
$$2\,Cu + 2\,O_2 \rightarrow 2\,CuO$$
$$8\,Al + 6\,O_2 \rightarrow 4\,Al_2O_3.$$

a) Quelles sont les équations qui respectent la conservation des atomes ? Simplifie-les.

b) Équilibre correctement les autres équations-bilans.

Utilise la conservation de la masse (ex. 13 et 14)

13 Coralie pense que, lorsqu'un grain d'aluminium s'oxyde, sa masse devient plus grande.
A-t-elle raison ? Pourquoi ?

14 Quentin pèse du « tampon Jex » (paille de fer) contenu dans une coupelle. Il fait brûler cette paille de fer et pèse la poudre noire obtenue.

a) Quelle est la nature de la poudre noire ?

b) Cette poudre pèse plus que le tampon Jex. Pourtant, la masse se conserve au cours d'une réaction chimique. Propose une explication.

Utilise tes connaissances

15 Distingue les oxydes de fer

Lors de la combustion du fer dans le dioxygène ou dans l'air, il se produit principalement de l'oxyde de fer de formule Fe_3O_4, mais aussi d'autres oxydes de formules FeO et Fe_2O_3.
Écris l'équation-bilan correspondant à la formation de chaque oxyde.

16 Distingue les oxydes de cuivre

En chauffant fortement une lame de cuivre, elle se recouvre d'une couche noire d'oxyde de cuivre irisée de rouge sur les bords.

L'oxyde de cuivre noir a pour formule CuO ; l'oxyde de cuivre rouge a pour formule Cu_2O.

a) Indique les réactifs et le produit de chaque réaction.

b) Écris l'équation-bilan de chaque réaction.

17 Interprète la combustion de l'aluminium dans le dioxygène

Pour réaliser la combustion de l'aluminium dans le dioxygène, il est préférable de prendre de la poudre d'aluminium, placée dans un têt en brique réfractaire. À l'aide d'un bec Bunsen, on chauffe la poudre d'aluminium et on plonge le têt dans un bocal contenant du dioxygène.
La combustion est alors spectaculaire avec une production de gerbes d'étincelles et une forte élévation de température du bocal.

a) Schématise l'expérience de combustion de la poudre d'aluminium dans le dioxygène.

b) Quelle est la formule du produit formé ?

c) Comment vérifier que le dioxygène a disparu dans le bocal ?

d) Pourquoi la température du bocal augmente-t-elle ?

e) Écris l'équation-bilan de l'oxydation de l'aluminium.

Calcule (ex. 18 et 19)

18 On rappelle que l'air contient environ 1/5 de dioxygène et 4/5 de diazote, en volume.

a) Calcule le volume de dioxygène dans un flacon de 500 mL d'air.

b) (SOS) Quelle masse de paille de fer pourra brûler dans ce flacon, sachant qu'il faut 5 L de dioxygène pour oxyder complètement 10 g de fer ? (Le volume de dioxygène est proportionnel à la masse de fer qui réagit.)

19 Dans un flacon contenant 0,5 L de dioxygène pur, on introduit un fil de fer enroulé de masse 3 g, dont l'extrémité a été chauffée au rouge.

a) Fais le schéma de l'expérience.

b) (SOS) Sachant qu'il faut 5 L de dioxygène pour oxyder complètement 10 g de fer, le fil brûlera-t-il en totalité ? (La masse de fer oxydé est proportionnelle au volume de dioxygène utilisé.)

20 Étudie l'étain et ses oxydes

L'étain (Sn) est un métal très recherché, utilisé dans de nombreux procédés industriels.

Sous la forme de fer-blanc, il est utilisé comme revêtement protecteur pour les récipients de cuivre et pour les boîtes de conserve. Il sert aussi dans la production d'alliages comme le bronze.

L'étain a deux oxydes, l'oxyde stannique (SnO_2) et l'oxyde stanneux (SnO).

La combustion de l'étain dans l'air conduit à la formation d'oxyde stannique SnO_2.

L'oxyde stanneux (SnO) réagit avec le dioxygène pour donner aussi de l'oxyde stannique (SnO_2).

a) Recherche dans un dictionnaire la définition du fer-blanc et la composition du bronze.

b) Écris l'équation-bilan de la combustion de l'étain dans l'air.

c) Écris le bilan, puis l'équation-bilan de la réaction de combustion de l'oxyde stanneux.

21 Explique l'aluminothermie

Pour souder les rails de chemin de fer, on réalise une réaction chimique d'aluminothermie décrite ci-dessous.

« Mélanger intimement de l'oxyde ferrique (Fe_2O_3) et de la poudre d'aluminium (Al). Verser ce mélange dans un creuset. Piquer dans le mélange un ruban de magnésium. Enflammer le ruban ; l'énergie dégagée par la combustion du magnésium (Mg) dans l'air enflamme le mélange.

La réaction est très vive ; la température peut atteindre 2 800 °C. Des fumées blanches d'alumine (Al_2O_3) se forment ; on obtient du fer liquide dans le creuset. L'aluminium prend l'oxygène de l'oxyde de fer pour donner de l'alumine. »

1) Écris l'équation-bilan de la réaction d'oxydation du magnésium dans l'air. La formule de l'oxyde de magnésium est MgO.

2) La combustion du magnésium n'intervient qu'au début de la réaction pour provoquer l'inflammation du mélange. Lors de l'inflammation du mélange :

a) indique les réactifs et les produits de la réaction ;

b) écris l'équation-bilan de la réaction ;

c) le dioxygène de l'air participe-t-il à la réaction ?

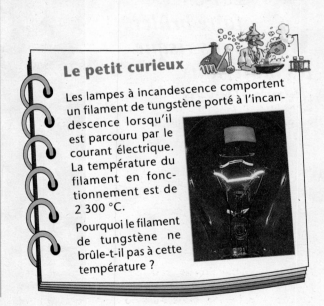

Le petit curieux

Les lampes à incandescence comportent un filament de tungstène porté à l'incandescence lorsqu'il est parcouru par le courant électrique. La température du filament en fonctionnement est de 2 300 °C.

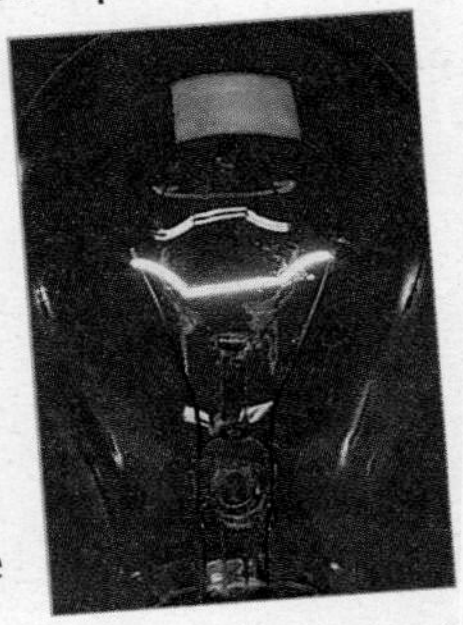

Pourquoi le filament de tungstène ne brûle-t-il pas à cette température ?

Coup de pouce (SOS)

Ex. 18 et 19 → Pour les questions b), bien appliquer la remarque indiquée à la fin de l'exercice.

6

Les matériaux organiques : le danger des combustions

PEUT-ON faire brûler sans risque les matériaux d'emballage ?

OBJECTIFS

◆ Prendre conscience du danger de la combustion de certaines matières plastiques.

◆ Reconnaître la formation de carbone et de dioxyde de carbone.

◆ Savoir que, lors d'une combustion, il se forme de l'eau et parfois des produits toxiques.

Doc. A. Chaque Français utilise en moyenne l'équivalent de dix-sept arbres par an sous forme de papier ou de carton.
Le papier et le carton peuvent-ils être recyclés ?

**Doc. B. Les matières plastiques sont de plus en plus utilisées comme emballages.
Que deviennent ces emballages ?**

Doc. C. Pourrait-on faire brûler sans danger tous les déchets déposés dans cette décharge publique ?

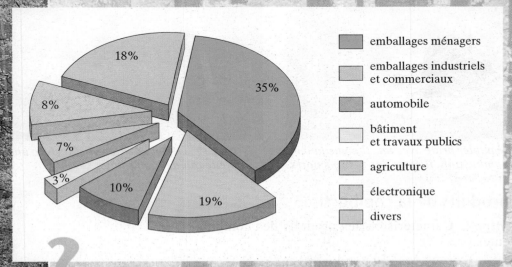

- 35% emballages ménagers
- 19% emballages industriels et commerciaux
- 10% automobile
- 3% bâtiment et travaux publics
- 7% agriculture
- 8% électronique
- 18% divers

**Doc. D. Les matières plastiques, grâce à la diversité de leurs propriétés, ont envahi notre vie quotidienne.
En France, 2 700 000 t de déchets de matières plastiques sont produites chaque année dans différents secteurs d'activités.
Peut-on brûler ces déchets ?**

1 Les déchets organiques

Le bois, le papier, les matières plastiques sont des matériaux organiques : ils proviennent de substances d'origine végétale ou animale. Ces matériaux sont utilisés dans notre vie quotidienne *(doc.* A *et* B, *pp.* 58 *et* 59), en particulier pour les emballages.

Ces emballages constituent une part importante des déchets de nos poubelles *(doc.* C, *p.* 59).

Certains de ces déchets sont recyclés, d'autres sont éliminés par combustion. Ces combustions sont-elles sans danger ?

▶ *Pour t'entraîner → Ex. 6.*

2 Les produits de la combustion des matières organiques

À froid, le dioxygène de l'air n'agit pas sur les matériaux organiques tels que le papier ou les matières plastiques. Mais enflammés dans l'air, la plupart brûlent en dégageant de l'énergie (chaleur).

2.1. La combustion des matières organiques

Réalisons la combustion de différents matériaux d'emballage : papier, polyéthylène (bouteille d'eau) *(doc. 1 et 2)*.

DOC. 1. *Le papier brûle avec une flamme jaune ; en fin de combustion, il reste des résidus noirs.*

DOC. 2. *Le polyéthylène brûle avec une flamme bleue qui devient jaune.*

2.2. Les produits de la combustion

▶ *Expérimentons* : Caractérisons les produits des combustions précédentes *(doc. 3)*.

▶ *Interprétons* : Les gaz produits lors de la combustion des matières organiques :
– donnent de la buée : ils contiennent de la **vapeur d'eau** ;
– provoquent un trouble de l'eau de chaux : ils contiennent du dioxyde de carbone *(doc. 4)*.
Les résidus noirs sont constitués de particules de carbone (symbole C). Ils sont dus à une combustion incomplète.

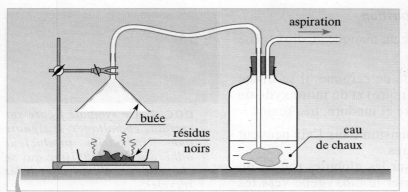

DOC. 3. *De la buée se dépose sur l'entonnoir et l'eau de chaux se trouble.*

La combustion des matériaux organiques est une réaction chimique avec dégagement d'énergie.

La matière organique et le dioxygène sont les réactifs.

Les principaux produits de la combustion sont le dioxyde de carbone (CO_2) et la vapeur d'eau (H_2O).

2.3. Les principaux constituants d'une matière organique

Les atomes d'hydrogène de l'eau et les atomes de carbone du dioxyde de carbone, produits de la combustion, proviennent de la matière organique brûlée.

Les matériaux organiques sont essentiellement constitués d'atomes d'hydrogène (H) et d'atomes de carbone (C).

▶ *Pour t'entraîner → Ex. 8 et 9.*

DOC. 4. *Le dioxyde de carbone trouble l'eau de chaux.*

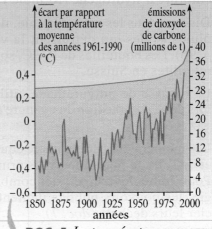

DOC. 5. *La température moyenne de la Terre augmente avec le taux de dioxyde de carbone dans l'atmosphère.*

3 Les dangers des combustions

■ Danger dû à l'effet de serre

Si le dioxyde de carbone et la vapeur d'eau ne sont pas toxiques, l'augmentation du taux de dioxyde de carbone dans l'atmosphère entraîne une élévation de la température moyenne de notre planète : c'est l'effet de serre *(doc. 5)*.

À long terme, cela pourrait provoquer une **modification du climat**.

Le recyclage des matériaux, par exemple du papier, permet de limiter les rejets de dioxyde de carbone et d'économiser de l'énergie *(doc. A, p. 58, doc. 6 et documents, p. 63)*.

...NE JETEZ PAS CE SAC DANS LA NATURE
METTEZ LE A LA POUBELLE
IL PEUT FOURNIR DE L'ENERGIE *

L'énergie issue de la combustion de ce sac peut alimenter une ampoule de 60 WATTS pendant 10 minutes

DOC. 6. *L'incinération des déchets permet d'économiser de l'énergie.*

■ Danger dû à une mauvaise combustion

Une combustion qui se produit avec un manque de dioxygène est une **combustion incomplète**.

Outre la vapeur d'eau et le dioxyde de carbone, il se forme des **particules de carbone** (fumée noire) et du **monoxyde de carbone** (formule CO), gaz incolore et inodore, très toxique.

Les particules de carbone en suspension dans l'air peuvent occasionner des troubles respiratoires.
Le monoxyde de carbone se fixe sur les globules rouges du sang qui ne peuvent plus transporter le dioxygène vers les organes et les tissus.

■ Danger dû à la composition chimique

Certaines matières plastiques (doc. D, p. 59) peuvent aussi contenir des atomes de chlore (P.V.C.) ou d'azote (nylon, polyuréthane).

La combustion du polychlorure de vinyle (P.V.C.) produit du chlorure d'hydrogène (formule HCl), gaz très toxique.

Dissous dans les eaux de pluie, il est l'un des constituants des pluies acides qui détruisent la végétation (voir chapitre 10, p. 96). Les bouteilles de P.V.C. sont consignées en Allemagne, interdites en Suisse.

La mousse de polyuréthane, utilisée comme isolant, dégage lors de sa combustion du cyanure d'hydrogène (formule HCN), gaz mortel.

Les incinérateurs doivent être équipés d'installations de lavage et de filtrage pour retenir les principaux polluants.
Pour limiter les dangers des combustions et économiser l'énergie, les pouvoirs publics incitent les consommateurs à recycler leurs déchets (doc. 7).

▶ **Pour t'entraîner → Ex. 7 et 11.**

PROGRAMME FRANÇAIS DE RÉCUPÉRATION ET DE RETRAITEMENT DES EMBALLAGES

DOC. 7. *Ce symbole figure sur certains emballages. Il signifie que l'industriel producteur adhère à un organisme qui se charge de les récupérer et de les recycler.*

Retiens l'essentiel

Les matériaux organiques sont formés essentiellement d'atomes de carbone et d'hydrogène.

Les matériaux organiques sont combustibles. Une combustion est une réaction chimique. La matière organique et le dioxygène en sont les réactifs. Les produits sont essentiellement de la vapeur d'eau et du dioxyde de carbone qui contribue à augmenter l'effet de serre.

Une combustion incomplète produit du monoxyde de carbone, gaz toxique, et des particules de carbone.

La combustion de certaines matières plastiques libère des gaz très toxiques.

POURQUOI DU PAPIER RECYCLÉ ?

La pâte à papier neuve nécessite essentiellement du bois : une tonne de papier est fabriquée avec dix-sept arbres en moyenne. L'utilisation du papier recyclé limite l'abattage des forêts. Grâce au recyclage, des déchets sont transformés en matière première.

Près de 50 % des fibres utilisées dans l'industrie papetière française proviennent de papiers et de cartons recyclés.

La fabrication du papier recyclé

Le papier recyclé est fabriqué essentiellement à partir de vieux papiers provenant soit des déchets des usines de papier, soit des papiers déjà imprimés (vieux journaux, emballages…) (doc. 1).

Doc. 1. *Balles de papier destiné à être recyclé.*

La fabrication de la pâte à papier recyclé comporte les étapes suivantes :

• **Lavage :** Les vieux papiers sont lavés et stérilisés pour des raisons hygiéniques.

• **Désencrage :** Pour éliminer l'encre d'imprimerie, on ajoute du dioxygène dans des cuves remplies d'eau et de papier trituré. Les molécules d'encre s'accrochent aux molécules de dioxygène et sont entraînées à la surface. On peut alors retirer cette mousse d'encre de la pâte à papier.

• **Blanchiment :** Il s'obtient en utilisant de l'eau oxygénée. On peut aussi blanchir la pâte à l'aide de composés chlorés, mais qui présentent l'inconvénient de polluer.

La pâte à papier est prête pour la fabrication du papier.

Fabrique du papier recyclé

• Fabrique la pâte à papier

Mets à tremper de vieux papiers déchirés en petits morceaux dans de l'eau très chaude pendant deux heures. Forme des boules et pétris-les dans une bassine d'eau tiède.

• Fabrique du papier

Plonge un fin grillage métallique (tamis) dans la bassine et soulève-le : la pâte se dépose sur le tamis.

Retourne le tamis sur un chiffon propre et recouvre la fine pellicule obtenue avec un autre chiffon. Fais de même pour chaque feuille (doc. 2).

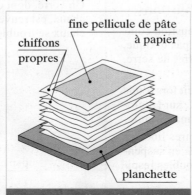

Doc. 2. *Empilage des feuilles de papier.*

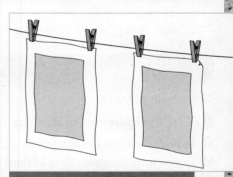

Doc. 3. *Pressage des feuilles de papier.*

Presse l'ensemble avec une planche et des grosses pierres (doc. 3). Fais sécher (doc. 4) et décolle les feuilles des chiffons.

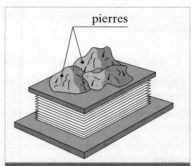

Doc. 4. *Séchage des feuilles de papier.*

QUESTIONS

1. Sur des emballages de carton, observe le logo indiquant que ce carton est recyclable, et dessine-le.

2. Au C.D.I., recherche les régions de France où l'on exploite le bois pour faire de la pâte à papier.

Pour en savoir plus :
http://www.pandava.com
http://www.malmenayde.fr/

Exercices

1 Précise les produits obtenus

Recopie et complète ces phrases en choisissant parmi les mots suivants :

dihydrogène, dioxyde de carbone, dioxygène, vapeur d'eau, monoxyde de carbone, carbone.

a) Les matériaux organiques brûlent en consommant le ..... de l'air. La combustion complète produit essentiellement du ..... et de ..... .

b) La combustion incomplète donne du ..... et des particules de ..... .

2 Différencie les réactifs et les produits

Le papier est un matériau organique. Sa combustion est une réaction chimique.

a) Nomme les réactifs qui interviennent dans cette réaction.

b) Nomme les produits obtenus lors de la combustion du papier.

c) Que reste-t-il en fin de combustion ?

3 Indique la composition des matériaux organiques

a) Sélectionne, dans la liste suivante, le nom des atomes à partir desquels est essentiellement constituée la matière organique :

fer, carbone, zinc, hydrogène, soufre.

b) Sélectionne, dans la liste suivante, le symbole des atomes qui sont les constituants essentiels de la matière organique :

S, Na, C, Cu, H, Fe.

4 Cite les produits de combustion

Donne le nom et la formule :

a) des produits qui se dégagent toujours lors d'une combustion complète d'une substance organique ;

b) de deux produits qui peuvent se former lors d'une combustion incomplète ;

c) du gaz qui contribue à l'augmentation de l'effet de serre ;

d) du gaz toxique libéré lors d'une combustion incomplète.

5 Reconnais les combustions dangereuses

Pourquoi la combustion de certaines matières plastiques est-elle plus dangereuse que la combustion du papier ou du bois ?

6 Cite l'origine des matériaux organiques

a) Indique l'origine des matériaux organiques.

b) Donne trois exemples de matériaux organiques.

7 Reconnais les dangers des combustions

a) Je suis un gaz produit lors d'une combustion complète d'un matériau organique. Je ne suis pas toxique, mais je contribue au renforcement de l'effet de serre. Donne mon nom et ma formule.

b) Je suis un gaz incolore et inodore produit lors d'une combustion incomplète. Toxique, je me fixe sur les globules rouges du sang. Donne mon nom et ma formule.

c) Je suis le constituant des particules noires libérées lors d'une combustion incomplète. Je reste en suspension dans l'air et je peux provoquer des troubles respiratoires. Donne mon nom et ma formule.

d) Je suis un matériau organique dont la combustion peut libérer des gaz très toxiques comme le chlorure d'hydrogène ou le cyanure d'hydrogène. Qui suis-je ?

8 Interprète la combustion du papier

Quand on enflamme un morceau de papier, la flamme est jaune ; le papier noircit. Un verre froid placé au-dessus de la flamme se couvre de buée à l'intérieur.

Un verre, dont on a mouillé les parois avec de l'eau de chaux, est renversé sur la flamme : les gouttes d'eau de chaux se troublent.

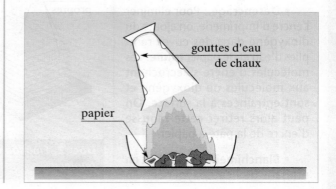

a) Quels sont les trois produits de la réaction de combustion incomplète ainsi mis en évidence ?

b) D'après l'expérience réalisée, indique les différents types d'atomes présents dans le papier. Justifie ta réponse.

c) Tous les atomes constituant les produits de combustion proviennent-ils du papier ? Sinon, quelle en est l'origine ?

2 Interprète la combustion du plastique

Le polystyrène (P.S.) expansé est très utilisé pour protéger les objets emballés ou comme isolant thermique (emballage des crèmes glacées, par exemple).

Enflammons un morceau de polystyrène expansé accroché à un fil de cuivre et plongeons-le dans un bocal contenant de l'air.

La flamme est jaune, des fumées noires apparaissent et des gouttelettes d'eau se déposent sur les parois du flacon.

a) Quels sont les deux produits de la combustion complète ?

b) Décris une expérience qui permettrait de mettre en évidence la présence de dioxyde de carbone.

c) Cette combustion est-elle complète ?

Utilise tes connaissances

10 *Santé*

Étudie un document

sources : Larousse médical, Quid

D'après AFP infographie-Fred Garet

brouillard, absence de vent : les gaz issus de la combustion s'évacuent mal

mauvais état des conduits, cheminées fissurées, reflux causé par le vent : infiltrations de monoxyde de carbone

toute combustion dans une pièce close est nocive car elle consomme le dioxygène disponible

calfeutrage excessif : non renouvellement de l'oxygène dans la pièce

combustion incomplète : dégagement de monoxyde de carbone (CO), gaz mortel

CHAUFFAGE
les principales causes d'intoxication

les effets

le monoxyde de carbone : entré dans les poumons, il rend inutilisable l'hémoglobine des globules rouges et empêche donc le transport des molécules de dioxygène vers le cerveau et le cœur

cerveau

cœur

chauffage au charbon, au fioul ou au gaz de ville

sans odeur, sans couleur, sans piquer les yeux, le CO_2 stagne dans les locaux mal ventilés

les premiers symptômes : vertiges, nausée, maux de tête, somnolence, puis coma

1) Quel est le gaz produit en cas de combustion incomplète ? Quels sont les effets de ce gaz ?

2) Pourquoi faut-il éviter de calfeutrer une pièce dans laquelle se trouve un appareil de chauffage par combustion ?

3) a) Quels sont les matériaux utilisés comme combustibles dans une chaudière ?

b) Ces matériaux sont-ils des matériaux organiques ? Fais une recherche sur leurs origines.

11 Retrouve les constituants d'un matériau

Le P.V.C. est un matériau utilisé pour fabriquer des bouteilles. La combustion du P.V.C. donne de la vapeur d'eau, du dioxyde de carbone et du chlorure d'hydrogène, gaz toxique de formule HCl.

a) Quels types d'atomes trouve-t-on dans les produits de cette combustion ?

b) À partir de quels types d'atomes est constitué le P.V.C. ?

c) (SOS) Pourquoi ne peut-on pas affirmer que le P.V.C. contient des atomes d'oxygène ?

(SOS) *Coup de pouce*

Ex. 11 → c) Cherche les origines possibles des atomes d'oxygène.

7

Attaque
des matériaux
par les solutions

LES MATÉRIAUX *réagissent-ils avec les solutions acides ? avec les solutions basiques ?*

Doc. A. Est-il recommandé de préparer une vinaigrette dans une casserole en acier ?

66

Doc. B. Les ions cuivre, de formule Cu^{2+}, contenus
dans la bouillie bordelaise permettent de traiter
la vigne contre les maladies.
Comment caractériser l'ion cuivre dans une solution ?

Doc. C. Pourquoi utilise-t-on des solutions
à base de soude pour déboucher les éviers ?

Doc. D. L'acide chlorhydrique
et la soude sont conservés dans
des bouteilles en matière plastique.
Pourquoi ?

1 Solutions acides, solutions basiques

1.1. La solution d'acide chlorhydrique

▶ *Expérimentons* : Mesurons le pH d'une solution d'acide chlorhydrique ; il est de 2,7 environ *(doc. 1)*.

▶ *Concluons* : Comme nous l'avons vu en classe de Cinquième, **le pH étant inférieur à 7, la solution d'acide chlorhydrique est acide.**

1.2. La solution de soude

La soude est une solution aqueuse d'hydroxyde de sodium.

▶ *Expérimentons* : Mesurons le pH d'une solution de soude ; il est de 11 environ *(doc. 2)*.

▶ *Concluons* : Comme nous l'avons vu en classe de Cinquième, **le pH étant supérieur à 7, la soude est basique**.

 Les solutions d'acide chlorhydrique et de soude concentrées sont dangereuses. Il faut les utiliser diluées.

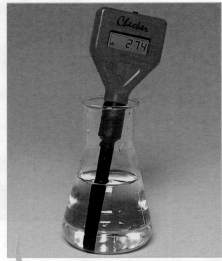

DOC. 1. *Le pH d'une solution d'acide chlorhydrique est inférieur à 7.*

2 Action de l'acide chlorhydrique sur les métaux

2.1. Action de l'acide chlorhydrique sur le zinc et le fer

▶ *Expérimentons* : Versons de l'acide chlorhydrique dans deux tubes à essais contenant respectivement du zinc et du fer *(doc. 3)*. Un dégagement gazeux se produit dans chaque tube.

▶ *Concluons* : Au cours de cette expérience, le métal et l'acide chlorhydrique réagissent ; un gaz se forme. Il s'agit d'une réaction chimique.

> **L'acide chlorhydrique, et plus généralement les solutions acides, réagissent à froid avec le zinc ou le fer.**

Les emballages en fer pur ou en zinc ne conviennent donc pas pour les aliments acides (tomates...). Les boîtes de conserve en « fer-blanc » ne sont pas en fer pur : il s'agit de fer étamé recouvert d'une couche de vernis.

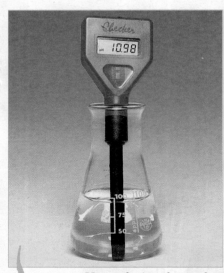

DOC. 2. *Une solution de soude a un pH supérieur à 7.*

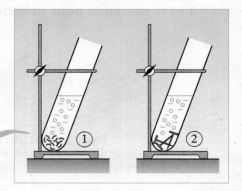

DOC. 3. *Action de l'acide chlorhydrique sur la grenaille de zinc (1) ou sur des clous en fer (2). Nous observons un dégagement gazeux.*

2.2. Produits de l'attaque du zinc et du fer

◼ Quel gaz se dégage-t-il ?

▶ *Expérimentons* : Plaçons une allumette enflammée à l'orifice des tubes du *document* 3. Il se produit une légère détonation. Ensuite, le gaz brûle.

▶ *Concluons* : Cette détonation, en présence d'une flamme, constitue le test du dihydrogène.
Le gaz qui se dégage est du dihydrogène.

◼ Que contient la solution ?

▶ *Expérimentons* : Transvasons dans deux tubes à essais les solutions résultant de l'attaque du zinc et du fer par l'acide chlorhydrique *(doc. 4a)*.
Réalisons le test à la soude *(voir fiche-méthode, p. 72)* et celui au nitrate d'argent.

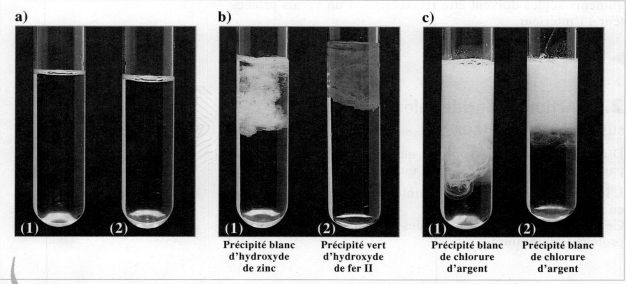

a) (1) (2)

b) (1) (2)
Précipité blanc d'hydroxyde de zinc | Précipité vert d'hydroxyde de fer II

c) (1) (2)
Précipité blanc de chlorure d'argent | Précipité blanc de chlorure d'argent

DOC. 4. a). *Solutions résultant de l'attaque de l'acide chlorhydrique (1 : zinc, 2 : fer) ;* **b)**. *Test à la soude (1 : zinc, 2 : fer) ;* **c)**. *Test au nitrate d'argent (1 : zinc, 2 : fer).*

▶ *Concluons* :

– Le test à la soude *(doc. 4b)* met en évidence la présence d'ions métalliques : **ions zinc** dans le tube 1 et **ions fer II** dans le tube 2.
– Le test au nitrate d'argent *(doc. 4c)* met en évidence la présence d'**ions chlorure** dans les deux tubes.

> **La solution contenant des ions chlorure et des ions zinc est une solution de chlorure de zinc ; celle contenant des ions chlorure et des ions fer II est une solution de chlorure de fer II.**

▶ *Pour t'entraîner →* **Ex. 9 et 10.**

2.3. Bilans des réactions

Au cours de l'action de l'acide chlorhydrique sur le zinc, de l'acide chlorhydrique et du zinc disparaissent pour donner du chlorure de zinc et du dihydrogène.
Le bilan de la réaction s'écrit :

acide chlorhydrique + zinc → chlorure de zinc + dihydrogène

De même, lors de l'action de l'acide chlorhydrique sur le fer, le bilan de la réaction s'écrit :

acide chlorhydrique + fer → chlorure de fer II + dihydrogène

Il n'est donc pas recommandé de préparer une vinaigrette dans une casserole en acier, car le vinaigre est acide et peut attaquer le fer (constituant essentiel de l'acier) *(doc. A, p. 66)*.
Les boîtes en acier qui peuvent contenir des boissons ou des aliments acides doivent être recouvertes d'un vernis protecteur à l'intérieur.

▶ *Pour t'entraîner* → *Ex. 12.*

2.4. Action de l'acide chlorhydrique sur les autres métaux

D'autres expériences montrent que l'aluminium est attaqué par l'acide chlorhydrique, alors que le cuivre ne l'est pas.

L'intérieur des canettes en aluminium est recouvert d'un film en matière plastique.
Ce film, inattaquable par les acides présents dans les boissons, protège l'aluminium.

3 Action de la soude sur les métaux

▶ *Expérimentons et observons* : Versons de la soude sur de l'aluminium et du fer *(doc. 5)*. Dans le tube contenant l'aluminium, un dégagement gazeux se produit. On peut, comme précédemment, caractériser du dihydrogène.

Avec le fer, il ne se produit rien.

▶ *Concluons* :

La soude réagit avec l'aluminium avec un dégagement de dihydrogène. Elle ne réagit pas avec le fer.

▶ *Pour t'entraîner* → *Ex. 13.*

DOC. 5. *L'aluminium est attaqué par la soude (1), mais le fer (2) ne l'est pas.*

4 Action des solutions acides ou basiques sur d'autres matériaux

4.1. Action des acides

Les acides sont conservés dans des récipients en verre ou en matière plastique (P.V.C.) *(doc. D, p. 67)*.
Ces matériaux ne réagissent pas avec les acides.

En revanche, le calcaire est attaqué par les acides : une table en marbre (roche calcaire) peut être attaquée et détériorée par une boisson acide comme le jus de citron ou le Coca-Cola *(doc. 6)*.
Lorsqu'on verse de l'acide chlorhydrique sur du calcaire, il se produit une effervescence provoquée par un dégagement de dioxyde de carbone.

▶ *Pour t'entraîner → Ex. 16.*

DOC. 6. *Attention de ne pas renverser une boisson acide sur une table en marbre : le marbre serait attaqué.*

4.2. Action des bases

Les solutions basiques sont conservées dans des récipients en verre ou en matière plastique (P.V.C.) : elles n'attaquent pas ces matériaux *(doc. D, p. 67)*.

En revanche, on utilise la soude pour déboucher les éviers.
En effet, la soude attaque certains matériaux organiques (cheveux, graisses...) *(doc. C, p. 67)*, mais elle n'attaque pas les tuyaux en P.V.C.

Retiens l'essentiel

Une solution d'acide chlorhydrique a un pH inférieur à 7 : elle est acide.

L'acide chlorhydrique réagit avec le zinc et le fer selon les bilans :
   acide chlorhydrique + zinc → chlorure de zinc + dihydrogène ;
   acide chlorhydrique + fer → chlorure de fer II + dihydrogène.

Une solution de soude a un pH supérieur à 7 : elle est basique.

La soude réagit avec l'aluminium avec dégagement de dihydrogène, mais ne réagit pas avec le fer.

Le verre, les matières plastiques ne réagissent pas avec les acides ni avec les bases.

Tests d'identification des ions métalliques

Réalisons le test à la soude sur différentes solutions.

1. *Ion aluminium* Al^{3+}

La solution de chlorure d'aluminium est incolore.

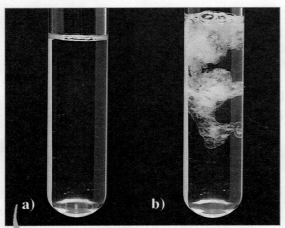

DOC. 1. **a)** *Solution de chlorure d'aluminium.*
b) *En présence de soude, on obtient un précipité blanc.*

2. *Ion fer* Fe^{2+}

La solution de chlorure de fer II est vert pâle : cette couleur est due à la présence des ions fer II.

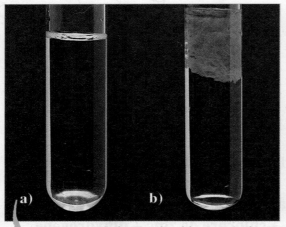

DOC. 2. **a)** *Solution de chlorure de fer* II.
b) *En présence de soude, on obtient un précipité verdâtre.*

3. *Ion zinc* Zn^{2+}

La solution de chlorure de zinc est incolore.

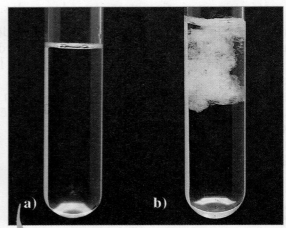

DOC. 3. **a)** *Solution de chlorure de zinc.*
b) *En présence de soude, on obtient un précipité blanc.*

4. *Ion cuivre* Cu^{2+}

La solution de chlorure de cuivre est bleue : cette couleur est due à la présence des ions cuivre (*doc.* B, *p.* 67).

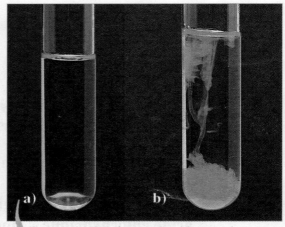

DOC. 4. **a)** *Solution de chlorure de cuivre.*
b) *En présence de soude, on obtient un précipité bleu.*

nature de l'ion	aluminium Al^{3+}	fer II Fe^{2+}	zinc Zn^{2+}	cuivre Cu^{2+}
couleur du précipité obtenu	blanc	verdâtre	blanc	bleu

Sais-tu l'essentiel ?

1 Fais le lien entre acidité et pH

Recopie les phrases suivantes en choisissant la bonne réponse.

a) L'acide chlorhydrique est une solution *acide/basique* ; son pH est *supérieur/inférieur* à 7.

b) La soude est une solution *acide/basique* ; son pH est *supérieur/inférieur* à 7.

Reconnais l'action des acides (ex. 2 et 3)

2 Vrai ou faux ? Corrige les affirmations fausses.

a) L'acide chlorhydrique attaque tous les matériaux.

b) La soude réagit avec le fer.

c) Le fer est attaqué par l'acide chlorhydrique.

d) Il se produit un dégagement de dioxygène lorsqu'on fait réagir le zinc avec l'acide chlorhydrique.

e) Le chlorure de fer II donne un précipité blanc avec la soude.

3 a) Cite deux métaux attaqués par l'acide chlorhydrique.

b) Cite un matériau, non métallique, attaqué par une solution acide.

4 Décris un test

Décris le test du dihydrogène.

Étudie l'action de la soude (ex. 5 et 6)

5 Complète les phrases suivantes :

La soude attaque l'aluminium. Il se produit un dégagement de ..... .

Lors de cette réaction chimique, ... et ..... sont les réactifs. ..... est un produit de la réaction.

6 a) Cite un métal attaqué par la soude.

b) Pourquoi peut-on conserver la soude dans des bouteilles en verre ou en matière plastique ?

7 Décris les tests de certains ions

a) Avec quel réactif teste-t-on :
– les ions chlorure ;
– les ions fer II ;
– les ions zinc ?

b) Décris ce que l'on observe.

8 Caractérise des ions

Pour caractériser des ions, on utilise certains réactifs. Recopie et complète le tableau ci-dessous.

formule de l'ion	Fe^{2+}	Cl^-	Cu^{2+}	Zn^{2+}
nom du réactif				
couleur du précipité				

Applique le cours

Étudie l'action de l'acide chlorhydrique sur le fer (ex. 9 et 10)

9 L'acide chlorhydrique attaque le fer. Il se produit un dégagement gazeux.

a) Quel est le gaz qui se dégage ?

b) Pourquoi s'agit-il d'une réaction chimique ?

c) Quels sont les réactifs ?

d) Cite les produits de cette réaction.

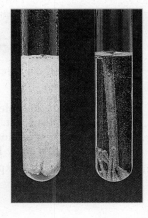

10 L'attaque du fer par l'acide chlorhydrique donne une solution de chlorure de fer II. On répartit cette solution dans deux tubes à essais.

a) Dans l'un, on verse quelques gouttes de soude. Qu'observe-t-on ? Quel est l'ion mis en évidence ?

b) Dans l'autre, on verse quelques gouttes de nitrate d'argent. Qu'observe-t-on ? Quel est l'ion mis en évidence ?

11 Caractérise du dihydrogène

Dans le paragraphe 3 de la page 70, il est écrit :
« On peut, comme précédemment, caractériser du dihydrogène. »
Comment procéderais-tu ?

Exercices

12 Étudie l'action de l'acide chlorhydrique sur le zinc

La photo ci-contre montre l'attaque de l'acide chlorhydrique sur le zinc en grenaille.

a) Observe la photo, puis décris l'expérience.

b) Quel est le gaz qui se dégage ? Comment le vérifier ?

c) Pourquoi s'agit-il d'une réaction chimique ?

13 Étudie l'action de la soude sur l'aluminium

La photo ci-contre montre l'attaque de la soude sur l'aluminium.

a) Observe la photo, puis décris l'expérience.

b) Quel est le gaz qui se dégage ? Comment le vérifier ?

c) Pourquoi s'agit-il d'une réaction chimique ?

d) Quels sont les réactifs ? Cite un produit.

Utilise tes connaissances

14 Environnement

Étudie les pluies acides

Qu'appelle-t-on pluie acide ?
C'est une pluie de pH inférieur à la normale, c'est-à-dire en dessous de 5,5.

La pollution par les pluies acides peut être d'origine naturelle (volcans) ou créée par l'Homme.

Les pluies sont dues à la dissolution dans les gouttes d'eau :

– du dioxyde de soufre provenant de la combustion du charbon et du pétrole ;

– des oxydes d'azote rejetés essentiellement par les gaz d'échappement des automobiles ;

– du chlorure d'hydrogène fabriqué lors de l'incinération des emballages en P.V.C.

Les pluies acides attaquent les arbres qui perdent leurs feuilles. Les bâtiments sont également détériorés : les pierres calcaires, les armatures métalliques, les toits en zinc… sont endommagés.

Pour en savoir plus :
http://mendeleiev.cyberscol.qc.ca/

a) Pourquoi une pluie de pH inférieur à 5,5 est-elle appelée une pluie acide ?

b) Quels sont les gaz responsables des pluies acides ?

c) (SOS) Parmi ces gaz, quel est celui qui donne de l'acide chlorhydrique ?

d) Cite deux métaux attaqués par les pluies acides.

e) Cite un matériau non métallique attaqué par les pluies acides.

15 Identifie des solutions

Anne a versé de la soude dans trois tubes contenant chacun l'une des solutions suivantes : chlorure de zinc, chlorure de cuivre, chlorure de fer II.

Elle obtient les résultats de la photographie ci-dessous. Indique la solution contenue dans chacun des tubes *a*, *b* et *c*.

16 Géologie

Étudie l'action de l'acide chlorhydrique sur le calcaire

Pour reconnaître une pierre calcaire, les géologues procèdent au test suivant.
En versant de l'acide chlorhydrique sur du calcaire, un gaz se dégage ; il trouble l'eau de chaux.

a) Fais le schéma de l'expérience permettant de caractériser ce gaz.

b) Quel est son nom ?

17 Étudie l'action de l'acide chlorhydrique sur l'aluminium

L'acide chlorhydrique réagit avec l'aluminium, comme l'indique la photo ci-contre.

a) Il se dégage du dihydrogène.
Comment le caractérises-tu ?

b) Après la réaction, la solution obtenue contient des ions aluminium et des ions chlorure.
Comment les mets-tu en évidence ?

c) Écris le bilan de cette réaction.

Consommation (ex. 18 et 19)

18 (sos) Interprète l'action d'un produit de nettoyage

Les brûleurs d'une cuisinière sont en laiton.
Le laiton est un alliage de cuivre et de zinc, de couleur jaune. Si l'on verse un produit de nettoyage contenant de l'acide chlorhydrique sur ces brûleurs, leur surface devient rugueuse et prend une couleur rouge.

Interprète ces observations en t'aidant des informations suivantes :
– le cuivre est un métal rouge ;
– le zinc est un métal grisâtre ;
– l'acide chlorhydrique ne réagit pas avec le cuivre.

19 Trouve si un produit de détartrage est acide ou basique

a) On verse dans un tube à essais une solution pour détartrer les cafetières et de la paille de fer : un gaz se dégage.
Comment montrerais-tu qu'il s'agit de dihydrogène ?

b) On ajoute dans le tube quelques gouttes de soude : un précipité vert se forme.
Quels sont les ions ainsi mis en évidence ?

c) Le produit de détartrage est-il acide ou basique ?

20 *Biologie*

Étudie l'influence du pH

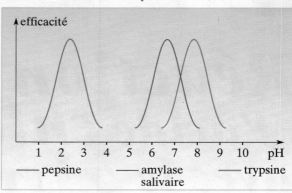

Lors de la digestion, certaines substances appelées enzymes sont efficaces dans des domaines de pH très limités.
Le graphe ci-dessus représente l'efficacité de quelques enzymes en fonction du pH. Indique pour quel pH chacune des enzymes est la plus efficace et précise si le milieu est alors acide, basique ou neutre.

Le petit curieux

Verse une cuillerée de gelée de mûres dans un verre d'eau tiède. Agite afin de dissoudre la gelée. La couleur de la solution obtenue est rouge.

1) Ajoute quelques gouttes d'ammoniaque ou quelques pincées de bicarbonate de sodium.
Observe l'évolution de la couleur.

2) Ajoute ensuite du jus de citron ou du vinaigre.
Observe le changement de couleur.

3) Interprétons : La solution de gelée de mûres constitue un indicateur coloré dont la couleur dépend du pH.
L'ammoniaque est une solution basique.

a) Quelle est la couleur de la solution de gelée en milieu basique ?

b) Explique pourquoi la couleur redevient rouge en présence de jus de citron ou de vinaigre.

(SOS) *Coup de pouce*

Ex. 14 → **c)** Analyse le nom du gaz.

Ex. 18 → **Pense aux métaux qui peuvent être attaqués par l'acide chlorhydrique.**

8

Réaction de l'acide chlorhydrique avec le zinc et le fer

L'ACIDE CHLORHYDRIQUE *est une solution ionique qui réagit sur le zinc et le fer. Comment écrire les équations-bilans de ces réactions en faisant intervenir des ions ?*

OBJECTIFS

◆ Écrire les équations-bilans de l'action entre l'acide chlorhydrique et le fer ou le zinc.

◆ Savoir que, lors d'une réaction chimique, il y a conservation des atomes et de la charge électrique.

Doc. A. Le chimiste anglais Joseph PRIESTLEY (1733-1804) était un habile expérimentateur. Il isola, le premier, le chlorure d'hydrogène qui n'était connu qu'en solution. Quel est le nom de cette solution ?

Doc. B. Comment mettre en évidence les produits de l'attaque de l'acide chlorhydrique sur le zinc ?

TRAITÉ ÉLÉMENTAIRE DE CHIMIE,

PRÉSENTÉ DANS UN ORDRE NOUVEAU

ET D'APRÈS LES DÉCOUVERTES MODERNES;

Avec Figures :

Par M. LAVOISIER, de l'Académie des Sciences, de la Société Royale de Médecine, des Sociétés d'Agriculture de Paris & d'Orléans, de la Société Royale de Londres, de l'Institut de Bologne, de la Société Helvétique de Basle, de celles de Philadelphie, Harlem, Manchester, Padoue, &c.

A PARIS,

Chez CUCHET, Libraire, rue & hôtel Serpente.

M. DCC. LXXXIX.

Sous le Privilège de l'Académie des Sciences & de la Société Royale de Médecine.

Doc. C. Antoine-Laurent de LAVOISIER (1743-1794), chimiste français né à Paris, est l'un des créateurs de la chimie moderne. On lui doit notamment la connaissance de la composition de l'air et celle du rôle du dioxygène dans la respiration et dans les combustions.

Doc. D. Dans son traité de chimie, LAVOISIER indique que les acides sont composés de deux « substances », l'une qui « constitue l'acidité et qui est commune à tous les acides », « l'autre qui est propre à chaque acide ». Quelles sont ces « substances » pour l'acide chlorhydrique ?

1 Composition de l'acide chlorhydrique

L'acide chlorhydrique est une solution aqueuse de chlorure d'hydrogène (*doc*. A, *p*. 76).

Nous avons vu dans le chapitre précédent qu'elle est acide. L'acidité est liée à la présence d'ions hydrogène H^+. Plus la solution est acide, plus il y a d'ions H^+ pour un même volume de solution.

▶ *Expérimentons* : Réalisons le test au nitrate d'argent.

Versons quelques gouttes d'une solution de nitrate d'argent dans de l'acide chlorhydrique. Il se forme un précipité blanc de chlorure d'argent (*doc*. 1a) qui noircit à la lumière (*doc*. 1b).

▶ *Interprétons* : Le test au nitrate d'argent prouve la présence d'ions chlorure Cl^- dans la solution.

La solution d'acide chlorhydrique contient des molécules d'eau, des ions H^+ (comme tous les acides) et **des ions chlorure** (*doc*. C *et* D, *p*. 77).

Elle est électriquement neutre : elle contient autant d'ions H^+ que d'ions Cl^-.
Sa formule est $(H^+ + Cl^-)$.

DOC. 1 a). *Précipité de chlorure d'argent.*
b). *Le précipité noircit à la lumière.*

2 Action sur le zinc

2.1. Équation-bilan

Lors de l'étude de l'action de l'acide chlorhydrique sur le zinc (*voir chap*. 7, *p*. 68-69, *et doc*. B, *p*. 77), nous avons constaté :
– la disparition du zinc et de l'acide chlorhydrique ;
– la formation de gaz dihydrogène et de chlorure de zinc en solution.

Nous avons écrit le bilan :

acide chlorhydrique + zinc → chlorure de zinc + dihydrogène.

Remplaçons les noms des réactifs et des produits par leur formule (*voir fiche-méthode*, *p*. 80).
On obtient l'équation-bilan :

$$2\ (H^+ + Cl^-) + Zn \rightarrow (Zn^{2+} + 2Cl^-) + H_2.$$

Cette équation est équilibrée en espèces chimiques et en charges électriques.

2.2. Équation-bilan simplifiée

Quels sont les ions qui ont réagi au cours de la réaction ?
– Les ions chlorure étaient présents dans l'acide chlorhydrique ; ils existent encore dans la solution de chlorure de zinc. Leur quantité n'a pas varié.

Les ions chlorure, Cl^-, ne réagissent pas.

– Les ions hydrogène H⁺ réagissent-ils ?

▶ *Expérimentons* : Mesurons le pH de la solution d'acide chlorhydrique avant la réaction ; il est voisin de 1 (*doc.* 2a).

Mesurons le pH de la solution après que l'acide chlorhydrique a réagi avec le zinc en excès ; il est voisin de 6 (*doc.* 2b).

▶ *Concluons* : Au cours de la réaction, le pH a augmenté ; la quantité d'ions H⁺ a donc diminué : **des ions H⁺ ont réagi.**

> **Seuls les ions hydrogène de l'acide chlorhydrique et les atomes de zinc ont réagi pour donner des ions zinc et des molécules de dihydrogène.**

On peut donc écrire l'équation-bilan simplifiée :

$$2\,H^+ + Zn \rightarrow Zn^{2+} + H_2\,.$$

▶ *Pour t'entraîner* → Ex. 7 et 9.

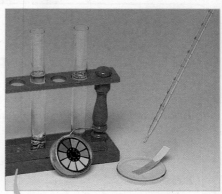

DOC. 2 a). *Quelques gouttes d'acide déposées sur le papier-pH provoquent une coloration rouge :* pH ≈ 1.

3 Action sur le fer

De même que pour le zinc, on peut écrire l'équation-bilan de la réaction entre le fer et l'acide chlorhydrique :

$$Fe + 2\,(H^+ + Cl^-) \rightarrow (Fe^{2+} + 2\,Cl^-) + H_2\,.$$

Les ions Cl⁻ ne réagissant pas, on peut donc simplifier l'équation-bilan :

$$Fe + 2\,H^+ \rightarrow Fe^{2+} + H_2\,.$$

Cette équation traduit :
– la disparition d'atomes de fer et d'ions hydrogène ;
– la formation d'ions fer II et de molécules de dihydrogène.

▶ *Pour t'entraîner* → Ex. 10.

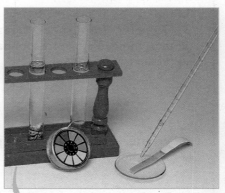

DOC. 2 b). *Après la réaction, quelques gouttes de solution déposées sur le papier-pH provoquent une coloration verdâtre :* pH ≈ 6.

$$2(H^+ + Cl^-) + Zn = Zn^{2+} + 2Cl^- + H_2$$

Retiens l'essentiel

La réaction entre l'acide chlorhydrique et certains métaux (fer, zinc) produit des ions métalliques et du dihydrogène. Les ions chlorure ne réagissent pas.

Avec le zinc, l'équation-bilan s'écrit :

$$2\,(H^+ + Cl^-) + Zn \rightarrow (Zn^{2+} + 2\,Cl^-) + H_2$$

ou plus simplement :

$$2\,H^+ + Zn \rightarrow Zn^{2+} + H_2\,.$$

Avec le fer, l'équation-bilan simplifiée s'écrit :

$$2\,H^+ + Fe \rightarrow Fe^{2+} + H_2\,.$$

Fiche-méthode

Comment équilibrer une équation chimique faisant intervenir des ions ?

Étudions l'action de l'acide chlorhydrique sur le zinc.

Énoncé et commentaires

1. Écrire le bilan en nommant :
– les réactifs ;
– les produits.

2. Sous les noms, écrire les formules chimiques.

3. Repérer les espèces (ions, atomes, molécules) correspondant au même type d'atome.

4. Vérifier si elles mettent en jeu le même nombre d'atomes.

5. Placer des coefficients devant les formules des réactifs et des produits afin que ces espèces mettent en jeu le même nombre d'atomes.

Vérifier si toutes les espèces mettent en jeu le même nombre d'atomes.

6. Vérifier si la charge totale des ions positifs dans les réactifs est la même que dans les produits.

7. Vérifier, de même, l'égalité des charges négatives.

8. Éliminer les espèces non réagissantes.

Exemple de résolution

1. Acide chlorhydrique + zinc → chlorure de zinc + dihydrogène.

2. $(H^+ + Cl^-) + Zn \rightarrow (Zn^{2+} + 2\,Cl^-) + H_2$

3. – L'ion Cl^- est présent dans les réactifs et dans les produits ;

– H est présent dans les réactifs (ion H^+) et dans les produits (molécule H_2) ;

– Zn est présent dans les réactifs (métal zinc) et dans les produits (ion Zn^{2+}).

4. Les ions H^+ et les molécules H_2 ne mettent pas en jeu le même nombre d'atomes.

Les ions Cl^- ne mettent pas en jeu le même nombre d'atomes dans les réactifs et dans les produits.

5. $2\,(H^+ + Cl^-) + Zn \rightarrow (Zn^{2+} + 2\,Cl^-) + H_2$

Les ions chlorure Cl^- sont maintenant en nombre égal.

$2\,H^+$ et H_2 mettent en jeu **2** atomes d'hydrogène ;

Zn et Zn^{2+} mettent en jeu **1** atome de zinc.

6. Nous avons **2 charges positives** de chaque côté.

7. Nous avons **2 charges négatives** de chaque côté.

Ainsi, l'équation : $2\,(H^+ + Cl^-) + Zn \rightarrow (Zn^{2+} + 2\,Cl^-) + H_2$ est équilibrée en atomes et en charges.

8. Les ions Cl^- ne participent pas à la réaction. On peut les éliminer dans l'écriture de la réaction.

$$2\,H^+ + Zn \rightarrow Zn^{2+} + H_2$$

LIRE UNE ÉTIQUETTE C'EST DÉJÀ SE PROTÉGER

La présence d'une étiquette est obligatoire sur l'emballage d'un produit dangereux. Elle indique tout ce qu'il faut savoir pour utiliser ce produit sans risque.

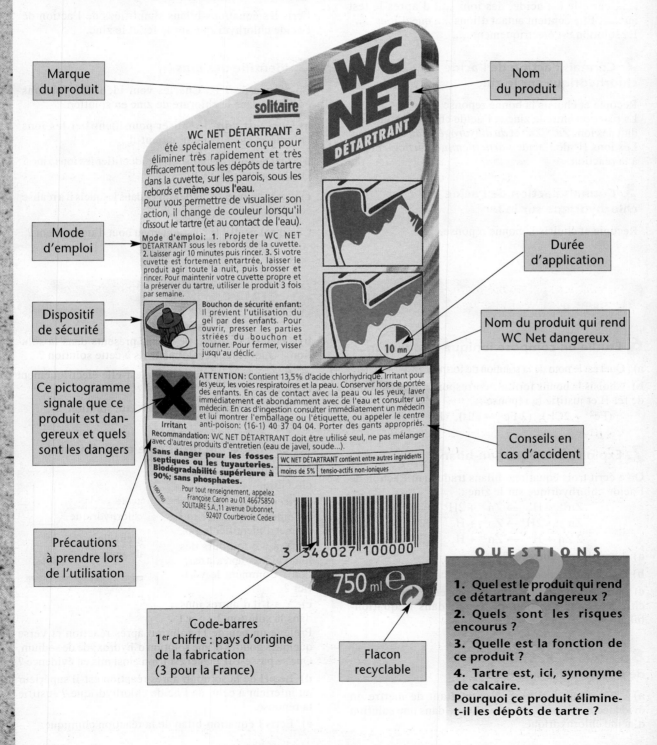

Marque du produit

Nom du produit

Mode d'emploi

Durée d'application

Dispositif de sécurité

Nom du produit qui rend WC Net dangereux

Ce pictogramme signale que ce produit est dangereux et quels sont les dangers

Conseils en cas d'accident

Précautions à prendre lors de l'utilisation

Code-barres
1er chiffre : pays d'origine de la fabrication
(3 pour la France)

Flacon recyclable

solitaire

WC NET DÉTARTRANT a été spécialement conçu pour éliminer très rapidement et très efficacement tous les dépôts de tartre dans la cuvette, sur les parois, sous les rebords et **même sous l'eau**.
Pour vous permettre de visualiser son action, il change de couleur lorsqu'il dissout le tartre (et au contact de l'eau).

Mode d'emploi: 1. Projeter WC NET DÉTARTRANT sous les rebords de la cuvette. 2. Laisser agir 10 minutes puis rincer. 3. Si votre cuvette est fortement entartrée, laisser le produit agir toute la nuit, puis brosser et rincer. Pour maintenir votre cuvette propre et la préserver du tartre, utiliser le produit 3 fois par semaine.

Bouchon de sécurité enfant:
Il prévient l'utilisation du gel par des enfants. Pour ouvrir, presser les parties striées du bouchon et tourner. Pour fermer, visser jusqu'au déclic.

10 mn

ATTENTION: Contient 13,5% d'acide chlorhydrique. Irritant pour les yeux, les voies respiratoires et la peau. Conserver hors de portée des enfants. En cas de contact avec la peau ou les yeux, laver immédiatement et abondamment avec de l'eau et consulter un médecin. En cas d'ingestion consulter immédiatement un médecin et lui montrer l'emballage ou l'étiquette, ou appeler le centre anti-poison: (16-1) 40 37 04 04. Porter des gants appropriés.

Irritant

Recommandation: WC NET DÉTARTRANT doit être utilisé seul, ne pas mélanger avec d'autres produits d'entretien (eau de javel, soude...).

Sans danger pour les fosses septiques ou les tuyauteries. Biodégradabilité supérieure à 90%; sans phosphates.

WC NET DÉTARTRANT contient entre autres ingrédients	
moins de 5%	tensio-actifs non-ioniques

Pour tout renseignement, appelez Françoise Caron au 01 46675850
SOLITAIRE S.A.,11 avenue Dubonnet, 92407 Courbevoie Cedex

3 346027 100000

750 ml e

Exercices

Sais-tu l'essentiel ?

1 Donne la composition de l'acide chlorhydrique

Complète les phrases suivantes :
L'acide chlorhydrique est une solution de chlorure d'..... .
Cette solution contient des molécules d'....., des ions ....., car elle est acide, des ions ..... d'après le test au ..... . Elle contient autant d'ions ..... que d'ions ..... .
La solution est électriquement ..... .

2 Connais l'action de l'acide chlorhydrique sur le zinc

Recopie et choisis la bonne réponse.
La réaction entre le zinc et l'acide chlorhydrique produit des ions Zn^{2+}/Zn^+ et *du dihydrogène/du dioxygène*. Les ions H^+ de l'acide *participent/ne participent pas* à la réaction.

3 Connais l'action de l'acide chlorhydrique sur le fer

Recopie et choisis la bonne réponse.

La réaction entre le fer et l'acide chlorhydrique produit des ions Fe^{2+}/Fe^{3+} et du *dioxygène/dihydrogène*.

Les ions H^+/Cl^- de l'acide ne réagissent pas.

4 Écris des équations-bilans

Écris les équations-bilans simplifiées de l'action de l'acide chlorhydrique sur le fer et le zinc.

5 Identifie des ions

En séance de T.P., Charles veut identifier les ions contenus dans le chlorure de zinc en solution.

a) Quel test doit-il réaliser pour identifier les ions chlorure ? Quel résultat obtient-il ?

b) Quel test doit-il réaliser pour identifier les ions zinc ? Quel résultat obtient-il ?

c) Il ne se souvient plus des tubes dans lesquels il a réalisé ces expériences.

Comment peut-il les distinguer au bout d'un moment ?

Applique le cours

6 Étudie un composé ionique en solution

a) Quel est le nom de la solution de formule $(Zn^{2+} + 2Cl^-)$?
b) Choisis la bonne formule correspondant au chlorure de fer II et justifie ta réponse :
$(Fe^{2+} + 2Cl^-)$, $(2 Fe^{2+} + Cl^-)$, $(Fe^{2+} + Cl^-)$.

7 Exploite une équation-bilan

On a écrit trois équations-bilans traduisant l'action de l'acide chlorhydrique sur le zinc :
$$Zn^{2+} + H_2 \rightarrow Zn + 2H^+ \quad (1)$$
$$Zn + 2H^+ \rightarrow Zn^{2+} + H_2 \quad (2)$$
$$2 Zn + H^+ \rightarrow Zn^{2+} + H_2 \quad (3)$$

a) Laquelle est correcte ?
b) Pourquoi les deux autres sont-elles fausses ?
c) Pourquoi les ions chlorure présents dans l'acide chlorhydrique ne figurent-ils pas dans l'équation-bilan ?

8 Écris la composition de l'acide chlorhydrique

a) Décris une expérience permettant de mettre en évidence la présence d'ions chlorure dans une solution d'acide chlorhydrique.

b) Quel est l'autre type d'ions présents dans la solution ? Quel caractère donnent-ils à cette solution ?

c) Pourquoi une telle solution est-elle électriquement neutre ?

d) Écris la formule ionique de cette solution.

9 Complète un protocole expérimental

On a réalisé l'expérience ci-contre.

a) Représente par un schéma l'expérience qui permet d'identifier le gaz.
b) Y a-t-il toujours des ions chlorure après la réaction ? Comment le vérifier ?
c) Y a-t-il d'autres ions dans la solution ?

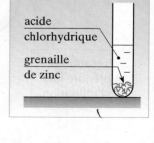

acide chlorhydrique

grenaille de zinc

Prélève un peu de la solution après réaction et verse quelques gouttes d'une solution d'hydroxyde de sodium. Que se passe-t-il ? Quel est l'ion ainsi mis en évidence ?

d) Le pH de la solution après réaction est-il supérieur ou inférieur à celui de l'acide chlorhydrique ? Justifie ta réponse.

e) Écris l'équation-bilan de la réaction chimique.

Utilise tes connaissances

10 Commente une expérience

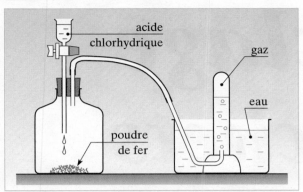

acide chlorhydrique
gaz
eau
poudre de fer

On réalise le montage représenté ci-dessus.

a) Que se passe-t-il lorsqu'on fait couler un peu d'acide sur le fer ?

b) Le gaz recueilli en début d'expérience est-il du dihydrogène pur ou un mélange d'air et de dihydrogène ?

c) Décris l'expérience qui permet de montrer que des ions Fe^{2+} apparaissent.

d) Écris le bilan de la réaction chimique.

11 Étudie l'action de l'acide chlorhydrique sur le fer

En t'aidant du paragraphe 2.2 p.78-79, décris l'expérience que tu ferais pour montrer que les ions H^+ de l'acide chlorhydrique réagissent avec le fer.

12 Prévois l'action d'autres acides sur les métaux

a) Lorsque l'on fait réagir l'acide chlorhydrique sur le fer ou le zinc, les ions chlorure réagissent-ils ? Les ions hydrogène réagissent-ils ?

b) Tous les acides possèdent des ions H^+.
Le citron contient de l'acide citrique.
Peut-il réagir avec le fer ou le zinc ?
Si oui, écris l'équation-bilan simplifiée.

13 Étudie l'action de l'acide sulfurique sur le fer

Pierre a fait réagir de l'acide sulfurique sur du fer.
L'équation-bilan s'écrit :
$$2\ H^+ + Fe \rightarrow Fe^{2+} + H_2 .$$

a) L'acide sulfurique est formé d'ions hydrogène et d'ions sulfate SO_4^{2-}. Écris sa formule.

b) Écris la formule des réactifs.

c) Est-ce que tous les ions ont participé à la réaction ? Écris la formule des produits.

d) Comment caractériserais-tu les ions Fe^{2+} et le dégagement de dihydrogène ?

Éducation du consommateur (ex. 14 et 15)

14 Étudie l'action d'un produit de nettoyage sur de l'acier

Lorsque l'on verse un produit de nettoyage pour W.C. sur le couvercle en acier d'une boîte de conserve, on observe un dégagement gazeux.
L'étiquette de ce produit indique qu'il contient essentiellement de l'acide chlorhydrique.

a) Indique quels sont les réactifs et les produits lors de l'action du produit de nettoyage sur l'acier.

b) Écris l'équation-bilan.

c) Que ferais-tu pour montrer que le produit contient bien de l'acide chlorhydrique ?

d) Comment procéderais-tu pour identifier les produits de la réaction ?

15 Étudie l'action du vinaigre sur l'aluminium

Le vinaigre, constitué essentiellement d'acide acétique, réagit avec l'aluminium.
L'équation-bilan simplifiée s'écrit :
$$6\ H^+ + 2\ Al \rightarrow 2\ Al^{3+} + 3H_2 .$$

a) D'où proviennent les ions H^+ ?

b) Comment mets-tu en évidence le dégagement de dihydrogène ?

c) Pourquoi ne doit-on pas faire une vinaigrette dans un récipient en aluminium ?

16 Étudie le test du dihydrogène

a) Décris le test du dihydrogène.

b) Ce test est une combustion.
Écris l'équation-bilan sachant qu'il ne se forme que de l'eau.

Le petit curieux

Il arrive parfois que des canettes métalliques contenant une boisson acide soient gonflées.

a) Quels sont les métaux utilisés pour la fabrication des canettes ?

b) Quelle est l'origine du gonflement de la canette ?

9

Le recyclage des déchets

Où vont nos déchets ménagers ?

Si tu jettes les déchets dans la poubelle ménagère...

... ils sont mis en décharge...

... ou...

... ils sont incinérés.

Que fais-tu des déchets ?

Si tu jettes les déchets dans des poubelles sélectives...

... si tu les apportes volontairement dans un conteneur...

... ils sont dirigés vers des centres de tri pour être **recyclés**.

L'incinération des déchets ménagers

40 % des ordures ménagères sont incinérées.

L'**incinération** permet de traiter l'ensemble des déchets, d'en réduire le volume de façon significative et de récupérer de l'énergie.

Cette énergie sert au chauffage des logements, des hôpitaux, des piscines ou à la production d'électricité.
Comment fonctionne une usine d'incinération ?

L'usine d'incinération des ordures ménagères de Saint-Ouen.

Une usine d'incinération

L'eau chaude produite sert à chauffer des logements ou des piscines.

Les fumées de la combustion sont dépoussiérées et lavées avant d'être rejetées dans l'atmosphère.

La chaleur produite par la combustion des déchets chauffe l'eau d'une chaudière.

Les ordures ménagères sont transportées à l'usine d'incinération.

La vapeur d'eau actionne la turbine d'un turbo-alternateur. L'électricité produite est vendue à E.D.F.

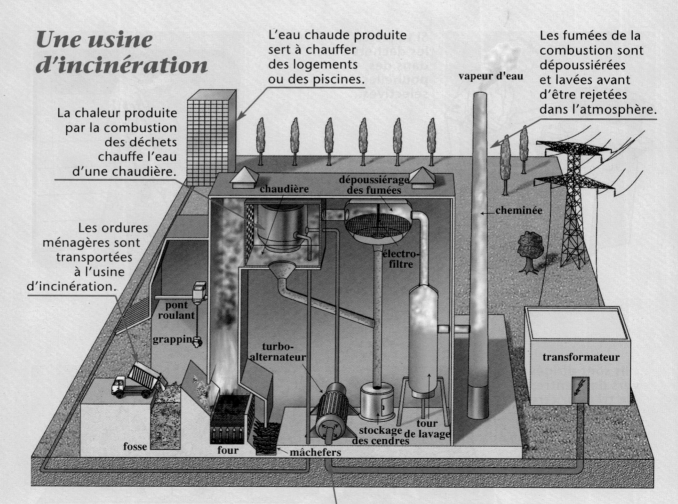

vapeur d'eau

chaudière

dépoussiérage des fumées

cheminée

électro-filtre

pont roulant

grappin

turbo-alternateur

transformateur

fosse

four

mâchefers

stockage des cendres

tour de lavage

Le recyclage du verre

Les bouteilles sont transportées au centre de traitement.

Le verre est trié, lavé et concassé.

Il devient du calcin.

Le calcin est fondu dans les fours...

... et moulé...

... pour redevenir une bouteille neuve.

Le recyclage des matières plastiques

Parmi les emballages en matière plastique, on recycle :

| **P.E.T.** | **P.E.H.D.** | **P.V.C.** |

Les bouteilles en P.E.T. (polyéthylène téréphtalate).

Les bouteilles en P.E.H.D. (polyéthylène haute densité).

Les bouteilles en P.V.C. (polychlorure de vinyle).

la régénération

Le P.E.T. est régénéré sous forme de paillettes.

Le P.E.H.D. est régénéré sous forme de granulés.

Le P.V.C. est régénéré sous forme de poudre.

les nouveaux produits

Les paillettes de P.E.T. sont transformées en fibres de rembourrage pour peluches, en fibres polaires utilisées pour confectionner des vêtements...

Les granulés de P.E.H.D. sont transformés en gaines de câbles électriques, en bidons et bouteilles...

La poudre de P.V.C. sert à fabriquer des tuyaux, des bottes, des dalles, des fibres textiles...

Le recyclage des métaux

Les boîtes à boissons sont fabriquées soit en acier, soit en aluminium.
Pour être triées, elles sont placées sur un tapis roulant et soumises
à l'action d'aimants en mouvement.
Les boîtes en acier sont attirées et tombent dans un bac ; les boîtes
en aluminium sont repoussées et viennent tomber dans un autre bac.

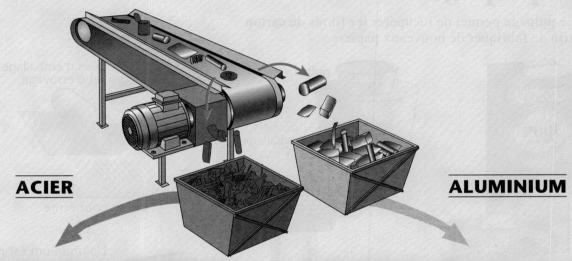

ACIER

ALUMINIUM

Les boîtes sont compactées, puis renvoyées à l'aciérie ou à la fonderie pour être fondues.
Elles retournent ainsi dans le cycle de fabrication de l'acier ou de l'aluminium.

Boîtes en acier.

Boîtes en aluminium.

Le recyclage
des briques
alimentaires

Il existe deux modes de recyclage des briques alimentaires utilisées pour conserver le lait, les jus de fruits... : le pulpage et le compactage.

Le pulpage

Le pulpage permet de récupérer les fibres de carton afin de fabriquer de nouveaux papiers.

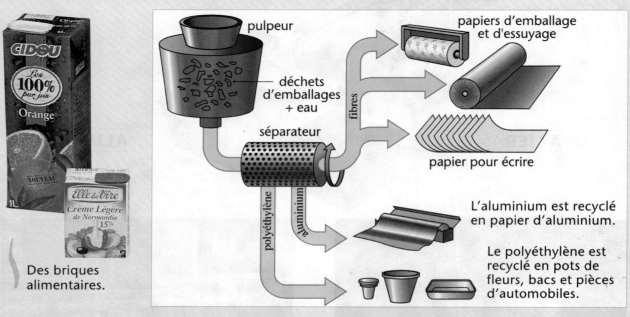

pulpeur

déchets d'emballages + eau

séparateur

fibres

polyéthylène

aluminium

papiers d'emballage et d'essuyage

papier pour écrire

L'aluminium est recyclé en papier d'aluminium.

Le polyéthylène est recyclé en pots de fleurs, bacs et pièces d'automobiles.

Des briques alimentaires.

Le compactage

Les briques sont déchiquetées, chauffées, compressées et refroidies. Aucun ajout de liant, colle ou autre matière première n'est nécessaire.
On obtient des panneaux destinés à l'industrie du meuble et de la construction.

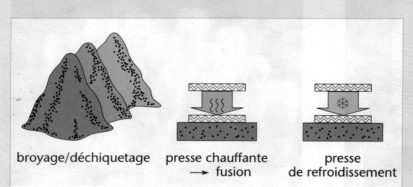

broyage/déchiquetage

presse chauffante
→ fusion

presse de refroidissement

Meubles en briques alimentaires recyclées par compactage.

Sais-tu l'essentiel ?

1 Distingue les types de collectes des déchets

a) Cite les trois types de collectes des ordures ménagères.

b) Quelles sont celles qui permettent un recyclage ?

2 Analyse le recyclage des matières plastiques

a) Quels sont les trois types d'emballages en matière plastique qui sont recyclés ?

b) Cite de nouveaux produits qui sont fabriqués avec chacun d'eux.

3 Effectue un tri des métaux

a) Deux métaux sont utilisés pour fabriquer des boîtes à boissons. Quels sont-ils ?

b) Quels sont les procédés qui permettent de les trier ?

4 Analyse le recyclage d'une brique alimentaire

a) Trois matériaux composent une brique alimentaire. Quels sont-ils ?

b) Cite les deux procédés de recyclage des briques alimentaires. Quels sont les produits obtenus après recyclage ?

Utilise tes connaissances

5 Analyse les résultats d'une déchetterie

En 1996, 120 000 tonnes de déchets ont été déposées dans les déchetteries de la région bordelaise. Le diagramme ci-dessous représente le tonnage des déchets qui ont été recyclés.

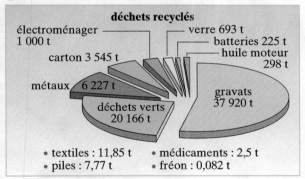

déchets recyclés

électroménager 1 000 t
verre 693 t
batteries 225 t
huile moteur 298 t
carton 3 545 t
métaux 6 227 t
gravats 37 920 t
déchets verts 20 166 t

- textiles : 11,85 t
- médicaments : 2,5 t
- piles : 7,77 t
- fréon : 0,082 t

a) Quel est le tonnage qui a été recyclé ? Quel est le pourcentage total de déchets recyclés par rapport aux déchets déposés dans les déchetteries ?

b) Quels sont les quatre types de déchets qui sont recyclés en plus grande quantité ? Que deviennent-ils ?

c) Quel est le tonnage des déchets non recyclés ? Que deviennent-ils ?

6 Analyse les perspectives de recyclage

En France, la masse des ordures ménagères a plus que doublé en trente ans. Aujourd'hui, chaque personne en produit en moyenne 1 kg par jour.

a) Quelle est la masse de déchets produits par chaque Français en un an ?

b) Sachant qu'il y a 60 millions de Français, quel est le tonnage de déchets produits en un an ?

c) Les divers emballages constituent environ 33 % de cette masse. Les directives européennes prévoient de recycler 75 % des déchets d'emballage d'ici à l'an 2002. Quelle sera alors la masse par habitant et par an de déchets d'emballage qui devront être recyclés ? Quels sont les différents procédés qui permettront d'atteindre ces objectifs ?

7 Analyse le recyclage de l'acier

Le schéma ci-après représente le cycle de l'acier.

a) Commente les différentes étapes de ce cycle.

b) Chaque année, dans les ordures ménagères, on dénombre 6 milliards d'emballages en acier (boîtes à boissons, boîtes de conserve…). On en récupère 35 %. Quel est le nombre d'emballages récupérés ?

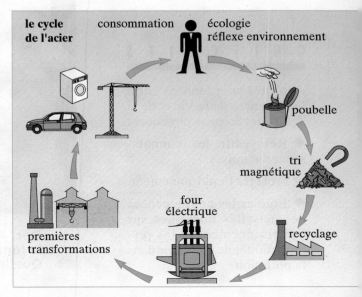

le cycle de l'acier
consommation
écologie réflexe environnement
poubelle
tri magnétique
four électrique
recyclage
premières transformations

10
Pollution et environnement

LES ACTIVITÉS *de l'Homme mettent-elles l'environnement en danger ?*

OBJECTIFS

Activités coordonnées entre les Sciences de la Vie et de la Terre et les Sciences physiques :

◆ Réinvestir les connaissances acquises.

◆ Protéger l'environnement.

◆ Étudier les conséquences des activités humaines sur l'environnement et les responsabilités de l'Homme dans la pollution.

Doc. A. Le réchauffement de la Terre a pour effet la fonte des glaces et l'extension des déserts. Quelle est l'une des causes de ce réchauffement ?

Doc. B. En Patagonie, il est déconseillé de sortir à certaines heures de la journée, car, dans cette région, le rayonnement ultraviolet (U.V.) est trop important. Pourquoi prendre une telle précaution ?

Doc. C. À quoi sont dues la détérioration de cette forêt et la dégradation de ce monument ?

Bisson Olivia.

1 L'effet de serre

■ Qu'est-ce que l'effet de serre ?

Le rayonnement solaire traverse l'atmosphère et vient échauffer le sol terrestre. Celui-ci émet alors des rayons infrarouges (I.R.) invisibles.

Une partie de ces rayons traverse l'atmosphère vers l'espace. Une autre partie reste piégée par la vapeur d'eau et le dioxyde de carbone présents dans l'atmosphère.

Il en résulte un échauffement de l'atmosphère : c'est **l'effet de serre** *(doc. 1)*. L'énergie piégée est d'autant plus importante que la concentration en dioxyde de carbone et en vapeur d'eau est grande.

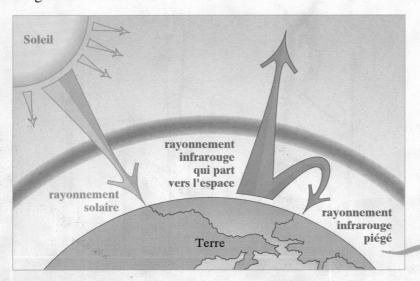

DOC. 1. *L'effet de serre.*

■ Les responsabilités de l'Homme

Aujourd'hui, **l'effet de serre est amplifié par l'émission de gaz** (dioxyde de carbone, méthane…) provenant des activités humaines.

Les combustions industrielles et domestiques rejettent du dioxyde de carbone dans l'atmosphère *(doc. 2)*.

■ Les conséquences sur l'environnement

Certains climatologues pensent que l'amplification de l'effet de serre pourrait provoquer une élévation de la température moyenne de notre planète de 2 à 5 °C, au milieu du XXIᵉ siècle.

Les conséquences sur l'environnement seraient désastreuses : **fonte des glaces** de l'Antarctique avec élévation du niveau des mers et accroissement de la **désertification** *(doc. A, p. 92)*.

> **Le dioxyde de carbone produit par les combustions est la cause principale de l'amplification de l'effet de serre. Il en résulterait un accroissement de la température moyenne de notre planète.**

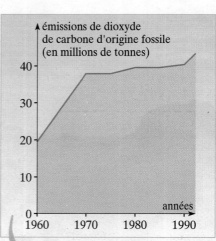

DOC. 2. *Au rythme actuel des émissions de CO_2 dues aux activités humaines, sa teneur devrait doubler d'ici le milieu du siècle prochain.*

2 L'ozone

◼ Où trouve-t-on l'ozone ?

L'ozone est un gaz dont la molécule a pour **formule O₃**.
On le trouve :

– En **haute altitude** (doc. 3) : il se forme à partir du dioxygène de l'air sous l'action du rayonnement solaire. Il constitue une couche qui enveloppe la Terre.

– Au **niveau du sol** : il est le produit de réactions chimiques
entre les oxydes d'azote et les hydrocarbures, polluants des
gaz d'échappement des véhicules et des gaz rejetés par les
chauffages industriels et domestiques. Ces réactions sont
favorisées par les rayons U.V. du Soleil.

◼ Bon ou mauvais ozone pour la santé ?

– En **haute altitude**, la couche d'ozone nous protège des rayons
U.V. nocifs du Soleil. Ces rayons U.V. favorisent le vieillis-
sement et les cancers de la peau, ainsi que des troubles de la
vision.

Sans cette couche d'ozone, la vie sur la Terre n'aurait pas pu
se développer. Ainsi, en Patagonie, située au-dessous d'un
« trou » d'ozone, il est dangereux de sortir en période de fort
ensoleillement (doc. B, p. 93).

– Au **niveau du sol**, l'ozone est nocif pour la santé. Il provoque des affections respiratoires (irritation des bronches).

◼ Les responsabilités de l'Homme

– **Il faut protéger l'ozone de la haute atmosphère.** Cet ozone
est détruit par certains gaz polluants comme les chlorofluoro-
carbones (C.F.C.), longtemps utilisés dans les bombes aérosols.

L'épaisseur de la couche d'ozone diminue par endroits ; le
« trou » d'ozone ainsi formé laisse passer plus facilement les
rayons U.V. nocifs (doc. 4). Il est donc nécessaire de limiter
le rejet de ces gaz dans l'atmosphère (doc. 5).

– **Il faut limiter la production d'ozone au niveau du sol.**
À cet effet, il convient de :
• limiter le trafic automobile ;
• filtrer les émissions gazeuses dues aux combustions (par
exemple, avec les pots catalytiques des voitures). Le gouver-
nement s'y emploie en distribuant une vignette verte pour les
véhicules les moins polluants.

> **L'ozone est un gaz dont la molécule a pour formule O₃.**
> **L'ozone produit par les gaz polluants au niveau du sol**
> **a des effets néfastes sur notre santé.**
> **En haute altitude, l'ozone nous protège des rayons ultra-**
> **violets du Soleil.**

DOC. 3. Ces ballons-sondes permettent de prélever et d'analyser
les gaz de l'atmosphère en haute
altitude. On mesure ainsi la
teneur en ozone.

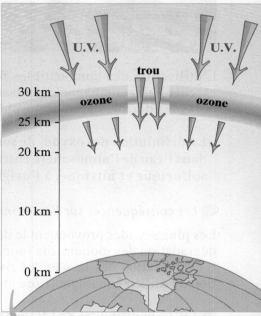

DOC. 4. Le « trou » de la couche
d'ozone.

DOC. 5. Logo sur un aérosol ne
contenant pas de C.F.C.

3 Les pluies acides

■ Qu'est-ce que les pluies acides ?

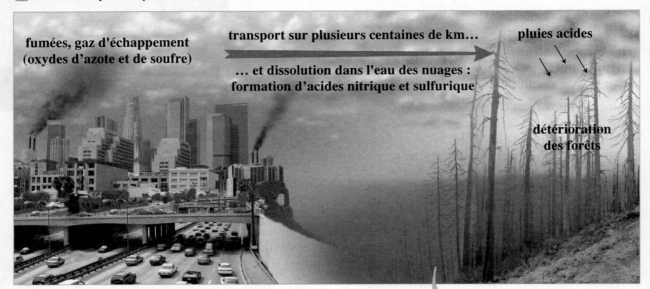

fumées, gaz d'échappement (oxydes d'azote et de soufre)

transport sur plusieurs centaines de km…

… et dissolution dans l'eau des nuages : formation d'acides nitrique et sulfurique

pluies acides

détérioration des forêts

DOC. 6. *La formation des pluies acides.*

L'utilisation des combustibles fossiles (gaz naturel, fioul, essence) s'accompagne d'émissions d'oxydes de soufre et d'oxydes d'azote dans l'atmosphère.

> **La dissolution des oxydes de soufre et des oxydes d'azote dans l'eau de l'atmosphère entraîne la formation d'acides sulfurique et nitrique, à l'origine des pluies acides.**

■ Les conséquences sur l'environnement

Les pluies acides provoquent le dépérissement des forêts et la dégradation des monuments *(doc. C, p. 93)*.
L'acidification des lacs et des rivières entraîne une destruction du milieu aquatique (flore et faune).

■ Les responsabilités de l'Homme

En rejetant les polluants dans l'atmosphère, comme les oxydes d'azote et de soufre, l'Homme favorise la formation des pluies acides *(doc. 6)*. Ainsi, de tristes records ont été enregistrés :
– en Europe, en 1974 : pluie de pH = 2,4 en Écosse ;
– aux États-Unis, en 1979 : pluie de pH = 1,8 à Werling dans l'État de West-Virginia.

Retiens l'essentiel

Pour limiter l'effet de serre, pour éviter la disparition de l'ozone de la haute atmosphère et la formation de pluies acides, l'Homme doit limiter les rejets de gaz polluants.

LES HOMMES SONT-ILS PRÊTS À LUTTER CONTRE LA POLLUTION ?

En 1997, les représentants de 159 pays se sont réunis à Kyōto pour parler des rejets des gaz à effet de serre, essentiellement le dioxyde de carbone. Ce sujet est source de polémiques entre les pays de la planète, dont les niveaux de développement et les objectifs économiques peuvent être très différents.

▼ Analyse de la situation

Parmi les nombreuses délégations venues à Kyōto, trois types de tendances se sont dégagées.

■ Les pays défavorables à la réduction des rejets de dioxyde de carbone

Les pays exportateurs de pétrole, comme l'Arabie Saoudite, ou exportateurs de charbon, comme l'Australie, ne souhaitaient pas diminuer les rejets de dioxyde de carbone, car leurs exportations, donc leurs sources de revenus, pourraient en souffrir.

De même, les pays en voie de développement considéraient que cette réduction constituerait un frein à leur développement.

■ Les pays favorables à la réduction des rejets de dioxyde de carbone

Les pays insulaires ou les pays menacés par une éventuelle montée de la mer (le Bengladesh et l'Égypte), qui pourrait provoquer des inondations catastrophiques, proposaient une réduction des émissions de dioxyde de carbone. Signalons l'attitude volontariste de l'Union européenne qui a proposé de diminuer ses rejets de 15 % entre 1990 et 2010.

■ Les pays réticents

Certains pays développés, comme les États-Unis, redoutaient qu'une réduction des rejets de gaz à effet de serre se fasse au détriment de leur activité économique, ce qui pourrait porter atteinte à leur niveau de vie.

DOC. 1. *Pollution industrielle.*

DOC. 2. *Pollution urbaine.*

▼ Les résultats de la réunion

Les représentants des 159 pays ont failli se quitter sans rien décider tant les négociations ont été difficiles. Finalement, ils ont signé un accord au terme duquel :

– les pays en voie de développement échappent à toute obligation de réduire la pollution de l'air ;

– d'autres pays s'engagent d'ici 2010 à réduire plus ou moins leurs rejets (par exemple : – 7 % pour les États-Unis ; – 8 % pour l'Union européenne ; 0 % pour la Russie ; – 6 % pour le Japon).

À cette controverse de nature économique, vient s'en ajouter une autre, d'ordre scientifique. Certains chercheurs pensent en effet qu'une élévation de la température moyenne de la Terre n'est pas certaine, car nos connaissances dans le domaine de la climatologie sont insuffisantes aujourd'hui...

QUESTIONS ?

1. Où se trouve la ville de Kyōto ?

2. Explique pourquoi les pays producteurs de pétrole ou de charbon ne sont pas favorables à la réduction des rejets de dioxyde de carbone dans l'atmosphère.

3. Il existe trois types de centrales électriques : les centrales hydroélectriques, les centrales thermiques à fioul ou à charbon, et les centrales nucléaires.
Quelles sont celles qui rejettent du dioxyde de carbone et celles qui n'en rejettent pas ?

Exercices

Sais-tu l'essentiel ?

1 Choisis la bonne réponse

a) L'effet de serre est dû à *la dissolution des oxydes d'azote et de soufre dans l'eau / l'échauffement de l'atmosphère par les rayons infrarouges piégés par la vapeur d'eau et le dioxyde de carbone.*

b) En haute altitude, l'ozone est produit *naturellement / par les activités industrielles.*

c) La couche d'ozone en *haute altitude / au sol* nous protège des rayons ultraviolets.

2 Que sais-tu sur l'effet de serre ?

a) Quelle est la cause principale de l'effet de serre ?

b) Cite des conséquences de son augmentation.

3 Que sais-tu sur l'ozone ?

a) Quel rôle bénéfique joue l'ozone en haute altitude ?

b) Quelle est la conséquence de la pollution sur la couche d'ozone située en haute altitude ?

c) D'où provient l'ozone présente au niveau du sol ?

d) Quels sont les effets néfastes de l'ozone au niveau du sol ?

4 Que sais-tu sur les pluies acides ?

a) Comment se forment les pluies acides ?

b) Quelles sont les conséquences des pluies acides ?

Utilise tes connaissances

Étudie les pluies acides (ex. 5 à 7)

5 (SOS) Les pluies acides attaquent les toitures en zinc.

a) Que devient le métal zinc ? Comment mettrais-tu en évidence cette transformation ?

b) Écris l'équation-bilan simplifiée de cette réaction chimique.

6 (SOS) En Pologne, les pluies acides attaquent même les rails de chemins de fer.

a) Lors de cette attaque, quels sont les réactifs ?

b) Quel gaz se dégage-t-il ? Comment le caractériser ?

c) Écris l'équation-bilan simplifiée de la réaction chimique.

7 (SOS) Les pluies acides attaquent les édifices en pierre calcaire.
Quel gaz se forme-t-il ? Quelle est sa formule ? Comment le caractérise-t-on ?

8 Complète tes connaissances sur les pluies acides

Les oxydes d'azote rejetés par l'industrie contribuent à la formation des pluies acides en réagissant avec l'eau pour donner de l'acide nitrique.

1) a) Écris les formules de trois oxydes d'azote sachant que leurs molécules comportent respectivement :
– 1 atome d'azote et 1 atome d'oxygène ;
– 1 atome d'azote et 2 atomes d'oxygène ;
– 2 atomes d'azote et 1 atome d'oxygène.

b) Justifie le terme d'oxyde.

2) Écris la formule de l'acide nitrique en solution, sachant qu'il est formé d'ions hydrogène et d'ions nitrate NO_3^-.

9 Interprète des étiquettes

La photographie ci-contre représente des bombes aérosols.

a) Explique pourquoi il est nécessaire de protéger la couche d'ozone.

b) S'agit-il de l'ozone présent dans la haute atmosphère ou produit au niveau du sol ?

c) Cherche la signification du terme *aérosol*.

(SOS) Coup de pouce

Ex. 5 et 6 → Reporte-toi à la leçon du chapitre 8, pages 78 et 79.

Ex. 7 → Recherche le constituant principal du calcaire.

Électricité

11
Les résistances électriques

L EXISTE différents dipôles appelés « résistances ». Quelle est l'influence d'une résistance dans un circuit électrique ?

O B J E C T I F S

◆ Connaître l'influence d'une résistance dans un circuit électrique.

◆ Connaître l'unité de résistance, l'ohm (Ω).

Doc. A. Sur cette carte d'ordinateur, quels sont les dipôles cylindriques portant des anneaux de couleur ?

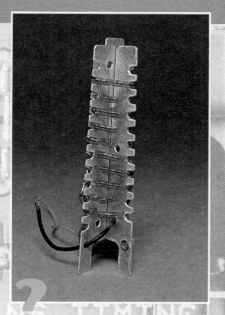

Doc. B. Un sèche-cheveux comporte un fil enroulé en hélice. Quel est le rôle de ce fil ?

Doc. C. Comment est constitué le dispositif de dégivrage se trouvant sur la vitre arrière de cette automobile ?

Doc. D. Cette chaîne hi-fi comporte des boutons de commande qui permettent d'actionner des potentiomètres. Comment est constitué un potentiomètre ?

Le *document* A, p. 100, montre des composants utilisés en électronique et appelés « résistances* ».

Ce sont des dipôles identifiables par des anneaux de couleur *(doc. 1)*. Quel est leur rôle ?

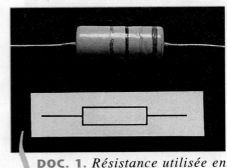

DOC. 1. *Résistance utilisée en électronique et son symbole.*

1 Influence d'une « résistance » dans un circuit

▶ *Expérimentons* : Réalisons le circuit du *document* 2. C'est un circuit en série comportant un générateur, une lampe et un ampèremètre.

L'ampèremètre indique $I = 210$ mA.

Ajoutons en série une « résistance » R_1 *(doc.* 3a *et* b). La lampe brille moins.

L'ampèremètre indique $I_1 = 108{,}1$ mA.
L'intensité du courant a diminué.

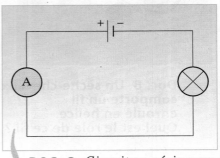

DOC. 2. *Circuit en série comportant un générateur.*

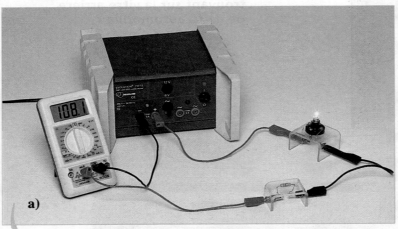

a)

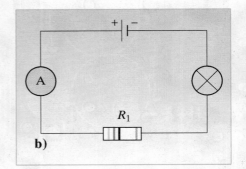

b)

DOC. 3 a) et b). *Circuit en série comportant une résistance.*

Remplaçons cette « résistance » par une autre, différente, portant des anneaux de couleurs différentes.
La lampe n'éclaire plus.
L'ampèremètre indique $I_2 = 46$ mA.
L'intensité du courant I_2 est inférieure à I_1 et à I.

▶ *Concluons* :

**L'introduction d'une « résistance » dans un circuit en série diminue l'intensité du courant.
La diminution de l'intensité du courant dépend de la « résistance » insérée dans le circuit.**

▶ *Pour t'entraîner* → *Ex. 9 et 10.*

* Désignation conforme aux nouveaux programmes.

2 Pourquoi des « résistances » se comportent-elles différemment ?

2.1. Mesure d'une résistance

Les deux « résistances » précédentes ont des comportements différents : les valeurs R_1 et R_2 de leur résistance sont différentes. Le mot résistance définit donc à la fois le dipôle et la grandeur physique R qui le caractérise.

L'unité de résistance est l'ohm (symbole Ω).

On utilise très souvent le kilo-ohm ($1\,k\Omega = 10^3\,\Omega$) et le mégohm ($1\,M\Omega = 10^6\,\Omega$).

La valeur d'une résistance peut être déterminée :
– à partir de la position et de la couleur des anneaux peints sur le dipôle (*voir le code des couleurs de la fiche-méthode, p.* 105) ;
– en branchant le dipôle aux bornes d'un ohmmètre (*voir fiche-méthode, p.* 105).

Ainsi, pour les deux « résistances » utilisées précédemment, nous trouvons (*doc.* 4a *et* b) : $R_1 = 45,9\,\Omega$ et $R_2 = 98,6\,\Omega$.

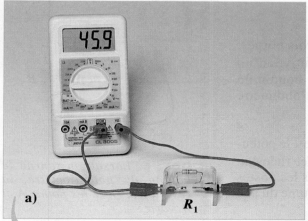 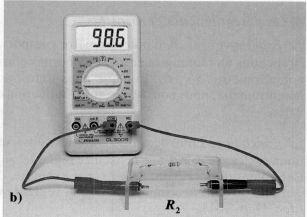

a) b)

DOC. 4a) et b). *Mesure d'une résistance à l'ohmmètre.* a) $R_1 = 45,9\,\Omega$, b) $R_2 = 98,6\,\Omega$.

▶ *Pour t'entraîner* → *Ex. 11 et 14.*

2.2. Influence de la valeur d'une résistance

Dans le montage du *document* 3, nous avons utilisé la résistance $R_1 = 45,9\,\Omega$. Nous avons mesuré une intensité $I_1 = 108,1\,mA$. Puis nous avons réalisé un nouveau montage en remplaçant R_1 par $R_2 = 98,6\,\Omega$; nous avons mesuré une intensité $I_2 = 46\,mA$. Nous remarquons que si $R_1 < R_2$, alors $I_1 > I_2$.

> **L'intensité du courant dans un circuit en série est d'autant plus faible que la résistance du circuit a une valeur élevée.**

▶ *Pour t'entraîner* → *Ex. 12.*

3 Exemples d'utilisation de résistances

Les résistances en électronique *(doc. A, p. 100)*

Leur résistance varie de quelques ohms à plusieurs millions d'ohms. Ces dipôles sont conçus pour être utilisés sous de faibles tensions (quelques volts). Ils permettent de protéger d'autres dipôles en limitant l'intensité du courant *(doc. 5)*.

Les résistances chauffantes

Le fil enroulé en hélice que l'on trouve dans les sèche-cheveux *(doc. B, p. 101)* est une résistance chauffante.
Ces résistances équipent aussi les radiateurs électriques, les fours, les fers à repasser. Le dispositif de dégivrage du *document* C, p. 101, est constitué d'une résistance chauffante collée sur la vitre arrière du véhicule.
Leur résistance est assez faible (quelques ohms) ; ces dipôles peuvent être traversés par des courants de plusieurs ampères qui les échauffent.

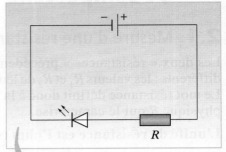

DOC. 5. *La D.E.L., qui ne supporte pas un courant intense, est protégée par une résistance qui diminue l'intensité du courant.*

Les potentiomètres et rhéostats

▶ *Expérimentons* : Un potentiomètre comporte trois bornes. Branchons un ohmmètre entre deux bornes consécutives d'un potentiomètre *(doc. 6)*. Lorsque nous tournons le bouton du potentiomètre, nous constatons que l'indication de l'ohmmètre varie.

▶ *Concluons* : Entre deux de ses bornes consécutives, le potentiomètre joue le rôle d'une résistance réglable, appelée rhéostat. Les potentiomètres sont utilisés, par exemple, dans les postes de radio ou dans les chaînes hi-fi pour régler le volume du son *(doc. D, p. 101)*.

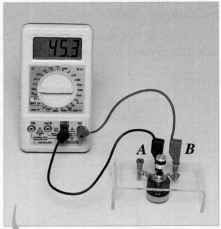

DOC. 6. *Lorsqu'on tourne le bouton du potentiomètre, la résistance, entre les points A et B, varie.*

Retiens l'essentiel

L'intensité du courant dans un circuit est d'autant plus faible que la résistance du circuit est grande.

L'ohm (symbole : Ω) est l'unité de résistance.

Un ohmmètre permet de mesurer la valeur d'une résistance. Il est aussi possible d'utiliser le code des couleurs.

En électronique, une résistance permet de limiter l'intensité du courant.

Dans les appareils de chauffage, une résistance permet de produire de la chaleur.

Mesures de résistances

A. Utilisation du code des couleurs

Les valeurs des résistances utilisées en électronique sont indiquées par trois anneaux de couleur peints sur le dipôle. Le code des couleurs associe un chiffre à chaque couleur.

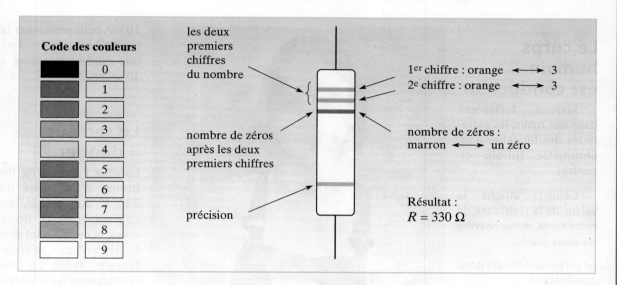

Code des couleurs

	0
	1
	2
	3
	4
	5
	6
	7
	8
	9

les deux premiers chiffres du nombre

nombre de zéros après les deux premiers chiffres

précision

1er chiffre : orange ←→ 3
2e chiffre : orange ←→ 3

nombre de zéros : marron ←→ un zéro

Résultat :
$R = 330\ \Omega$

B. Utilisation d'un ohmmètre

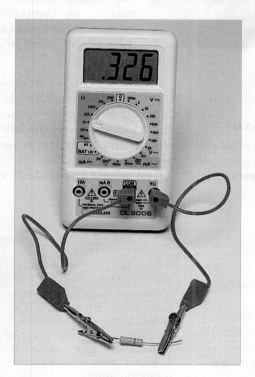

- Place le sélecteur dans la zone Ω.
- Vérifie qu'en touchant les deux fils de connexion entre eux, l'appareil affiche 0 et qu'en séparant les deux fils, il affiche .1.
- Branche la résistance entre les bornes VΩ et COM.
- Place le sélecteur sur le calibre correspondant à un affichage de trois chiffres.
- Si le calibre choisi est trop faible, l'appareil affiche .1.
- Le calibre utilisé est 2 kΩ.
La valeur de la résistance est : $R = 326\ \Omega$.

Documents

LA RÉSISTANCE DU CORPS HUMAIN

*De nombreux accidents mortels sont dus à une électrocution.
Le corps humain est-il conducteur ? Comment le savoir ?
Pourquoi ne risque-t-on rien avec une pile de 4,5 V ?*

Le corps humain est conducteur

Serrons fortement dans nos mains les extrémités des fils reliés à un ohmmètre (photo ci-contre).

Celui-ci affiche la valeur de la résistance de notre corps, mesurée entre les deux mains.

Le corps humain est donc conducteur.

Avec une autre personne, l'ohmmètre affiche une valeur différente.

La résistance du corps humain varie d'une personne à l'autre.

Elle dépend beaucoup de l'état de la peau.

Ainsi, les enfants, qui ont une peau fine, ont une résistance plus faible que les adultes ; les personnes dont la peau est épaisse et sèche ont une résistance élevée...

D'autre part, la résistance diminue quand la peau est mouillée.

Une intensité à ne pas dépasser

Le danger d'électrocution est lié à l'intensité du courant qui traverse le corps : un courant de 10 mA peut provoquer la mort s'il est subi pendant une durée supérieure à 30 secondes.

Le secteur = danger

Lorsque l'on touche les bornes d'une prise de 230 V du secteur, un courant traverse notre corps, et ce, d'autant plus facilement que sa résistance est faible. Ce courant tétanise les muscles, ainsi que le cœur qui n'arrive plus à battre : c'est l'**électrocution**.

Comme la résistance du corps diminue quand il est mouillé, on comprend pourquoi de nombreux cas d'électrocution ont lieu dans les salles de bains.

Les piles de 4,5 V, les accumulateurs de 12 V sont sans danger : le courant que ces générateurs débitent lorsqu'on touche leurs bornes est trop faible pour provoquer une électrocution.

Il y a danger à partir de 25 V.

⚠ **Conseils de prudence en électricité**

■ Ne jamais toucher les bornes d'une prise du secteur, même une seule des deux bornes.

■ Ne jamais toucher un fil dénudé, même un seul des deux fils.

■ Ne jamais réparer une lampe (ou une prise ou un interrupteur) sans avoir coupé le courant à l'aide du disjoncteur.

■ Ne jamais utiliser un appareil électrique branché sur le secteur dans une salle de bains : l'humidité favorise les électrocutions.

QUESTIONS

1. Le courant *tétanise* les muscles. Que signifie ce mot ?

2. Risque-t-on de s'électrocuter avec une batterie d'accumulateurs d'automobile ?

3. Pourquoi est-il interdit d'installer une prise de courant près d'un évier ou d'une baignoire ?

Sais-tu l'essentiel ?

Effet d'une résistance (ex. 1 et 2)

1 Quel est l'effet de l'introduction d'une résistance dans un circuit en série ? Réponds par une phrase.

2 Écris deux phrases correctes en choisissant les bonnes propositions :

Dans un circuit en série, l'intensité du courant est d'autant plus *faible / grande* que la résistance du circuit est *faible / grande*.

3 Précise l'unité

Quelle est l'unité de résistance électrique ?
Donne son symbole.

4 Vrai ou faux ?

Si l'affirmation est fausse, corrige le mot souligné.

a) L'ampère est l'unité de résistance.

b) Le symbole de l'unité de résistance s'écrit Ω.

c) Si on augmente la résistance d'un circuit, l'intensité du courant augmente.

5 Mesure de résistance

Indique deux méthodes permettant de déterminer la valeur d'une résistance.

6 Donne l'utilisation des résistances

Cite quelques applications des résistances.

Applique le cours

7 Reconnais des résistances

Parmi ce lot de composants électroniques, combien comptes-tu de résistances ?

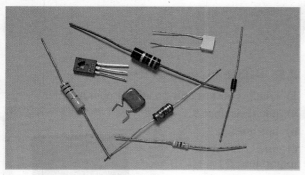

8 Schématise un circuit

a) Schématise un circuit en série comportant une pile, un ampèremètre, une lampe et une résistance.

b) Indique le sens du courant.

Étudie l'effet d'une résistance (ex. 9 et 10)

9 Éloi réalise un circuit avec une pile, une lampe et un ampèremètre.
L'ampèremètre indique une intensité de 215 mA.
Jérémy ajoute, en série dans le circuit d'Éloi, une résistance.

a) Schématise le circuit d'Éloi et celui de Jérémy.

b) Dans le circuit de Jérémy, l'ampèremètre peut-il indiquer 85 mA ou 300 mA ?

c) Dans quel circuit la lampe éclairera-t-elle le plus ?

10 Pauline réalise le circuit ci-contre :

a) Quels dipôles a-t-elle utilisés ?

b) Elle remplace la résistance de 18 Ω par une résistance de 33 Ω. La lampe brillera-t-elle davantage ? Pourquoi ?

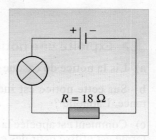

$R = 18\ \Omega$

Utilise le code des couleurs (ex. 11 et 12)

11 **a)** Utilise le code des couleurs (p. 105) pour déterminer la résistance de chacun de ces deux dipôles électroniques.

b) Exprime ces valeurs en kilo-ohms.

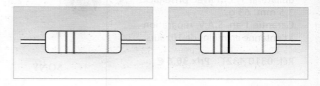

12 **a)** Quelle est la résistance de chacun de ces dipôles électroniques ?

b) Lequel, branché dans un circuit en série, diminue le plus fortement l'intensité ?

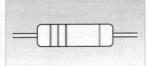

13 **Expérimente**

a) Comment brancher un ohmmètre pour savoir si une lampe à incandescence de 230 V possède une résistance ?

b) Mesure les résistances de différentes lampes de 230 V marquées 40 W, 60 W, 100 W.

Que constates-tu ?

14 **Utilise un ohmmètre**

Observe la photographie ci-contre.

a)  Sur quel calibre est branché l'ohmmètre ?

b) Quelle est la valeur de la résistance de ce sèche-cheveux ?

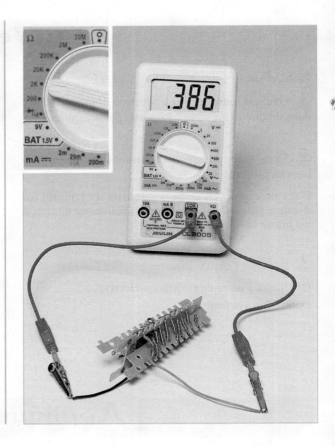

Utilise tes connaissances

15 **Exploite une notice**

a) Lis la notice du casque de baladeur.

b) Sur cette notice est indiquée une valeur de résistance. Laquelle ?

c) Comment est appelée la résistance du baladeur ? (Ce terme est utilisé pour des courants variables.)

B Le casque Sony MDR-G5T

POUR LE BALADEUR, JOUEZ LA DISCRÉTION

B 30,6 €

Une nouvelle structure de bandeau pour plus de légèreté, confort et stabilité. Type ouvert. Bande passante 16 à 20 000 Hz. Impédance 24 ohms. Cordon unilatéral 1,5 m avec prise jack 3,5 mm. 63 g.
Garantie 1 an. S.A.V. réparation à l'antenne en moins de 10 jours.

Réf. 0310 432T   Prix **30,6 €** .

SONY

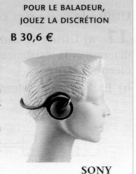

16 **Utilise un multimètre**

1) Quelles bornes doit-on utiliser pour mesurer :

a) une résistance ?

b) une tension ?

c) une intensité importante ?

2) Indique, pour chaque cas, dans quelle zone doit se trouver le sélecteur.

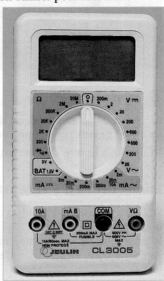

17 Utilise un ampèremètre

Thibault veut mesurer l'intensité du courant qui parcourt la résistance du circuit ci-contre.

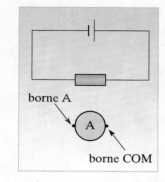

a) Dessine le montage avec l'ampèremètre correctement branché.

b) Indique les bornes ⊕ et ⊖ du générateur, ainsi que le sens du courant dans la résistance.

18 Utilise un ohmmètre

On désire déterminer la résistance de deux dipôles R_1 et R_2.

a) Indique les branchements à effectuer pour déterminer la résistance de R_1.

b) Dans quelle zone faut-il placer le sélecteur ?

c) (SOS) Sur le calibre « 200 », le multimètre indique 46.5 pour R_1 ; il indique 12.3 pour R_2 sur le calibre « 20 K ».

Quelles sont les valeurs de ces deux résistances ?

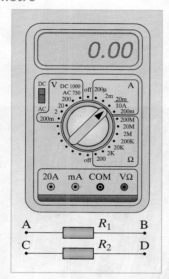

19 (SOS) Applique les propriétés de l'intensité

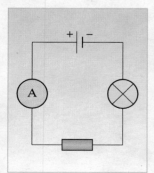

Léa a réalisé le circuit ci-contre. L'ampèremètre indique 210 mA.

a) L'intensité du courant qui traverse le filament de la lampe est-elle égale, supérieure ou inférieure à 210 mA ? Pourquoi ?

b) Si on permute la lampe et la résistance, l'indication de l'ampèremètre est-elle modifiée ? Pourquoi ?

c) Un voltmètre permet de mesurer une tension de 6,2 V aux bornes du générateur, une tension de 3,7 V aux bornes de la lampe et une tension nulle aux bornes de l'ampèremètre.

Quelle est la tension aux bornes de la résistance ?

d) On court-circuite la résistance.

– Comment réalise-t-on ce court-circuit ?
– La lampe éclaire-t-elle davantage ? Pourquoi ?
– L'ampèremètre indique-t-il une intensité supérieure ou inférieure à 210 mA ?

20 (SOS) Étudie un circuit avec dérivation

1) Énonce la loi des nœuds dans un circuit avec dérivation.

2) Énonce la loi d'unicité de la tension pour des dipôles en dérivation.

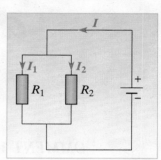

3) On a réalisé le circuit schématisé ci-contre. Des mesures ont donné :
$I = 390\ \text{mA}$; $I_1 = 250\ \text{mA}$; tension U_1 aux bornes de R_1 : 6,3 V.

a) Quelle est la valeur de l'intensité I_2 ?

b) Quelle est la valeur de la tension U_2 aux bornes de R_2 ?

Le petit curieux

Grillée ou pas ?

a) Branche un isolant (fil de laine) aux bornes d'un ohmmètre. Qu'affiche l'appareil ?

b) Branche un très bon conducteur (fil de connexion) aux bornes de l'ohmmètre. Qu'affiche-t-il ?

c) Branche une lampe entre les bornes. Qu'indique l'ohmmètre ?

d) Qu'indiquerait l'ohmmètre si la lampe était grillée ? Vérifie.

(SOS) Coup de pouce

Ex. 14 → **a)** 2 K signifie 2 kΩ.

Ex. 18 → **c)** Les calibres utilisés sont 200 Ω et 20 kΩ.

Ex. 19 et 20 → Revoir, puis utiliser les lois sur les tensions et courants continus vues en classe de Quatrième.

12

Loi d'Ohm

C OMMENT *varie l'intensité du courant* dans une résistance quand on augmente la tension appliquée ? Tous les matériaux ont-ils les mêmes propriétés de résistance ?

OBJECTIFS

◆ Connaître et réaliser un montage permettant de tracer la caractéristique d'un dipôle.

◆ Connaître et utiliser la loi d'Ohm.

◆ Savoir que tous les matériaux n'ont pas les mêmes propriétés conductrices.

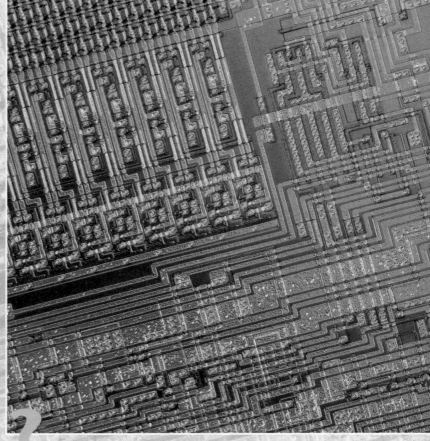

Doc. A. Cette macrophotographie représente un circuit intégré.
Dans les microprocesseurs de dernière génération, le remplacement de l'aluminium par le cuivre permet d'améliorer considérablement les performances. Pourquoi ?

Doc. B. Georg OHM. Ce physicien allemand (1787-1854) est célèbre pour avoir découvert une loi fondamentale des circuits électriques. Quelle est cette loi ?

Doc. C. Ces deux physiciens suisses, Georg BEDNORZ et Alex MÜLLER, ont obtenu le prix Nobel en 1987 pour la découverte d'une substance qui devient supraconductrice à une température de − 238 °C. Qu'est-ce qu'une substance supraconductrice ?

Doc. D. Que modifie-t-on en agissant sur la commande qui règle l'« allure de chauffe » d'un convecteur électrique ?

1 Étude d'une résistance en courant continu

Quel montage réaliser pour étudier comment varie l'intensité dans une résistance lorsqu'on fait varier la tension entre ses bornes ?

1.1. Le montage

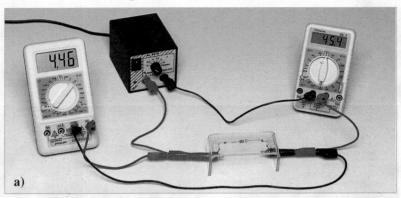

a)

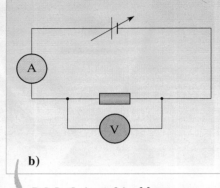

b)

Réalisons un circuit en série avec un générateur de tension continue réglable, une résistance et un ampèremètre.
Plaçons un voltmètre en dérivation aux bornes de la résistance (*doc.* 1a *et* b).

DOC. 1a) et b). *Montage permettant de tracer la caractéristique d'une résistance.*

▶ *Pour t'entraîner → Ex. 8.*

1.2. Les mesures

Faisons varier la tension du générateur et notons l'intensité du courant et la tension aux bornes d'une résistance de 47 Ω (*voir code des couleurs, p. 105*). Nous constatons que l'intensité dans la résistance augmente quand on augmente la tension entre ses bornes (*doc.* 2 *et doc.* D, *p. 111*).

U (V)	0,0	3,50	6,18	7,61	9,08
I (A)	0,0	0,076	0,134	0,166	0,197

DOC. 2. *L'intensité dans la résistance augmente quand on augmente la tension entre ses bornes.*

2 Loi d'Ohm

2.1. Le tracé du graphique

Construisons le graphique en portant en abscisses l'intensité et en ordonnées la tension.

Chaque couple de valeurs du tableau (*doc.* 2) correspond à un point du graphique (*doc.* 3).

Nous constatons que ces points sont pratiquement alignés.

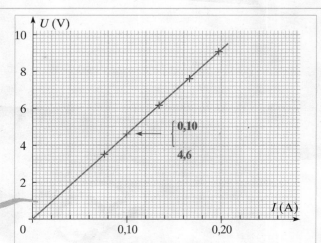

DOC. 3. *Caractéristique intensité-tension d'une résistance.*

La droite qui passe le plus près possible de tous les points est appelée **caractéristique** intensité-tension de la résistance. Elle passe par l'origine.

La tension aux bornes de la résistance et l'intensité du courant qui la traverse sont des grandeurs proportionnelles.

Déterminons le coefficient directeur de la droite, en prenant par exemple le point : (0,10 ; 4,6) ($I = 0,10$ A ; $U = 4,6$ V).

Nous trouvons : $\dfrac{U}{I} = \dfrac{4,6}{0,10} = 46$.

Le coefficient directeur est égal à la valeur de la résistance, exprimée en ohm, soit $R = 46\ \Omega$.

2.2. L'énoncé de la loi d'Ohm

Les résultats précédents permettent d'énoncer la loi suivante, appelée loi d'Ohm (doc. B, p. 111).

> **La tension aux bornes d'une résistance est égale au produit de la valeur de la résistance par l'intensité du courant qui la traverse :**
>
> $$U = R . I$$
> $$\underset{(V)}{\downarrow} \quad \underset{(\Omega)}{\downarrow} \quad \underset{(A)}{\downarrow}$$

2.3. Prévoir l'intensité du courant dans une résistance

Comment prévoir l'intensité du courant dans la résistance précédente lorsqu'on lui applique une tension de 5 V par exemple ?

■ *La caractéristique est donnée*

On cherche sur le graphique le point d'ordonnée 5 V : point *P*.
Son abscisse donne la valeur de l'intensité (doc. 4) :

$$I \approx 0,11\ \text{A}.$$

■ *La valeur de R est connue* : $R = 46\ \Omega$

On applique la loi d'Ohm :

$$U = R.I, \quad \text{donc} \quad I = \dfrac{U}{R} ;$$

d'où $I = \dfrac{5}{46} = 0,109$ A, $I \approx 0,11$ A.

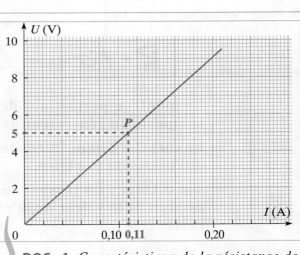

DOC. 4. *Caractéristique de la résistance de 46 Ω.*

▶ *Pour t'entraîner* → *Ex. 10 et 14.*

3 Tous les matériaux ont-ils les mêmes propriétés conductrices ?

La *fiche-méthode*, page 115, montre que **la résistance d'un fil cylindrique** :
– **augmente avec la longueur du fil ;**
– **diminue quand son diamètre augmente ;**
– **dépend du matériau qui le constitue.**
Pour un usage électrique donné, un métal est retenu en fonction de ses propriétés physiques (notamment conductrices) et de son prix (*doc*. A, *p*. 110).

métal	propriétés	utilisation
argent	excellent conducteur	technologie de pointe • satellites • informatique
cuivre	très bon conducteur	informatique • lignes électriques d'une habitation
aluminium	bon conducteur léger	lignes très haute tension
alliage plomb – étain	température de fusion peu élevée	fusibles
alliage nichrome	utilisé dans les résistances chauffantes température de fusion élevée	fer à repasser • sèche-linge • four • convecteur

Il existe des substances dont la résistance s'annule au-dessous d'une certaine température : ce sont des supraconducteurs (*doc*. C, *p*. 111 *et documents*, p. 116).

▶ *Pour t'entraîner → Ex. 16.*

Retiens l'essentiel

Le montage permettant de tracer la caractéristique d'un dipôle comporte un générateur de tension réglable.

La caractéristique intensité-tension d'une résistance est une droite qui passe par l'origine.

Loi d'Ohm : La tension aux bornes d'une résistance est égale au produit de la valeur de la résistance par l'intensité du courant qui la traverse :

$$U = R \cdot I$$
$$\downarrow \quad \downarrow \quad \downarrow$$
$$(V) \quad (\Omega) \quad (A)$$

La résistance d'un fil cylindrique dépend du matériau qui le constitue, de sa longueur et de son diamètre.

Comment comparer la résistance des fils conducteurs ?

La résistance d'un conducteur peut dépendre de nombreux paramètres : dimensions du conducteur, nature du matériau qui le constitue, humidité, température…

Pour savoir comment varie la résistance avec un paramètre, il faut faire varier ce paramètre en maintenant les autres constants et mesurer la résistance avec un ohmmètre.

Influence de la longueur

Mesure la résistance de fils **de même matière** (le nichrome), **de même diamètre** (0,2 mm), mais de longueurs différentes (*doc. ci-contre*).

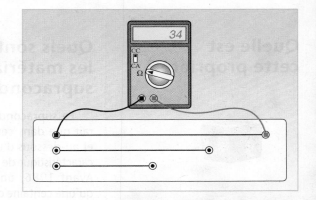

longueur (m)	0,5	0,8	1
résistance (Ω)	17	27	34

La résistance augmente avec la longueur.

Influence du diamètre

Mesure la résistance de fils **de même matière** et **de même longueur** (1 m), mais de diamètres différents (*doc. ci-contre*).

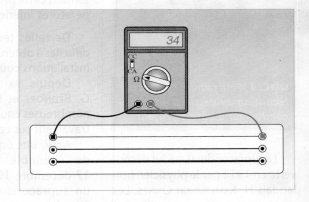

diamètre (mm)	0,2	0,5	0,7
résistance (Ω)	34	5	2,7

La résistance diminue quand le diamètre augmente.

Influence du matériau

Mesure la résistance de fils **de même longueur** (1 m) et **de même diamètre** (0,2 mm), mais constitués de matériaux différents (*doc. ci-contre*).

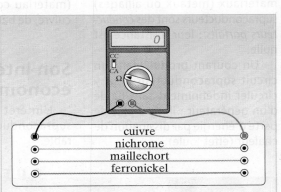

matériau	cuivre	nichrome	maillechort	ferronickel
résistance (Ω)	0	5	1,4	4,5

La résistance de ces fils dépend de la nature du matériau.
On peut ainsi réaliser un classement des matériaux : le cuivre est le meilleur de ces conducteurs, puis le maillechort, le ferronickel et le nichrome.

LA SUPRACONDUCTIVITÉ

En 1986, Georg BEDNORZ et K. Alex MÜLLER (doc. C, p. 111), deux chercheurs du laboratoire d'I.B.M. à Zurich, annonçaient la découverte d'une substance qui devenait supraconductrice à une température de – 238 °C.

L'année suivante, on leur attribuait le prix Nobel de Physique, ce qui représente un délai extraordinairement bref entre une découverte et sa consécration.

Pourquoi cette découverte a-t-elle bouleversé le monde scientifique ?

Quelle est cette propriété ?

DOC. 1. *Petit aimant flottant par lévitation au-dessus d'un supraconducteur à base d'yttrium.*

La supraconductivité fut découverte en 1911 par le physicien hollandais H. KAMERLINGH ONNES. Les matériaux (métaux ou alliages) supraconducteurs sont des *conducteurs parfaits* : leur résistance est nulle.

Un courant produit dans un circuit supraconducteur peut y circuler indéfiniment sans l'aide d'un générateur : il n'y a plus de perte d'énergie par dissipation de chaleur (effet Joule).

Quels sont les matériaux supraconducteurs ?

La supraconductivité n'apparaît que dans certains matériaux et au-dessous d'une température caractéristique de chaque matériau. Avant 1986, on ne connaissait qu'une centaine de matériaux présentant cette propriété à des températures inférieures à – 250 °C.

De telles températures, très difficiles à obtenir, nécessitent des installations coûteuses.

Depuis la découverte de G. BEDNORZ et K. A. MÜLLER, de nombreuses équipes de recherche travaillent sur ce sujet.

Ainsi, une équipe du C.N.R.S. de Grenoble a annoncé, le 17 décembre 1993, avoir trouvé un supraconducteur à – 3 °C (matériau composé d'oxyde de cuivre, de baryum et de mercure).

Son intérêt économique

L'intérêt économique de la supraconductivité est considérable.

DOC. 2. *Train expérimental japonais à lévitation magnétique atteignant des vitesses records.*
Dans ce projet, les roues du train sont remplacées par des aimants supraconducteurs.

Il est possible de fabriquer avec les supraconducteurs des électroaimants très puissants.

Parmi les nombreuses applications de la supraconductivité, indiquons le train sur coussin magnétique (doc. 2) et les « puces » en électronique.

QUESTIONS

1. Recherche dans une encyclopédie la méthode utilisée par G. BEDNORZ et A. MÜLLER pour obtenir une température de – 238 °C.

2. Explique pourquoi les applications de la supraconductivité n'ont pas été très développées jusqu'à nos jours.

Pour en savoir plus : http://w.w.w.lema.phys.univ-tours.fr/

Sais-tu l'essentiel ?

1 Explicite une relation

La loi d'Ohm se traduit par la formule $U = R.I$.
Que représente chaque lettre de la formule ?
Quelles sont les unités correspondantes ?

2 Énonce la loi d'Ohm

Exprime la loi d'Ohm en une phrase.

3 Choisis la bonne réponse

La caractéristique intensité-tension d'une résistance
est une *droite / courbe* qui *passe/ne passe pas* par
l'origine des axes. Son coefficient directeur est égal
à la valeur de *la résistance / la tension / l'intensité*.

4 Schématise un montage

Dessine le schéma d'un montage qui permet de tracer
la caractéristique d'une résistance.

5 Décris un protocole expérimental

Recopie et complète avec les mots pris dans la liste
suivante :
générateur, tension, voltmètre, ampèremètre, intensité.
Pour tracer la caractéristique intensité-tension d'une
résistance, il faut mesurer plusieurs fois ..... entre ses
bornes avec un ....., et ..... du courant qui la traverse
avec un ..... . Chaque fois, on modifie la ..... que délivre
le ..... .

6 Détermine expérimentalement une résistance

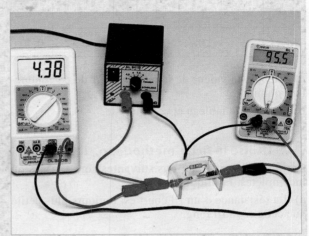

Calcule la valeur de la résistance à partir des indications que tu lis sur les appareils sachant que l'un des
appareils est calibré sur 20 V, l'autre sur 200 mA.

7 Indique les paramètres influant sur la résistance

La résistance d'un fil métallique cylindrique *dépend /
ne dépend pas* du matériau qui le constitue.
Elle *augmente / diminue* quand on augmente la longueur
du fil, et elle *augmente / diminue* quand on augmente son
diamètre.

Applique le cours

8 Rectifie un schéma faux

Émilie pense avoir repré-
senté le schéma du
montage permettant de
tracer la caractéristique
d'un dipôle.

Corrige son schéma et
dessine-le correctement.

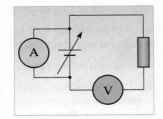

Utilise la loi d'Ohm (ex. 9 et 10)

9 Lorsqu'une tension de 3 V est appliquée à une
résistance, un courant d'intensité 167 mA la parcourt.

Quelle est la valeur de cette résistance ?

10 Une résistance a pour valeur 33 Ω.

a) Quelle est la tension entre ses bornes lorsqu'un
courant d'intensité 100 mA la traverse ?

b) Quelle est l'intensité pour une tension appliquée de
5 V ?

11 Applique une relation de proportionnalité

Soumise à une tension de 6 V, une résistance est
traversée par un courant d'intensité 30 mA.

a) Lorsqu'elle est soumise à une tension de 3 V,
l'intensité vaut-elle *30 mA ; 80 mA* ou *15 mA* ?

b) Lorsqu'elle est traversée par un courant d'intensité
20 mA, la tension vaut-elle *5 V, 4 V* ou *3 V* ?

Exercices

12 Complète un tableau de mesures

Pour tracer la caractéristique d'une résistance, Nicolas a regroupé ses mesures dans un tableau. Il a oublié d'écrire certains résultats.

U (V)	0	1	2	3		5
I (A)		0,08	0,16		0,32	0,40

a) Calcule la valeur de la résistance R de ce conducteur ohmique.

b) Recopie le tableau et complète-le.

13 Utilise la fiche-méthode, p. 115

Certaines des affirmations suivantes sont fausses ou incomplètes. Explique pourquoi.

a) La résistance d'un fil court est toujours plus petite que celle d'un fil long.

b) Un fil de cuivre de grand diamètre a une résistance plus petite qu'un fil de cuivre de petit diamètre.

c) Un fil d'argent est toujours moins résistant qu'un fil de fer.

d) Si l'on compare deux fils d'aluminium de même diamètre, la résistance du fil le plus long est supérieure à la résistance du fil le plus court.

14 Calcule la résistance à partir de la caractéristique

Julie a tracé la caractéristique d'un dipôle.

a) Ce dipôle est-il une résistance ? Pourquoi ?

b) Calcule sa valeur.

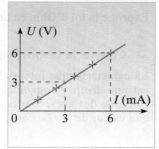

Utilise tes connaissances

15 (SOS) Choisis parmi des caractéristiques

On a tracé ci-dessous les caractéristiques de trois dipôles.

Laquelle (lesquelles) correspond(ent) à une résistance ?

Explique pourquoi.

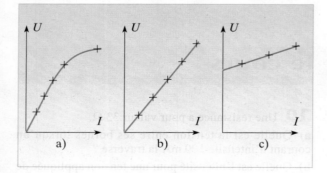

16 Relie la résistance d'une mine de crayon à sa longueur

Avec un ohmmètre, Éloi mesure la résistance d'une mine de crayon de 15 cm. Il trouve 9 Ω.

La mine tombe et se casse en deux parties. Éloi mesure la résistance de l'un des morceaux et trouve 3,7 Ω.

Calcule la longueur de chacun des morceaux sachant que la résistance est proportionnelle à la longueur.

17 Utilise le code des couleurs

a) Quelle est la valeur de la résistance de ce conducteur ?

b) On applique aux bornes de ce dipôle une tension de 10 V.

Quelle est l'intensité du courant qui le traverse ?

18 Exploite une caractéristique

On a demandé à Agathe de représenter graphiquement la tension aux bornes d'un dipôle en fonction de l'intensité du courant qui le traverse.

Elle réalise le graphique ci-dessous.

a) Agathe affirme que le dipôle est une résistance.

A-t-elle raison ? Pourquoi ?

b) Le professeur dit à Agathe que son graphique est incorrect. Pourquoi ?

Corrige l'erreur en dessinant le bon graphique.

c) (SOS) Déduis de ce graphique la valeur de la résistance et donne l'expression de U en fonction de I.

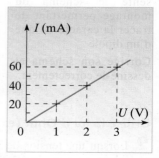

19 (SOS) Exploite une caractéristique

On a représenté sur le graphique ci-après la caractéristique d'une résistance.

a) Détermine graphiquement la tension aux bornes de cette résistance lorsqu'elle est traversée par un courant de 10 mA.

b) On applique maintenant une tension de 8 V à ses bornes.
Quelle est l'intensité du courant qui la traverse ?

c) Cette résistance est-elle égale à 47 Ω, 470 Ω ou 4 700 Ω ?

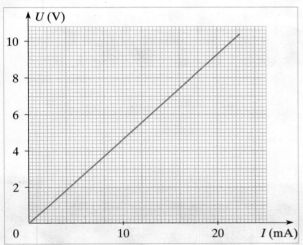

20 Trace une caractéristique

On a mesuré la tension U aux bornes d'un conducteur et l'intensité I du courant qui le traverse.

On a trouvé les valeurs suivantes :

I (mA)	0	2,0	3,1	3,9	7,0	10,1	15,2
U (V)	0	2	3	4	7	10	15

a) Trace la caractéristique $U = f(I)$ de ce conducteur.

b) Déduis-en la valeur de la résistance R de ce conducteur ; exprime-la en kilo-ohm (kΩ).

21 Choisis le conducteur le mieux adapté

Pour chaque question, choisis la bonne réponse.

1) Pour réaliser les fils électriques de connexion, on utilise le cuivre plutôt que l'argent parce que :

a) le cuivre est meilleur conducteur que l'argent ;

b) le cuivre est moins coûteux que l'argent.

2) Pour réaliser les câbles des lignes haute tension, on utilise l'aluminium plutôt que le cuivre parce que :

a) l'aluminium est meilleur conducteur que le cuivre ;

b) l'aluminium permet de faire des câbles plus légers.

3) Pour réaliser les filaments de lampes à incandescence, on utilise le tungstène parce que :

a) c'est le meilleur conducteur ;

b) il ne fond qu'à une température très élevée.

22 (plante) (SOS) Calcule une résistance

Dans ce montage, quelle doit être la valeur de la résistance pour que la lampe, dont les valeurs nominales sont 6 V et 60 mA, éclaire normalement quand la tension du générateur vaut 15 V ?

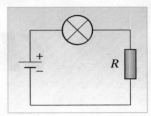

Que se passerait-il si l'on branchait directement la lampe sur ce générateur ?

23 (plante) Calcule la résistance d'un potentiomètre

Le potentiomètre de la photographie est inséré dans le montage schématisé à côté.

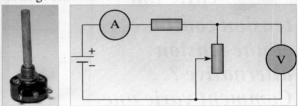

Pour les deux positions extrêmes du potentiomètre, on note ($U = 0$ V ; $I = 64$ mA) et ($U = 4,4$ V ; $I = 20$ mA).

Entre quelles valeurs peut varier la résistance de ce potentiomètre ?

Le petit curieux

a) À l'aide d'un ohmmètre, mesure la résistance d'une mine de crayon.

b) Étudie les variations de cette résistance en fonction de la longueur de la mine. La résistance est-elle proportionnelle à la longueur ?

(SOS) *Coup de pouce*

Ex. 15 → Si $U = R.I$, alors la caractéristique est une droite passant par l'origine.

Ex. 18 c) et 19 → Attention, l'intensité est exprimée en mA.

Ex. 22 → Pense à utiliser la loi d'additivité des tensions.

Tensions alternatives

QUELLE EST LA DIFFÉRENCE *entre une tension continue et une tension alternative ? Comment varie une tension sinusoïdale au cours du temps ?*

EVOLUTION® F6F12
Réf : 281 083 modèle déposé

JEULIN CE

230 V ∼ 50-60 Hz
100 VA

12 V

6 V

− I max 5 A + --- ∼ I max 5 A ∼ O

Doc. A. Le générateur utilisé au collège possède deux couples de bornes : un couple (+, −) et un couple avec les deux symboles ∼. Que signifient ces symboles ?

Doc. B. L'ordinateur permet d'enregistrer une tension en fonction du temps.
Quelles sont les propriétés de la tension ainsi représentée ?

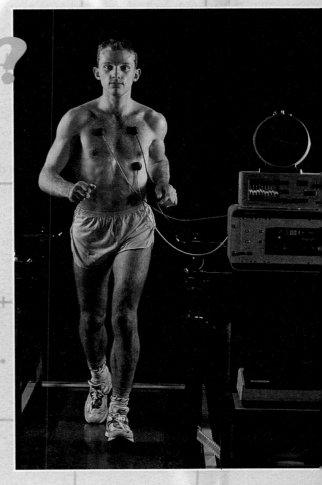

Doc. C. Le rythme cardiaque du sportif est traduit par une tension sur l'écran d'un oscilloscope.
Cette tension est-elle continue ? périodique ? alternative ?

LE Mouv' 95.2 TOULOUSE
UNE NOUVELLE GENERATION DE RADIO

Doc. D. Ondes radio 95.2.
Que signifie le sigle 95.2 ?

1 Mise en évidence d'une tension alternative

▶ *Expérimentons* : Réalisons un circuit comportant un générateur et deux D.E.L. avec leur résistance de protection. Les D.E.L. sont montées en sens inverse.

– Le générateur est un générateur de tension continue *(doc. 1 et 2).*

Dans le circuit du *document* 1, la diode ⓐ brille, la diode ⓑ est éteinte. C'est l'inverse dans le circuit du *document* 2.

– Le générateur est un générateur très basse fréquence (T.B.F.) *(doc. 3).*

Les D.E.L. ⓐ et ⓑ clignotent alternativement.

▶ *Interprétons* :

– Le générateur est un générateur de tension continue : il impose un sens au courant.

Dans le *document* 1, la diode ⓐ brille, car elle est branchée dans le sens passant ; la diode ⓑ est éteinte, car elle est branchée en inverse.

Dans le *document* 2, la pile est branchée dans l'autre sens et l'état de chaque diode est inversé par rapport à la situation précédente.

– Le générateur est un générateur T.B.F.

Les diodes clignotent alternativement. Cela signifie que le T.B.F. se comporte comme une pile tantôt branchée dans un sens, tantôt branchée dans l'autre.

▶ **Pour t'entraîner → Ex. 6.**

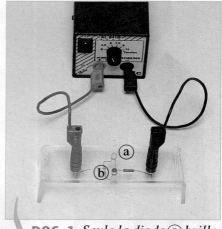

DOC. 1. *Seule la diode* ⓐ *brille.*

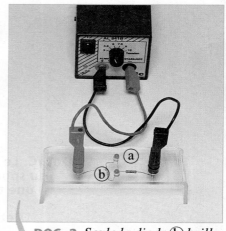

DOC. 2. *Seule la diode* ⓑ *brille.*

2 Étude de la tension aux bornes du générateur T.B.F.

Si nous branchons un voltmètre aux bornes d'une pile, il indique une valeur constante égale à 4,5 V. La pile présente une tension continue entre ses bornes.

Qu'en est-il pour un générateur T.B.F. ?

▶ *Expérimentons* : Afin d'étudier la tension fournie par le générateur T.B.F., branchons un voltmètre entre ses bornes *(doc. 4a).*

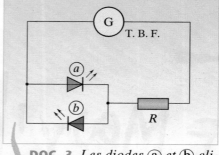

DOC. 3. *Les diodes* ⓐ *et* ⓑ *clignotent alternativement.*

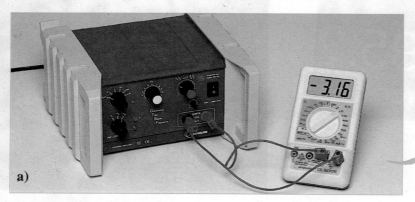

a)

DOC. 4a). *Mesurons la tension délivrée par le générateur T.B.F.*

Notons, dans un tableau, la valeur de la tension à différents instants *(doc.* 4b).

temps (s)	0	10	20	30	40	50	60	70	80	90	100	110	120	130	140	150	160	170	180	190	200
tension (V)	0	2,5	4,3	4,2	2,4	0	−2,5	−4,4	−4,3	−2,6	0	2,5	4,3	4,2	2,6	0	−2,4	−4,3	−4,4	−2,8	0

Pour tracer le graphe représentant la tension en fonction du temps, graduons l'axe horizontal en seconde et l'axe vertical en volt.
Plaçons les points correspondants et relions-les par une courbe régulière *(doc.* 5).

DOC. 4b). *Valeurs de la tension toutes les 10 s.*

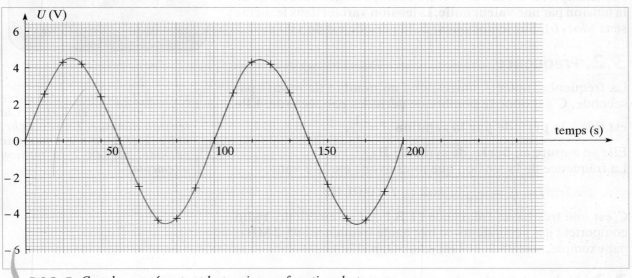

DOC. 5. *Courbe représentant la tension en fonction du temps.*

▶ *Concluons* : La tension aux bornes du générateur T.B.F. est :

• **variable** au cours du temps ;

• **alternativement positive ou négative**, ce qui correspond à un changement de signe des bornes du générateur ;

• **sinusoïdale** : la courbe représentant la tension en fonction du temps est une sinusoïde.

La tension aux bornes du T.B.F. est une tension alternative, sinusoïdale.

Le générateur du collège peut fournir une tension continue entre les bornes marquées + et − et une tension alternative entre les bornes marquées ~ *(doc.* A*, p.* 120).

La tension enregistrée sur l'écran de l'ordinateur *(doc.* B*, p.* 121*)* est variable, alternative, mais non sinusoïdale (la courbe n'est pas une sinusoïde).

L'électrocardiogramme du *document* C, page 121, représente une tension variable, mais non alternative.

3 Propriétés d'une tension alternative

La courbe précédente est constituée d'un motif qui se reproduit. Ce motif est représenté en rouge sur le *document 5* : la tension est **périodique**.

3.1. Période

La période est la durée d'un motif. C'est le temps qui s'écoule jusqu'à ce que la tension reprenne la même valeur, en variant dans le même sens. **Elle est notée T, et s'exprime en seconde.** Par exemple, c'est la durée entre deux passages successifs de la tension par une valeur nulle, la tension variant dans le même sens *(doc. 6)*. Sur le *document 5*, la période est de 100 s.

3.2. Fréquence

La fréquence, notée f, correspond au nombre de motifs par seconde. C'est donc le nombre de périodes par seconde. **Elle est liée à la période par la relation $f = \dfrac{1}{T}$.**

Elle se mesure en **hertz**, de symbole **Hz**.
La fréquence de la tension que nous avons étudiée vaut :

$$f = \frac{1}{T} = \frac{1}{100} \text{ , soit : } f = 0,01 \text{ Hz.}$$

C'est une très basse fréquence (T.B.F.). Les émetteurs radio comportent des générateurs de très haute fréquence : 95.2 MHz, par exemple, soit $95.2 \cdot 10^6$ Hz *(doc. D, p. 121)*.

3.3. Valeur maximale de la tension

La valeur maximale de la tension, notée U_m, est la valeur de la tension aux sommets de la courbe.
Sur le *document 5*, la valeur maximale est de 4,4 V.

▶ *Pour t'entraîner → Ex. 7, 8 et 9.*

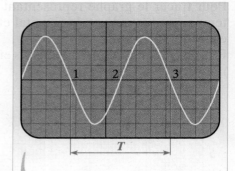

DOC. 6. *La période est la durée entre 1 et 3, car en 1 et en 3 la tension diminue. En revanche, entre 1 et 2 ce n'est pas une période, car en 2 la tension augmente.*

Retiens l'essentiel

Une tension est continue quand elle ne varie pas au cours du temps.

Une tension alternative est une tension variable prenant alternativement des valeurs positives et négatives.

La période d'une tension alternative, notée T, est l'intervalle de temps au bout duquel la tension retrouve la même valeur en variant dans le même sens. Elle s'exprime en seconde.

La fréquence, notée f, s'exprime par le nombre de périodes par seconde. Son unité est le hertz, de symbole Hz. Elle est liée à la période par la relation :

$$f = \frac{1}{T} \text{ (avec } f \text{ en hertz et } T \text{ en seconde).}$$

Fiche-méthode

Représente une sinusoïde avec un tableur

Porte les valeurs de la tension du générateur T.B.F. en fonction du temps dans deux colonnes du tableur.

Sélectionne le tableau de valeurs, puis clique sur l'icône graphique.

Sélectionne la partie de l'écran devant recevoir la sinusoïde.

Suis les instructions données par le tableur.

t (s)	0	10	20	30	40	50	60	70	80	90	100	110	120	130	140	150	160	170	180	190	200
U (V)	0	2,5	4,3	4,2	2,4	0	–2,5	–4,4	–4,3	–2,6	0	2,5	4,3	4,2	2,6	0	–2,4	–4,3	–4,4	–2,8	0

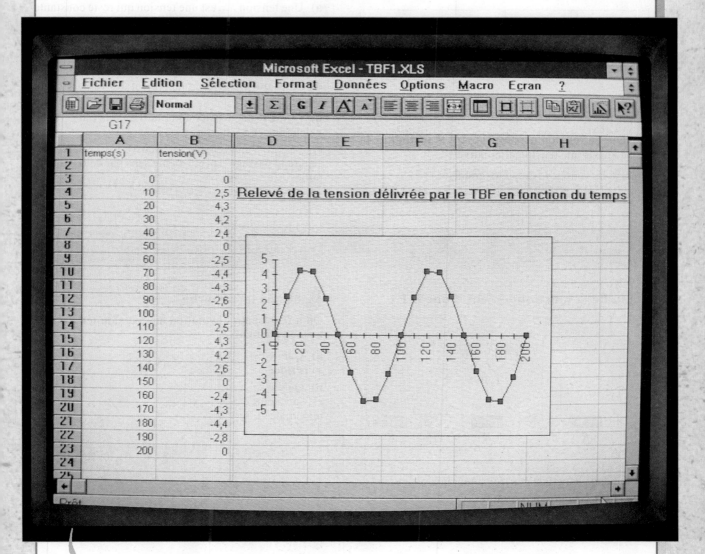

Photographie de l'écran de l'ordinateur. À gauche figure le tableau des valeurs du temps et de la tension. La partie encadrée représente la courbe de la tension en fonction du temps.

Exercices

Sais-tu l'essentiel ?

1 Vrai ou faux

a) La tension aux bornes d'une pile est une tension continue.

b) La tension aux bornes d'un générateur T.B.F. est une tension continue.

c) La tension aux bornes d'un générateur T.B.F. est une tension périodique.

2 Trouve les unités

Recopie et complète le tableau.

grandeur	période	tension maximale	fréquence
unité			

Relie période et fréquence

3 Quelle relation existe-t-il entre la période et la fréquence d'une tension alternative ?

Précise les unités de ces deux grandeurs.

4 Choisis la bonne réponse

a) La courbe représente l'évolution au cours du temps d'une tension *alternative / continue*.

b) *X* représente sa *période / fréquence / valeur maximale*.

c) *Y* représente sa *période / fréquence / valeur maximale*.

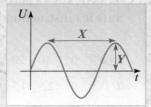

5 Complète

a) Une tension ..... est une tension qui reste constante au cours du temps.

b) Les bornes d'un générateur de tension continue sont notées : ..... et ..... .

c) Une tension alternative est une tension ..... au cours du temps qui prend alternativement des valeurs ..... et ..... .

d) La ..... d'une tension alternative est la plus grande valeur de cette tension.

e) La ..... d'une tension alternative est la durée qui sépare le passage dans le même sens par deux valeurs nulles.

Applique le cours

6 Étudie le fonctionnement d'une D.E.L.

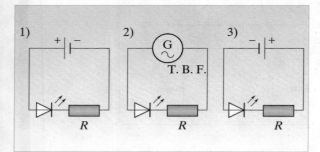

Indique dans lequel de ces trois montages :

a) la D.E.L. est toujours éteinte ;

b) la D.E.L. clignote ;

c) la D.E.L. est toujours allumée.

7 Relie fréquence et tension

La période de la tension délivrée par un générateur T.B.F. est 2 secondes.

Quelle est sa fréquence ?

8 Étudie une courbe

On a représenté l'évolution au cours du temps d'une tension alternative.

a) Quelle est sa période ?

b) Quelle est sa valeur maximale ?

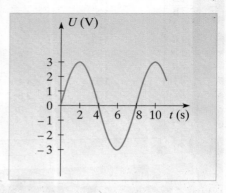

9 Trouve les périodes

Aux États-Unis, la tension alternative du secteur a une fréquence de 60 Hz, alors qu'en France elle est de 50 Hz. Calcule les périodes correspondantes.

10 Indique l'état des D.E.L.

Dans le montage ci-contre, on mesure la tension U aux bornes du générateur.
Le graphe représentant U en fonction du temps t est tracé ci-dessous.

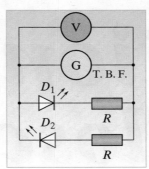

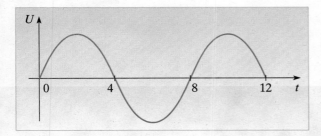

Recopie et complète le tableau en indiquant l'état (éclairée ou éteinte) de chaque diode.

	$0 < t < 4$ s	4 s $< t < 8$ s	8 s $< t < 12$ s
D_1			
D_2			

11 Trace une courbe

Le tableau ci-dessous indique des valeurs prises par la tension aux bornes d'un générateur au cours du temps.

t (ms)	0	2	4	6	8	10	12	14	16	18	20	22	24
U (V)	0	–6	–10,4	–12	–10,4	–6	0	6	10,4	12	10,4	6	0

a) Trace la courbe en portant le temps en abscisses (1 cm pour 2 ms) et la tension en ordonnées (1 cm pour 2 V).

b) La tension est-elle variable ? alternative ?
Quelle est sa valeur maximale ?
Quelle est sa période ? sa fréquence ?

12 Étudie une tension et une intensité

Dans le montage ci-contre, on relève les valeurs de la tension U et de l'intensité I en fonction du temps t.

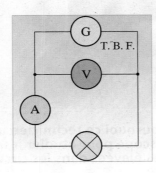

t (s)	0	10	20	30	40	50	60	70	80	90	100
U (V)	0	5	8,3	7,9	4,1	0	–5,3	–8,3	–7,9	–4	0
I (mA)	0	54	73	71	48	0	–56	–73	–71	–45	0

a) Trace la courbe donnant U en fonction de t. Quelle est sa période ?

b) Trace la courbe donnant I en fonction de t. Quelle est sa période ?

c) L'intensité du courant varie-t-elle en fonction du temps ? Est-elle alternative ?

13 Étudie l'éclat d'une lampe branchée à un générateur de tension alternative

Une lampe est alimentée avec un générateur T.B.F. de fréquence 10^{-2} Hz.
Elle s'allume progressivement, atteint un éclat maximal, puis s'éteint progressivement, etc.

a) Quelle est la durée qui sépare deux instants consécutifs où l'éclat de la lampe est maximal ?

b) Quelle est la valeur de la tension lorsque la lampe s'éteint ?

c) Quelle est la durée entre deux passages consécutifs de la tension par une valeur nulle ?

d) Si la lampe est alimentée par un générateur de fréquence 50 Hz, elle ne s'éteint pas. Pourquoi ?

14 Étudie une tension alternative sinusoïdale

La tension du secteur (tension fournie aux usagers par E.D.F.) est une tension alternative sinusoïdale de fréquence 50 Hz.
La valeur maximale de la tension est de 320 V.

a) Calcule la période du courant du secteur.

b) Trace l'allure de la courbe représentant la tension en fonction du temps. Échelle :
– axe des ordonnées : 1 cm ↔ 100 V ;
– axe des abscisses : 2 cm ↔ 0,01 s.

c) Combien de fois par seconde la tension s'annule-t-elle ?

d) Explique pourquoi une lampe branchée sur le secteur ne semble présenter aucune variation d'éclairement ?

SOS *Coup de pouce*

Ex. 13 et 14 → Ne pas oublier que la lampe est allumée quel que soit le sens du courant.

14

Utilisation de l'oscilloscope

POURQUOI *utilise-t-on un oscilloscope plutôt qu'un voltmètre et un chronomètre pour étudier des tensions variables de fréquences élevées ?*

OBJECTIFS

◆ Montrer à l'oscilloscope une tension variant en fonction du temps.

◆ Mesurer sa valeur maximale, sa période et sa fréquence.

◆ Savoir que les valeurs des tensions alternatives indiquées sur les appareils sont des valeurs efficaces.

◆ Calculer la valeur maximale d'une tension sinusoïdale à partir de sa valeur efficace.

Doc. A. Pourquoi ce technicien utilise-t-il un oscilloscope pour étudier les tensions de fréquences élevées dans les circuits d'un téléviseur ?

Doc. B. Que représente
la courbe qui apparaît
sur l'écran de
l'oscilloscope lorsque
le flûtiste joue ?

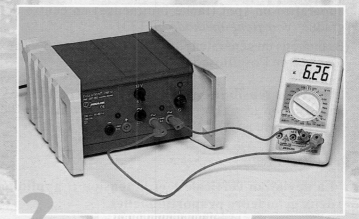

Doc. C. À quoi correspond la valeur
de la tension indiquée par un multimètre
en position ~ ?

Doc. D. Que signifie l'indication 230 V ?

1 Observation d'une tension continue

1.1. Sans balayage

DOC. 1. *Sans balayage et avec une tension continue, le spot subit une déviation verticale.*

▶ *Expérimentons* : Réglons l'oscilloscope de manière à faire apparaître un spot (tache lumineuse) au centre de l'écran gradué *(voir fiche-méthode, p. 133)*.

Branchons un générateur de tension continue (6 V) aux bornes d'entrée de l'oscilloscope *(doc. 1)*.

Lorsque la **sensibilité verticale S** *(doc. 2)* est réglée sur 2 V par division (S = 2 V/div.), nous observons une déviation verticale Y du spot de trois divisions (Y = 3 div.).

DOC. 2. *Réglage de la sensibilité verticale S en V/div.*

▶ *Interprétons* :

> **La déviation verticale Y et la tension U appliquée sont deux grandeurs proportionnelles :**
> $$U = S.Y.$$

Ainsi, avec S = 2 V/div. et Y = 3 div., on a :
$$U = 2 \times 3 = 6 \text{ V}.$$

Remarque : Si on inverse le branchement du générateur à l'oscilloscope, le spot subit une déviation en sens inverse.

DOC. 3. *La trace du spot est une ligne horizontale lorsque la tension appliquée est continue.*

1.2. Avec balayage

Enclenchons maintenant la commande de balayage, le spot décrit une figure appelée **oscillogramme**. Elle a ici la forme d'une ligne horizontale *(doc. 3)*.

Un commutateur *(doc. 4)* permet de régler la **durée de balayage B** qui s'exprime en seconde (ou milliseconde) par division : c'est le temps mis par le spot pour parcourir une division horizontale de l'écran gradué.

Lorsque cette durée B (s/div.) est courte, le spot met peu de temps pour traverser l'écran : nous observons alors une trace lumineuse continue.

▶ *Pour t'entraîner → Ex. 6.*

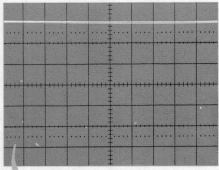

DOC. 4. *Réglage de la durée de balayage B en s/div. ou en ms/div.*

2 Observation d'une tension alternative sinusoïdale

Branchons aux bornes de l'oscilloscope le générateur alternatif 12 V du collège.

Sans balayage, le spot décrit un segment vertical *(doc. 5)*. Pour étudier la tension délivrée par le générateur, enclenchons le balayage de l'oscilloscope : nous observons un oscillogramme qui est une sinusoïde *(doc. 6)*.

■ Détermination de la période et de la fréquence

Sur l'axe horizontal gradué de l'écran, nous comptons le nombre de divisions X correspondant à une période :
$$X = 4 \text{ divisions.}$$

Sur le sélecteur de réglage du balayage, nous lisons la durée de balayage B :
$$B = 5 \text{ ms/div.} = 5.10^{-3} \text{ s/div.}$$

Le produit de ces deux grandeurs donne la valeur de la période T :

$$\underset{\text{(s)}}{T} = \underset{\text{(div.)}}{X} . \underset{\text{(s/div.)}}{B}$$

soit :
$$T = 4 \times 5.10^{-3} = 20.10^{-3} \text{ s.}$$

Nous pouvons calculer la fréquence :
$$f = 1/T = 1/20.10^{-3} = 50 \text{ Hz.}$$

> **L'oscilloscope permet de mesurer de très courtes périodes, donc des fréquences élevées *(doc. A, p. 128)*.**

■ Détermination de la valeur maximale

Comptons le nombre de divisions Y_m correspondant au déplacement maximal du spot par rapport à la ligne horizontale centrale *(doc. 6)* : $Y_m = 3,4$ divisions.

Sur le sélecteur de la sensibilité verticale, nous lisons la sensibilité S : $S = 5$ V/div.

Le produit de ces deux grandeurs donne la valeur maximale U_m de la tension sinusoïdale observée :

$$\underset{\text{(V)}}{U_m} = \underset{\text{(div.)}}{Y_m} . \underset{\text{(V/div.)}}{S}$$

soit :
$$U_m = 3,4 \times 5 = 17 \text{ V.}$$

La tension alternative délivrée par le générateur du collège est donc une tension sinusoïdale de fréquence 50 Hz et de valeur maximale 17 V.

Pourquoi dit-on que ce générateur délivre une tension 12 V ?

▶ *Pour t'entraîner → Ex. 8 et 10.*

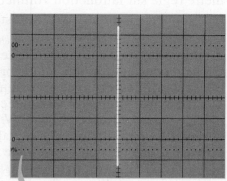

DOC. 5. *Sans balayage et avec une tension alternative, le spot décrit un segment vertical.*

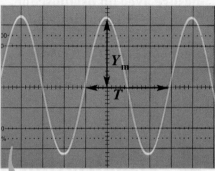

DOC. 6. *Oscillogramme obtenu avec B = 5 ms/div. et S = 5 V/div. La période T correspond à X. La tension maximale U_m correspond à Y_m.*

■ *Valeur maximale et valeur efficace*

Mesurons la tension aux bornes du générateur avec un multi-mètre réglé sur la fonction voltmètre - alternatif (V~).

Le voltmètre indique 12 V : c'est la **valeur efficace**, notée U_{eff}, de la tension sinusoïdale : U_{eff} = 12 V.

À quoi correspond la valeur efficace d'une tension sinusoïdale ? On peut constater qu'une lampe brille de la même manière si elle est alimentée avec une tension continue de valeur U = 12 V que si elle est alimentée avec une tension sinusoï-dale de valeur efficace U_{eff} = 12 V.

On montre, par ailleurs, que la valeur maximale et la valeur efficace d'une tension sinusoïdale vérifient la relation :

$$U_m = 1,4 . U_{eff}.$$

Ainsi, pour U_m = 17 V et U_{eff} = 12 V, on a bien :

$$U_m / U_{eff} = 17/12 \approx 1,4.$$

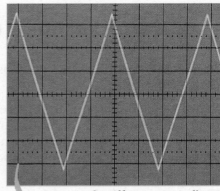

DOC. 7. *Oscillogramme d'une tension triangulaire.*

> **La valeur efficace U_{eff} d'une tension sinusoïdale se mesure avec un voltmètre, tandis que la valeur maximale U_m se mesure avec un oscilloscope.**
> **Pour une tension sinusoïdale : $U_m = 1,4 . U_{eff}$.**

Les valeurs des tensions portées sur les générateurs alternatifs, ou sur les récepteurs fonctionnant en courant alternatif, sont des tensions efficaces. Par exemple 230 V (doc. D, p. 129).

Le générateur du *document* C, *p. 129*, fournit une tension sinusoïdale de valeur efficace U_{eff} = 6,26 V.

▶ *Pour t'entraîner → Ex. 12 et 13.*

3 Visualisation d'autres tensions variables

Les oscillogrammes des *documents* 7 et B, *p.* 129, montrent des tensions qui varient au cours du temps, mais dont les oscillogrammes ne sont pas des sinusoïdes. Ce sont des tensions variables, non sinusoïdales.

Retiens l'essentiel

Un oscilloscope permet de visualiser une tension variable.

À partir de l'oscillogramme d'une tension sinusoïdale :
– la durée de balayage B (s/div.) permet de calculer la période T et la fréquence f de cette tension ;
– la sensibilité verticale S (V/div.) permet de calculer la valeur maxi-male U_m de la tension.

La valeur maximale U_m et la valeur efficace U_{eff} d'une tension sinu-soïdale sont liées par la relation : $U_m = 1,4 . U_{eff}$.

Les valeurs des tensions portées sur les appareils qui fonctionnent en alternatif sont les valeurs efficaces.

Comment utiliser l'oscilloscope ?

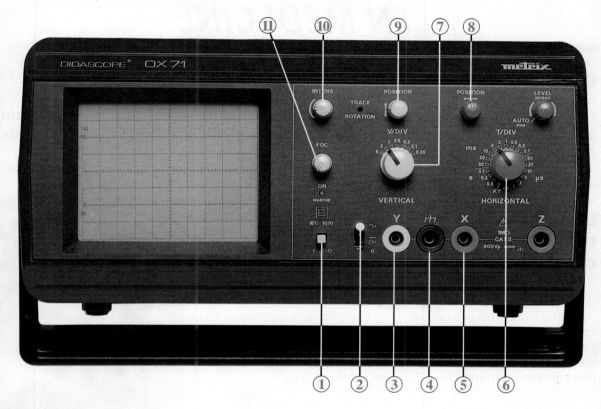

Boutons

① interrupteur marche/arrêt
② sélecteur
③ borne d'entrée Y
④ borne de masse
⑤ borne d'entrée X

⑥ réglage du balayage
⑦ sensibilité verticale
⑧ réglage de la position horizontale
⑨ réglage de la position verticale
⑩ réglage de la luminosité
⑪ réglage du diamètre du spot

Réglage initial

a) Mets l'appareil
sous tension. ①
b) Déclenche le balayage. ⑥
c) Place le sélecteur sur 0. ②
d) Règle la luminosité
du spot. ⑩
e) Règle la taille du spot. ⑪
f) Déplace le spot verticalement
pour qu'il décrive la ligne
horizontale centrale. ⑨

Utilisation

a) Branche le générateur T.B.F.
aux bornes : d'entrée ③
et de masse. ④
b) Place le sélecteur sur $\simeq$. ②
c) Si la tension est alternative,
règle le balayage de façon
à observer 1 ou 2 périodes. ⑥
d) Règle la sensibilité verticale
pour que l'oscillogramme
reste dans les limites
de l'écran. ⑦

LES TENSIONS PÉRIODIQUES EN MÉDECINE

De nombreuses activités biologiques (contraction des muscles, des nerfs...) sont accompagnées de variations de tension électrique.
L'étude de ces tensions permet d'avoir des indications sur le fonctionnement de différents organes, notamment le cœur (électrocardiographie) et le cerveau (électro-encéphalographie).

L'étude des tensions du cœur et du cerveau

L'étude de ces tensions se fait en appliquant sur le corps du patient des électrodes enduites d'une pâte conductrice pour un bon contact électrique (doc. 1).

Les variations de ces tensions sont observées sur un écran, ou enregistrées. Les courbes obtenues portent le nom d'**électrocardiogramme** si elles concernent le cœur, et d'**électro-encéphalogramme** pour le cerveau.

L'amplitude de ces tensions est de l'ordre du millivolt dans le cas de l'électrocardiographie et du microvolt dans le cas de l'électro-encéphalographie.

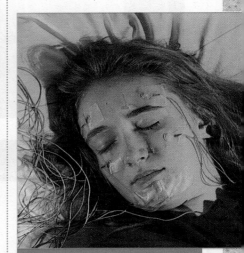

Doc. 1. Patient muni d'électrodes pour un électro-encéphalogramme.

L'électrocardiogramme

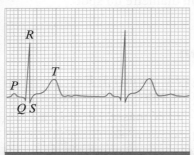

Doc. 2. Électrocardiogramme normal.

La bosse observée en *P* correspond au mouvement de l'oreillette, la partie *QRST*, au mouvement du ventricule. 1 cm sur le papier millimétré correspond à 0,4 s.

L'électro-encéphalogramme

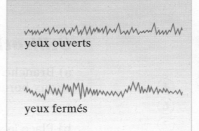

yeux ouverts

yeux fermés

Doc. 3. Électro-encéphalogramme normal.

Quand les yeux sont fermés, l'électro-encéphalogramme doit montrer des tensions de fréquences comprises entre 8 et 12 Hz.

QUESTIONS

1. La tension observée par électrocardiographie est-elle périodique ? est-elle variable ?

2. Est-elle alternative sinusoïdale ?

3. Évalue approximativement la valeur de la période sur l'électrocardiogramme.

4. Calcule la fréquence correspondante et le nombre de périodes par minute.

5. Compte, pendant une minute, les battements de ton propre pouls lorsque tu es au repos et compare au résultat précédent.

Sais-tu l'essentiel ?

1 Cite les dispositifs de réglage de l'oscilloscope

Lequel des deux boutons de réglage *a* ou *b* permet de régler :

– la durée de balayage ?
– la sensibilité verticale ?

a)

b)

2 Choisis la (ou les) bonne(s) réponse(s)

a) La durée de balayage *B* peut s'exprimer en : *V/ms* ; *ms/div.* ; *V/div.* ; *s/div.*

b) La sensibilité verticale *S* peut s'exprimer en : *V/ms* ; *V/div.* ; *mV/div.* ; *s/div.*

3 Différencie tension continue et tension sinusoïdale

Lequel de ces deux oscillogrammes *a* ou *b* représente :
– une tension sinusoïdale ?

– une tension continue ?

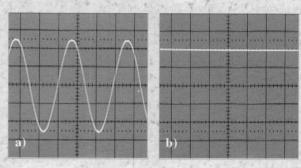

a)

b)

4 Distingue tension maximale et tension efficace

1) Quelle relation y a-t-il entre la valeur maximale et la valeur efficace d'une tension sinusoïdale ?

2) Avec quel appareil mesure-t-on :

a) la valeur efficace d'une tension sinusoïdale ?

b) la valeur maximale d'une tension sinusoïdale ?

5 Représente un oscillogramme

a) Qu'appelle-t-on un oscillogramme ?

b) Dessine l'oscillogramme d'une tension continue (avec balayage).

c) Dessine l'oscillogramme d'une tension sinusoïdale (avec balayage).

Applique le cours

6 Caractérise une tension continue

Le balayage de l'oscilloscope étant enclenché, on règle la position de la trace horizontale du spot au centre de l'écran.

On branche les bornes d'un générateur aux bornes d'entrée de l'oscilloscope et, pour une sensibilité verticale de 0,5 V/div., on obtient l'oscillogramme suivant.

a) La tension délivrée par le générateur est-elle une tension continue ou une tension variable ?

b) De combien de grandes divisions la trace du spot s'est-elle décalée lorsqu'on a branché le générateur ?

c) Calcule la valeur de la tension aux bornes du générateur.

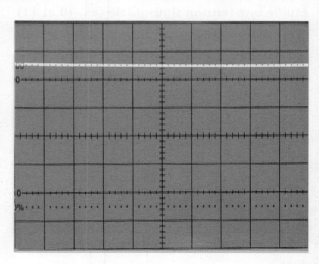

Exercices

7 Distingue les réglages de l'oscilloscope

Doit-on tenir compte de la durée de balayage ou de la sensibilité verticale lorsque, à partir d'un oscillogramme, on veut déterminer :
la période ? la tension maximale ?

8 Caractérise une tension sinusoïdale

Le document ci-dessous présente l'oscillogramme d'une tension sinusoïdale observée avec les réglages suivants :
– sensibilité verticale S = 2 V/div. ;
– durée de balayage B = 5 ms/div.

a) La valeur maximale de cette tension vaut-elle :
1 V, 2 V, 4 V, 10 V ?

b) La période de cette tension vaut-elle :
2 ms, 5 ms, 15 ms, 30 ms ?

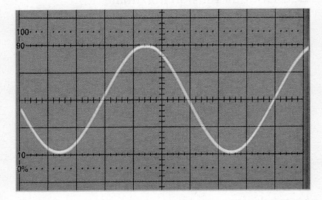

9 Représente des oscillogrammes

Un oscilloscope est réglé sur la durée de balayage 1 ms/div. et sur la sensibilité verticale 2 V/div.
Représente l'écran de l'oscilloscope lorsque, entre ses bornes :
a) rien n'est branché ;
b) un générateur délivrant une tension sinusoïdale de fréquence 100 Hz et de valeur efficace 4 V est branché.

Étudie une tension sinusoïdale (ex. 10 et 11)

10

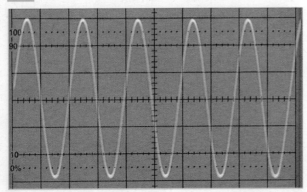

L'oscillogramme ci-dessus est obtenu avec une sensi-

bilité verticale de 5 V/div. et une durée de balayage de 5 ms/div.

Détermine :
a) la période et la fréquence de cette tension ;
b) sa valeur maximale.

11 Les photographies ci-dessous présentent un oscillogramme et les boutons de réglage de l'oscilloscope utilisé pour obtenir cet oscillogramme.

À partir de ces photographies, détermine :
a) la période et la fréquence de la tension visualisée ;
b) les valeurs maximale et efficace de cette tension.

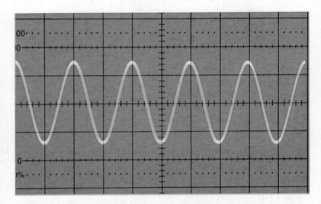

Distingue valeur efficace et valeur maximale (ex. 12 et 13)

12 a) Rappelle la relation entre les valeurs maximale et efficace d'une tension sinusoïdale.

b) Un voltmètre utilisé en position « alternatif » est branché aux bornes d'un générateur délivrant une tension sinusoïdale.
Il indique 10 V.

La valeur maximale de cette tension vaut-elle :
7 V, 10 V, 14 V ?

13 Sur la plaque d'un réfrigérateur, on lit « 230 V ».

Cette valeur correspond-elle à la tension efficace ou à la tension maximale ?
Calcule l'autre valeur.

14. Relie tension et déviation verticale

Nous branchons différentes piles à l'entrée de l'oscilloscope (le ⊕ à la borne V et le ⊖ à la borne M). La déviation du spot vers le haut est proportionnelle à la tension délivrée par la pile.
Recopie et complète le tableau ci-dessous.

tension (en V)	1,5	3	4,5
déviation (en div.)	1,5		
sensibilité verticale (en V/div.)		1	2

15. Représente le générateur

Aux bornes d'un oscilloscope est branché un générateur que le dessinateur a « oublié » de dessiner.
Reproduis le schéma et représente ce générateur par son symbole dans le cas du *schéma* a, puis dans celui du *schéma* b.

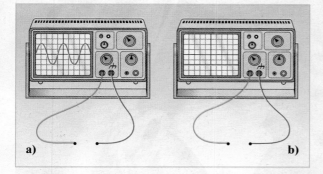

a)   b)

Prévois l'influence d'une modification des réglages d'un oscilloscope (ex. 16 et 17)

16. (SOS) On visualise la tension aux bornes de l'alternateur de l'*exercice* 19 en adoptant une autre durée de balayage de 1 ms par division.
Dessine le nouvel oscillogramme obtenu.

17. (SOS) On visualise la tension aux bornes de l'alternateur de l'*exercice* 19 en adoptant une nouvelle sensibilité verticale.
a) Dessine le nouvel oscillogramme pour $S = 5$ V/div.
b) Que deviendrait l'oscillogramme avec $S = 1$ V/div. ?

18. Compare des oscillogrammes

Sans changer les réglages d'un oscilloscope, on observe les quatre tensions ci-dessous. Parmi ces tensions :
a) Lesquelles ont la même fréquence ?
b) Lesquelles ont la même valeur maximale ?

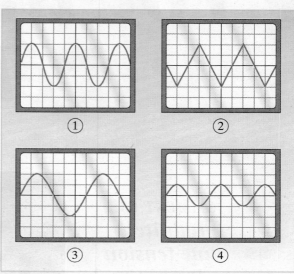

①   ②

③   ④

19. Interprète un oscillogramme

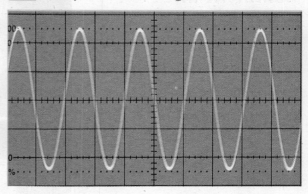

Sur l'écran d'un oscilloscope, on observe la tension entre les bornes d'un alternateur.
Sachant que la sensibilité verticale de l'oscilloscope est 2 V/div. et la durée de balayage 2 ms/div., calcule :
a) la tension maximale, puis la tension efficace ;
b) la période et la fréquence de la tension alternative.

(SOS) *Coup de pouce*

    Ex. 16 → Calcule tout d'abord la période de la tension sinusoïdale d'après la photo de l'*exercice* 19. Calcule ensuite, sur l'axe horizontal, le nombre de divisions occupées par le motif.

    Ex. 17 → Calcule tout d'abord la valeur maximale de la tension sinusoïdale d'après la photo de l'*exercice* 19. Calcule ensuite, sur l'axe vertical, le nombre de divisions occupées par le motif.

Production de l'électricité

C OMMENT est produite une tension alternative ?

Comment une alimentation branchée sur le secteur peut-elle jouer le même rôle qu'une pile ?

O B J E C T I F S

◆ Produire une tension par déplacement d'un aimant.

◆ Connaître le principe de la production de tensions alternatives.

◆ Citer quelques emplois des transformateurs.

◆ Identifier une tension redressée.

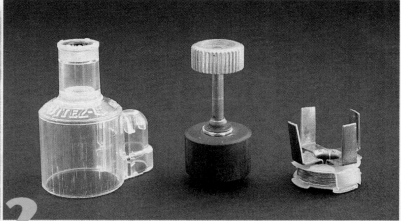

Doc. A. Un alternateur de bicyclette est constitué d'un aimant entraîné par un galet et d'une bobine de fil de cuivre.
Comment un alternateur peut-il produire un courant électrique ?

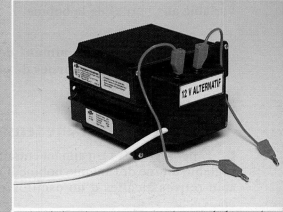

Doc. B. Comment est produite l'électricité dans les centrales électriques ?

Doc. C. Il existe des transformateurs de différentes dimensions. Quel est le rôle d'un transformateur ?

Doc. D. De nombreux appareils sont alimentés à partir du secteur par l'intermédiaire d'un adaptateur. Quel est son rôle ?

1 Comment produire une tension alternative ?

1.1. Production d'une tension variable

▶ *Expérimentons* : Relions les bornes d'une bobine à celles d'un oscilloscope réglé sans balayage *(doc. 1)*.

Déplaçons rapidement un aimant au voisinage de la bobine : le spot se déplace verticalement, puis revient à sa position initiale quand l'aimant est immobile.

▶ *Interprétons* : Le déplacement du spot est dû à une tension variable aux bornes de la bobine.

> **Lorsqu'on déplace un aimant devant une bobine, une tension apparaît aux bornes de cette bobine.**

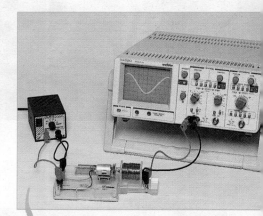

DOC. 1. *Le déplacement de l'aimant produit une tension variable.*

1.2. Production d'une tension alternative

▶ *Expérimentons* : Un aimant entraîné par un moteur à vitesse réglable tourne devant une bobine. Les bornes de cette bobine sont reliées à celles d'un oscilloscope dont le balayage est enclenché.

Le spot décrit une courbe périodique *(doc. 2)* : une tension alternative, semblable à celle délivrée par le générateur T.B.F., apparaît aux bornes de la bobine.

Augmentons la vitesse de rotation du moteur : la période de la tension délivrée diminue. Arrêtons le moteur : la tension disparaît.

▶ *Concluons* :

> **La rotation d'un aimant devant une bobine fait apparaître une tension alternative aux bornes de la bobine.**

DOC. 2. *En tournant, l'aimant produit une tension aux bornes de la bobine.*

La fréquence de cette tension augmente avec la vitesse de rotation.

Dans l'alternateur de bicyclette *(doc. A, p. 138)*, le galet et l'aimant, entraînés par la roue, produisent une tension alternative aux bornes de la bobine *(doc. 3)*.

Les alternateurs qui équipent les centrales électriques *(doc. B, p. 139)* fonctionnent sur le même principe, mais l'aimant est remplacé par des électroaimants de très grande taille.

Les alternateurs de ces centrales délivrent des tensions efficaces de l'ordre de 20 kV et peuvent produire des courants de plusieurs milliers d'ampères.

▶ *Pour t'entraîner → Ex. 6.*

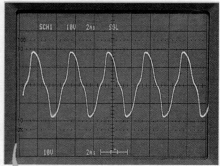

DOC. 3. *Tension alternative délivrée par l'alternateur de bicyclette.*

2 Comment modifier la tension ?

Pour alimenter, à partir du secteur, une lampe de bureau basse tension de 12 V, il faut utiliser un transformateur (doc. 4). Étudions le rôle d'un transformateur en utilisant celui du collège.

2.1. Description d'un transformateur

Le transformateur étudié comporte (doc. 5 et 6) :

– **deux bornes d'entrée (le primaire)** portant l'indication 6 V. Entre ces bornes, on branche le générateur de tension alternative de valeur efficace 6 V dont on veut modifier la tension ;

– **deux bornes de sortie (le secondaire)** portant l'indication 24 V. On peut brancher, entre ces bornes, un appareil d'utilisation de tension nominale 24 V.

2.2. Fonctionnement d'un transformateur

▶ **Expérimentons** : Branchons aux bornes du transformateur (6 V ; 24 V) un générateur fournissant une tension sinusoïdale de valeur efficace 6 V.

– Mesurons avec un voltmètre les tensions efficaces au primaire (U_1) et au secondaire (U_2) (doc. 7).
Nous trouvons : $U_1 = 6{,}19$ V et $U_2 = 24{,}4$ V.
Les valeurs mesurées correspondent pratiquement à celles indiquées par le fabricant.

– Observons à l'oscilloscope les tensions aux bornes du primaire (courbe 1) et du secondaire (courbe 2) : elles ont la même période, et donc la même fréquence (doc. 8).

▶ **Concluons** :

> **Un transformateur permet de changer la valeur efficace d'une tension alternative sans modifier sa fréquence.**

DOC. 4. *Le socle de cette lampe comporte un transformateur 230 V/12 V.*

DOC. 5. *Transformateur du collège 6 V/24 V.*

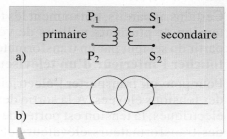

DOC. 6. *Symboles d'un transformateur :* **a)** *non normalisé ;* **b)** *normalisé.*

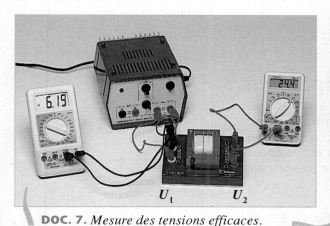

DOC. 7. *Mesure des tensions efficaces.*

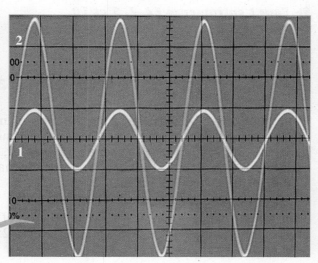

DOC. 8. *Les tensions ont la même période au primaire* (1) *et au secondaire* (2).

Le constructeur indique les valeurs efficaces des tensions correspondant à un usage normal. Ainsi, un transformateur 230 V/12 V doit être alimenté sous une tension efficace voisine de 230 V ; la tension au secondaire vaudra alors 12 V.

2.3. Utilisation des transformateurs

Il existe des transformateurs abaisseurs de tension (par exemple, 230 V/12 V) et des transformateurs élévateurs de tension (par exemple, 20 kV/220 kV).

DOC. 9. *Poste de transformation (20 kV/380 V) sur un poteau.*

> ⚠️ **Attention !**
>
> • Un transformateur ne fonctionne pas en courant continu.
> • Il ne faut pas appliquer aux bornes du primaire des tensions supérieures à celles prévues par le constructeur.

■ Pour abaisser la tension

La tension du secteur 230 V est dangereuse *(voir chapitre 16)*. Des transformateurs permettent d'obtenir à partir du secteur des tensions inférieures à 25 V, qui sont sans danger.

De nombreux appareils (rasoirs électriques, sonnettes, générateurs du collège, lampes, lampes basse tension…) comportent un transformateur.

■ Pour élever la tension

Certains appareils, notamment les téléviseurs, nécessitent une tension de plusieurs milliers de volts. Celle-ci est obtenue à partir du secteur par un transformateur : **il ne faut donc jamais toucher l'intérieur d'un téléviseur branché.**

Pour pouvoir transporter l'électricité à grande distance, il faut des tensions élevées. À la sortie des alternateurs des centrales électriques, la tension est portée de 20 kV à 220 ou 400 kV par des transformateurs élévateurs de tension *(doc. C, p. 139)*. Ensuite, une série de transformateurs abaisseurs de tension *(doc. 9)* ramènent la tension à 230 V.

▶ *Pour t'entraîner → Ex. 7, 9 et 10.*

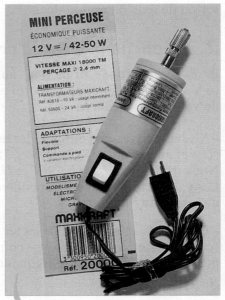

DOC. 10. *Cette perceuse pour modélisme doit être alimentée par une tension continue de 12 V. Il faut prévoir un adaptateur pour la faire fonctionner à partir du secteur.*

3 Quel est le rôle d'un adaptateur ?

Pour recharger la batterie d'un téléphone mobile, pour alimenter une console de jeux, pour faire fonctionner une perceuse *(doc. 10)*, il faut utiliser un adaptateur, car ces appareils ne peuvent être alimentés strictement par le secteur. Comment fonctionne-t-il ?

Un **adaptateur** *(doc. D, p. 139)* **comporte** :
– un **transformateur**, qui abaisse la tension efficace 230 V du secteur en une tension efficace inférieure à 25 V ;
– un **système redresseur**.

3.1. Étude d'un redresseur simple

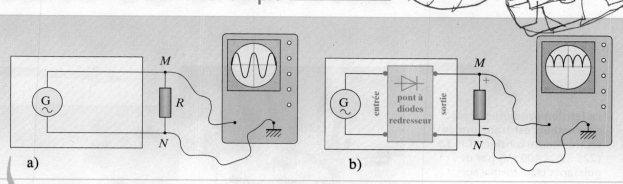

DOC. 11 a). *La tension est sinusoïdale.* b). *La tension est redressée.*

Expérimentons : Branchons une résistance aux bornes du générateur du collège. La tension aux bornes de la résistance est sinusoïdale *(doc.* 11a).

Intercalons entre le générateur et la résistance un redresseur *(doc.* 11b). La tension aux bornes de la résistance n'est plus alternative.

C'est une tension redressée : la partie de la courbe située au-dessous de l'axe central a été inversée *(doc.* 12).

Concluons :

> **Redresser une tension alternative, c'est la transformer de telle façon qu'elle garde toujours le même signe.**

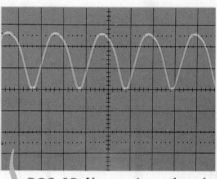

DOC. 12. *Une tension redressée.*

3.2. Tension délivrée par un adaptateur

Observons à l'oscilloscope l'allure de la tension délivrée par un adaptateur conçu pour alimenter un téléphone portable : la tension est pratiquement continue *(doc.* 13).

Concluons :

> **Un adaptateur permet de transformer la tension alternative du secteur en une tension continue.**

Pour t'entraîner → Ex. 11.

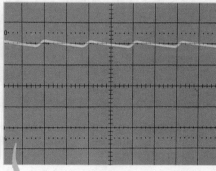

DOC. 13. *La tension délivrée est quasi continue.*

Retiens l'essentiel

Lorsqu'on déplace un aimant devant une bobine, une tension apparaît aux bornes de cette bobine.

La rotation d'un aimant devant une bobine fait apparaître une tension alternative aux bornes de la bobine.

Un transformateur permet de changer la valeur efficace d'une tension alternative sans modifier sa fréquence.

Un adaptateur permet de transformer la tension alternative du secteur en une tension continue.

La tension produite par les alternateurs est transformée en très haute tension (T.H.T.) (225 kV et 400 kV) par de puissants transformateurs. Le courant produit est alors envoyé dans les lignes T.H.T.

Les lignes T.H.T. servent à transporter l'énergie électrique vers des régions éloignées du lieu de production.

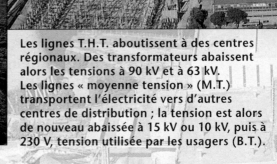

Les lignes T.H.T. aboutissent à des centres régionaux. Des transformateurs abaissent alors les tensions à 90 kV et à 63 kV. Les lignes « moyenne tension » (M.T.) transportent l'électricité vers d'autres centres de distribution ; la tension est alors de nouveau abaissée à 15 kV ou 10 kV, puis à 230 V, tension utilisée par les usagers (B.T.).

port de l'électricité

La turbine fait tourner le **rotor** de l'alternateur.
Le rotor, constitué d'électroaimants, tourne devant des bobines fixes (le stator).
L'alternateur produit une tension sinusoïdale de valeur efficace comprise entre 15 kV et 20 kV et de fréquence 50 Hz.

Les centrales électriques ont pour moteur une **turbine**.
Dans les centrales thermiques, de l'eau est chauffée pour produire de la vapeur d'eau à très haute température, soit par combustion de charbon ou de fioul, soit par réactions nucléaires. Cette vapeur d'eau sous pression entraîne des turbines.
Dans les centrales hydrauliques, l'eau issue d'un barrage ou d'une rivière fait tourner les turbines.

QUESTIONS

1. Dans une centrale électrique, cite le nom de la machine qui sert de moteur et celui de la machine qui produit de l'électricité.

2. Quelle est la valeur de la tension efficace du courant transporté par une ligne T.H.T. ?

3. Pourquoi, lors du transport du courant, la fréquence du courant alternatif reste-t-elle égale à 50 Hz ?

Pour en savoir plus : http:www.edf.fr/

Exercices

1 Décris la production d'une tension

Un aimant est placé près d'une bobine.
Existe-t-il une tension entre les bornes de la bobine quand :

a) l'aimant est immobile ? **b)** on rapproche l'aimant ?
c) on éloigne l'aimant ?   **d)** on fait tourner l'aimant ?

2 Décris la production d'une tension alternative

a) En quelques mots, donne le principe de production d'une tension alternative.

b) Cite le nom de l'appareil qui, dans les centrales électriques, produit le courant électrique.

3 Donne les caractéristiques d'un transformateur

Un transformateur porte l'indication 230 V/12 V.

1) Cet appareil doit-il être alimenté :
par *le secteur* / par *un générateur alternatif de tension efficace 12 V* / par *un générateur de courant continu* ?

2) Un appareil est branché à la sortie.

a) Doit-il fonctionner *en courant continu* / *en courant alternatif* ?

b) Sa tension efficace nominale de fonctionnement est-elle de *12 V* / *30 V* ?

4 Choisis la bonne réponse

a) Un transformateur *ne change pas* / *change* la fréquence d'une tension alternative.

b) Un transformateur *modifie* / *ne modifie pas* la tension efficace délivrée par le générateur.

c) Un adaptateur permet d'alimenter des appareils fonctionnant *en courant alternatif* / *en courant continu*.

d) Une tension redressée est une tension *qui change de signe* / *qui garde toujours le même signe*.

5 Reconnais une tension

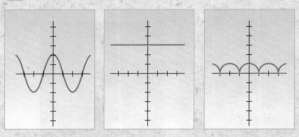

a) Ces trois oscillogrammes ont été obtenus à la sortie de trois appareils : 1) un transformateur ; 2) un redresseur ; 3) un adaptateur alimentant un caméscope.
Attribue à chaque appareil l'oscillogramme de la tension détectée.

b) Quel est l'appareil qui est équivalent à une pile ?

6 Étudie la production d'une tension

On a réalisé le montage dessiné sur la figure ci-dessous.
La perceuse entraîne un aimant.

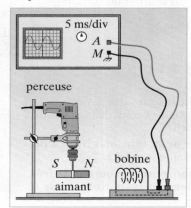

a) La perceuse est arrêtée. L'oscilloscope détecte-t-il une tension aux bornes de la bobine ?

b) La perceuse tourne à la vitesse de 100 tr/min.

La tension détectée aux bornes de la bobine est-elle *continue* / *alternative* ?

c) La vitesse de rotation est augmentée ; la fréquence de la tension détectée augmente-t-elle ou diminue-t-elle ?

Trouve comment brancher un transformateur (ex. 7 et 8)

7 On dispose d'un transformateur (6 V/12 V), d'un générateur délivrant une tension alternative sinusoïdale de fréquence 50 Hz sous une tension efficace de 6 V et d'une lampe de tension nominale de fonctionnement 12 V.

a) Fais le schéma du montage permettant d'alimenter la lampe sous sa tension nominale.

b) Quelle est la fréquence du courant sinusoïdal traversant la lampe ?

c) Quelle est la valeur de la tension efficace aux bornes du secondaire ?

8 On a réalisé l'expérience schématisée sur le document ci-après pour vérifier les caractéristiques d'un transformateur.

1) Désigne : les bornes du primaire du transformateur ; les bornes du secondaire.

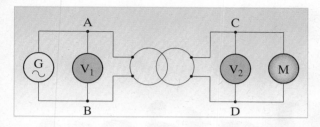

2) Que mesurent les voltmètres V_1 et V_2 ?

3) Le générateur délivre une tension sinusoïdale de fréquence 50 Hz et de valeur efficace 12 V ; le moteur fonctionne sous une tension efficace nominale de 3 V.

a) Quel type de transformateur doit-on utiliser ?

b) Quelle est la fréquence de la tension alimentant le moteur ?

4) Peut-on brancher au primaire un générateur délivrant une tension continue de 12 V ?

2 Interprète les indications d'une notice

Sur un transformateur destiné à alimenter un modem d'ordinateur (utilisé pour relier l'ordinateur à une ligne de télécommunication), on lit les inscriptions suivantes :

entrée : 230 V ; ~ ; 50 Hz ;
sortie : 9 V ; ~ ; 1 000 mA.

a) Quelle doit être la tension efficace appliquée au primaire de ce transformateur ?

b) Quelle est la tension efficace nominale aux bornes du secondaire ?

c) Quelle est la fréquence de la tension aux bornes du secondaire ?

10 Choisis un transformateur

Une sonnette de porte d'entrée fonctionne sous une tension efficace de 6 V.

Dans un poste de télévision, il est nécessaire, pour faire fonctionner le tube image, d'obtenir des tensions efficaces de 1 500 V.

Une lampe de bureau basse tension fonctionne sous une tension efficace de 12 V.

Quels sont les transformateurs adaptés à ces différents usages si la source de courant est le secteur de tension efficace 230 V ?

11 Donne les caractéristiques d'un adaptateur

Pour alimenter en courant électrique une imprimante, on utilise un adaptateur portant les inscriptions suivantes :

entrée : 230 V ; ~ ; 0,11 A ; 50 Hz ;
sortie : 30 V ; = ; 400 mA.

a) La tension d'entrée est-elle une tension alternative sinusoïdale ou une tension continue ?

b) L'intensité d'entrée en fonctionnement normal de 0,11 A est-elle une intensité efficace ou l'intensité d'un courant continu ?

c) Quelle est la fréquence du courant d'entrée ?

d) La tension de sortie est-elle continue ou alternative ?

e) En fonctionnement normal, quelle est la tension aux bornes de la sortie ?

f) Cet appareil comporte-t-il un simple transformateur ? Pourquoi ?

Utilise tes connaissances

12 Fais une expérience

On a réalisé un adaptateur simple en associant un transformateur abaisseur de tension et un redresseur.

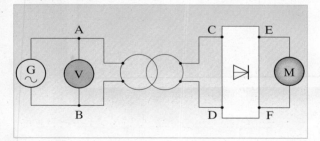

1) Indique les bornes :
a) du primaire du transformateur ;
b) du secondaire du transformateur ;

c) d'entrée du redresseur ;
d) de sortie du redresseur.

2) On a observé les tensions u_{AB}, u_{CD} et u_{EF} à l'oscilloscope sans modifier le balayage. On a obtenu les oscillogrammes suivants :

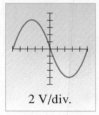 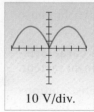 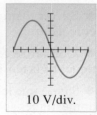

| 2 V/div. | 10 V/div. | 10 V/div. |

a) Attribue à chaque oscillogramme la tension détectée.
b) Compare les périodes des tensions u_{AB} et u_{CD}.
c) Compare la période de la tension redressée et celle de la tension u_{AB}.

L'installation électrique de la maison

L'ÉLECTRICITÉ participe à tous les instants de notre vie quotidienne. Mais elle peut se révéler dangereuse si l'on ne respecte pas certaines règles de sécurité. Comment sont constitués les circuits électriques domestiques ?

OBJECTIFS

◆ Savoir distinguer la phase et le neutre.

◆ Connaître les caractéristiques de la tension du secteur.

◆ Savoir que les installations domestiques sont réalisées en dérivation.

◆ Connaître les dangers du courant électrique et les systèmes de protection.

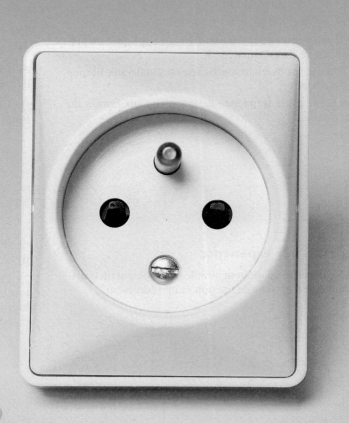

Doc. A. Les bornes d'une prise de courant ont-elles la même fonction ?

Doc. B. Quel est le rôle de chacun des deux fils d'arrivée du courant à une maison ?

Doc. C. Les électriciens utilisent des fils avec des gaines isolantes de couleurs différentes. Pourquoi ?

Doc. D. À quoi sert un disjoncteur ? Quel est le rôle des fusibles ?

1 Les prises alimentées par le secteur

1.1. Les trois bornes de la prise

Une prise du secteur (doc. A, p. 148) comporte deux bornes femelles et une borne mâle (doc. 1).

Les deux bornes femelles ne sont pas identiques. Pour les distinguer sans encourir de danger, les électriciens utilisent un tournevis spécial appelé tournevis « test-phase », dont le manche comporte une lampe au néon.

Lors du contact du « test-phase » avec l'une des bornes, la lampe s'allume : cette borne est reliée à un fil de phase ; elle s'appelle « phase ».

L'autre borne femelle est reliée à un fil neutre ; elle s'appelle « neutre » (doc. B, p. 149).

> **Les deux bornes femelles d'une prise de courant ne sont pas équivalentes : l'une correspond au fil de phase, l'autre au fil neutre.**

La borne mâle est reliée à la terre par un fil ; elle est appelée « terre ».

À l'extérieur de l'habitation, E.D.F. relie aussi le « neutre » à la terre (doc. 1).

Remarque : La couleur des gaines isolantes des fils est normalisée et permet de reconnaître les bornes (doc. C, p. 149) : bleue pour le fil neutre ; rouge, noir ou marron pour le fil de phase ; bicolore, vert et jaune, pour le fil de terre.

▶ _Pour t'entraîner → Ex. 5._

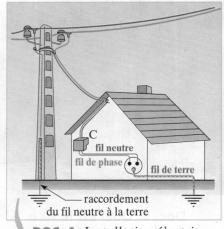

DOC. 1. _Installation électrique._

1.2. La tension du secteur

La valeur efficace de la tension du secteur entre les bornes femelles de la prise est de 230 V. Cette tension est trop élevée pour pouvoir être observée directement avec un oscilloscope.

▶ _Expérimentons_ : Branchons un oscilloscope entre les bornes 12 V ∼ du générateur du collège. Ces bornes sont situées à la sortie d'un transformateur qui abaisse la tension de 230 V à 12 V efficaces sans modifier sa période et sa fréquence. Observons l'oscillogramme et mesurons la période (doc. 2).

▶ _Concluons_ :

> **La tension du secteur est une tension alternative sinusoïdale de fréquence 50 Hz et de valeur efficace 230 V.**

Il existe aussi une tension de 230 V entre la phase et la prise de terre. En revanche, il n'y a pas de tension entre le neutre et la prise de terre (doc. 3). **Tout contact avec le fil de phase est très dangereux, voire mortel.**

▶ _Pour t'entraîner → Ex. 6 et 7._

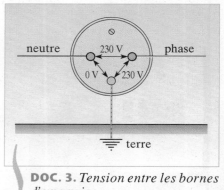

DOC. 2. _Tension sinusoïdale délivrée par le générateur du collège. Sa période est de 20 ms et sa fréquence est égale à 50 Hz._

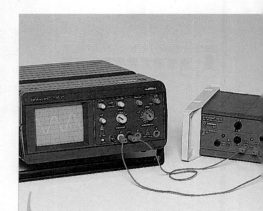

DOC. 3. _Tension entre les bornes d'une prise._

2 Les installations domestiques

2.1. Comment sont branchés les appareils ?

Le fil de phase et le fil neutre constituent le **circuit principal** de l'installation.

Les différents circuits qui alimentent les lampes d'éclairage, les prises de courant... **sont branchés en dérivation sur le circuit principal** *(doc. 4)*.

> **Dans une installation domestique, tous les appareils sont branchés en dérivation entre la phase et le neutre.**

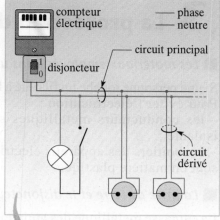

DOC. 4. *Dans une installation domestique, tous les appareils sont branchés en dérivation entre la phase et le neutre.*

2.2. L'intensité dans le circuit principal

▶ *Expérimentons* : Le *document* 5 présente la maquette d'une partie de l'installation électrique.

Trois lampes identiques, L_1, L_2 et L_3, sont branchées en dérivation sur le circuit principal relié au générateur alternatif du collège.
Des ampèremètres, branchés en alternatif, mesurent l'intensité efficace du courant dans le circuit principal et dans les circuits dérivés.

Fermons successivement les interrupteurs.

▶ *Interprétons* : Nous constatons que l'intensité efficace I dans la branche principale est égale à la somme des intensités efficaces des courants traversant les appareils en fonctionnement *(doc. 6)* :

$$I = I_1 + I_2 + I_3 .$$

Cette relation est valable pour des lampes et des appareils de chauffage, mais ne s'applique plus rigoureusement dans le cas où les circuits comportent des moteurs électriques.

La relation ne nous donne alors qu'un ordre de grandeur pour l'intensité efficace dans la branche principale.

> **L'intensité du courant dans le circuit principal augmente avec le nombre d'appareils en fonctionnement.**

Lorsque le nombre d'appareils branchés sur une multiprise augmente, l'intensité du courant peut devenir trop grande. Les conducteurs s'échauffent ; ils risquent alors de provoquer un incendie.

▶ *Pour t'entraîner → Ex. 8 et 9.*

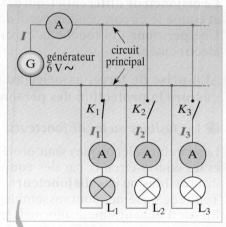

DOC. 5. *Simulation d'une installation électrique. Dans le cas présent, $I = I_1$.*

interrupteur fermé	K_1	K_1 et K_2	K_1, K_2 et K_3
I_1 (mA)	59	59	59
I_2 (mA)	0	59	59
I_3 (mA)	0	0	59
I (mA)	59	118	177

DOC. 6. *Résultats des mesures : $I = I_1 + I_2 + I_3$.*

3 La protection des installations et des personnes

■ Les matériaux employés dans une installation

Si une personne touche un fil relié à la phase, elle est électrocutée. Pour éviter l'électrocution :
– les conducteurs métalliques sont entourés d'une gaine isolante ;
– les boîtiers des appareils électriques (interrupteurs, prises) sont en matière plastique.

■ La prise de terre et le disjoncteur différentiel

La carcasse métallique des appareils est obligatoirement reliée à la **prise de terre** (doc. 7).
Si par suite d'un défaut d'isolement, la carcasse métallique vient en contact avec le fil de phase, un « courant de fuite » est dérivé dans le sol par l'intermédiaire de la prise de terre.

Le **disjoncteur différentiel**, qui détecte ce courant, se déclenche et coupe le circuit général (voir documents, p. 153).
Une personne qui touche la carcasse métallique ne sera pas électrocutée.

> **La prise de terre, associée au disjoncteur différentiel, assure la protection des personnes.**

■ Les fusibles ou les disjoncteurs

Les circuits électriques sont protégés contre les surintensités et les courts-circuits par des **coupe-circuits** qui peuvent être des **fusibles** ou des **disjoncteurs**.
Tous ces systèmes sont rassemblés sur un même tableau.
En cas d'échauffement anormal, le fusible ou le disjoncteur se déclenche et ouvre le circuit concerné (doc. D, p. 149).

> **Les fusibles ou les disjoncteurs protègent les installations.**

▶ *Pour t'entraîner → Ex. 12 et 13.*

DOC. 7. *Le disjoncteur et la prise de terre protègent les usagers. (Contact accidentel en P, entre le fil de phase et la carcasse métallique ; la flèche verte représente le courant de fuite.)*

Retiens l'essentiel

Une prise de courant comporte deux bornes femelles reliées, l'une au fil de phase, l'autre au fil neutre, et une borne mâle reliée à la terre.

Entre la phase et le neutre, il existe une tension alternative sinusoïdale de valeur efficace 230 V et de fréquence 50 Hz.

Dans une installation domestique, les différents appareils sont branchés en dérivation sur la ligne principale. L'intensité dans la ligne principale augmente avec le nombre d'appareils en fonctionnement.

La prise de terre, associée au disjoncteur, assure la protection des personnes. Les fusibles ou les disjoncteurs protègent l'installation.

DISJONCTEUR DIFFÉRENTIEL ET PRISE DE TERRE

*La tension 230 V du secteur est très dangereuse.
Dans les installations électriques, la protection des personnes contre l'électrocution est assurée par un disjoncteur différentiel (doc. D, p. 149 et doc. 7, p. 152) et une ligne de terre.
Quels rôles jouent ces deux dispositifs de protection ?*

En fonctionnement normal

Les courants dans le fil de phase et dans le fil neutre ont des intensités I_P et I_N égales : les interrupteurs du disjoncteur différentiel restent fermés *(doc. 1)*.

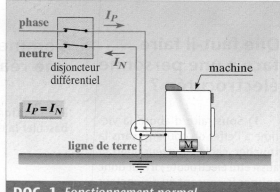

DOC. 1. *Fonctionnement normal.*

En cas de contact accidentel entre la phase et la carcasse d'un appareil

• Avec prise de terre *(doc. 2)*

Un courant, appelé courant de fuite, d'intensité I_F, apparaît dans le fil de terre.
Les courants dans les fils de phase et du neutre présentent une différence d'intensité ($I_F = I_P - I_N$). Les interrupteurs du disjoncteur sont sensibles à cette différence : ils s'ouvrent et coupent le circuit.
Une personne qui touche la machine ne ressent rien, car la machine n'est plus sous tension.

• Sans prise de terre *(doc. 3)*

Lorsque la personne touche la machine, elle est traversée par le courant de fuite : **c'est l'électrocution.**
La différence des intensités des courants de phase et du neutre peut être trop faible pour que le disjoncteur coupe le circuit.

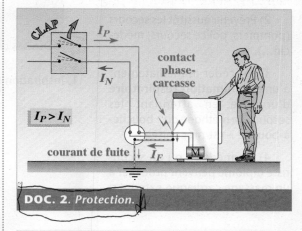

DOC. 2. *Protection.*

QUESTIONS

1. Pourquoi le disjoncteur évoqué ici est-il qualifié de « différentiel » ?

2. Une personne touchant simultanément un fil de phase et un fil neutre est-elle protégée de l'électrocution par le disjoncteur différentiel ?

3. Pourquoi impose-t-on dans les collèges des disjoncteurs différentiels sensibles à une différence $I_P - I_N$ de 30 mA, plutôt qu'à une différence de 500 mA ?

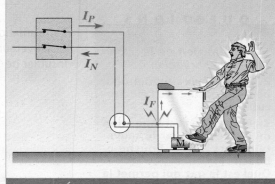

DOC. 3. *Électrocution.*

TRAITEMENT D'URGENCE D'UN ÉLECTROCUTÉ

La forme la plus grave du choc électrique est la perte de connaissance et l'état de mort apparente.

L'état de mort apparente peut être dû à l'arrêt de fonctionnement des muscles respiratoires (tétanisation), avec ou sans arrêt du cœur (fibrillation). Si l'arrêt du cœur excède quatre minutes, c'est la mort cérébrale, irréversible.

Le témoin d'un accident électrique doit donc agir très vite et sans affolement.

▼ Que faut-il faire face à une personne électrocutée ?

1) Soustraire d'abord la victime à l'effet du courant, **sans la toucher**, car le sauveteur pourrait aussi être électrocuté ; il faut donc **couper le courant** au disjoncteur ou arracher le cordon d'alimentation de l'appareil.

2) Prévenir aussitôt les secours (pompiers, police secours, médecin...).

3) Procéder immédiatement à une **réanimation respiratoire** d'urgence en attendant les secours. La méthode du « bouche-à-bouche » est préconisée.

4) Un médecin ou un secouriste diplômé peuvent procéder à un massage cardiaque externe si le cœur de la victime est arrêté.

QUESTIONS

1. Qu'appelle-t-on la *tétanisation* ? la *fibrillation* ?

2. Décris deux situations qui peuvent conduire à l'électrocution.

3. Recherche la composition de l'air expiré par le sauveteur lors du « bouche-à-bouche ».
Quel est le gaz qui permet la réanimation ?

▼ Comment pratiquer une réanimation respiratoire ?

Préparation : dégager les voies respiratoires, soulever la nuque, basculer la tête en arrière et amener le menton en avant.

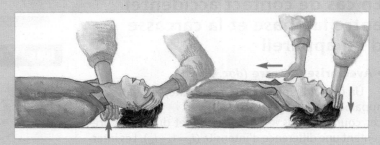

1. Inspiration forcée du sauveteur et expiration de la victime.

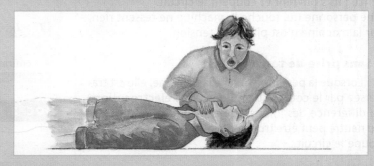

2. Insufflation de l'air du sauveteur dans les poumons de la victime. Le sauveteur bouche le nez de la victime.
Insuffler de 12 à 15 fois par minute.

Exercices

Sais-tu l'essentiel ?

1 Décris une prise du secteur

Recopie et complète les phrases suivantes.

Les deux bornes femelles d'une prise de courant ne sont pas équivalentes : l'une est reliée au fil de ....., l'autre au fil ..... .

La borne mâle est reliée à un fil de ..... .

2 Choisis la bonne proposition

a) La tension du secteur est une tension *alternative sinusoïdale / continue* de fréquence *50 Hz / 100 Hz* et de valeur efficace *100 V / 230 V*.

b) Il existe une tension de *100 V / 230 V* entre *la phase et le neutre / le neutre et la terre*.

3 Précise le mode de fonctionnement d'une installation

Recopie les affirmations vraies et corrige celles qui sont fausses.

a) Dans une installation domestique, les appareils sont branchés en série sur la ligne d'alimentation.

b) L'intensité du courant dans le circuit principal augmente avec le nombre d'appareils en fonctionnement.

c) La tension aux bornes d'une prise du secteur augmente si on branche plusieurs appareils.

d) Le disjoncteur différentiel, associé aux prises de terre, protège les personnes.

4 Informe-toi sur la sécurité

a) Parmi les fils de phase, neutre et terre, quel est celui qui présente un danger d'électrocution si on le touche ?

b) Quel est le dispositif qui protège un appareil d'une surintensité ?

c) Quel est le dispositif qui protège les personnes ?

Applique le cours

Distingue phase, neutre et terre (ex. 5 et 6)

5 Indique les couleurs que peuvent avoir les fils :
a) de phase ;   **b)** du neutre ;   **c)** de terre.

6 **a)** Comment un électricien doit-il régler un multimètre avant de mesurer la tension entre les bornes A et B ?

b) L'électricien branche le multimètre entre les bornes A et B : il lit 230 V. Cette mesure lui permet-elle d'identifier la borne de phase ?

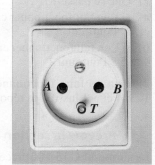

c) Il mesure ensuite la tension entre les bornes A et T : il trouve 0 V. Il mesure enfin la tension entre B et T : il trouve 230 V.
Ces mesures lui permettent-elles de reconnaître la borne de phase ?

7 Observe la tension du secteur

a) Peut-on, sans danger pour l'appareil, brancher directement une voie de l'oscilloscope sur une prise du secteur ?

b) Avec un oscilloscope, quel autre appareil doit-on utiliser pour visualiser la tension du secteur ?

Étudie l'intensité dans le circuit (ex. 8 et 9)

8 Deux lampes sont branchées sur la même prise du secteur. Une lampe grille. L'autre lampe :
a) continue-t-elle de fonctionner ou s'éteint-elle ?
b) brille-t-elle davantage ou toujours de la même façon ?

9 Pourquoi est-il dangereux de brancher trop d'appareils sur une même prise de courant ?

10 Réalise un branchement

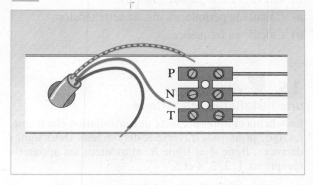

Afin de brancher un tube fluorescent sur le secteur, Étienne doit relier les fils du secteur au domino ou « sucre » se trouvant dans le tube.
Dessine le montage avec le branchement effectué.

Exercices

11 Précise la place d'un interrupteur

Pour des raisons de sécurité, l'interrupteur doit-il être placé sur le fil de neutre, de phase ou de terre ? Pourquoi ?

12 Choisis les éléments de sécurité

Voici une liste d'appareils : *interrupteur, fil de terre, fusible, compteur, disjoncteur différentiel.*

Lequel ou lesquels permet(tent) :

a) de protéger le circuit d'une surintensité ou d'un court-circuit ?

b) de protéger les usagers lors d'un contact du fil de phase dénudé avec la carcasse métallique d'une machine ?

13 Observe des fusibles

Que signifient les indications portées sur les fusibles photographiés ci-contre ?

Utilise tes connaissances

14 Utilise un oscilloscope

La tension de sortie d'un transformateur dont l'entrée est branchée sur une prise du secteur est visualisée grâce à un oscilloscope.
On obtient l'oscillogramme ci-dessous.

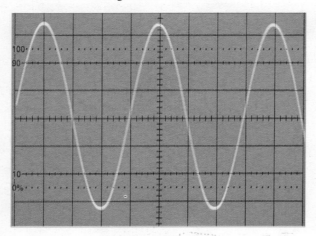

Le balayage est réglé sur 5 ms/div.

a) Calcule la période, en ms, de cette tension.

b) Calcule sa fréquence.

15 Analyse une installation électrique

Le schéma ci-après présente une installation électrique. La ligne principale traverse le disjoncteur. Deux lignes dérivées, ligne *A* et ligne *B*, alimentent les appareils récepteurs 1, 2, 3, 4 et 5.

Sur la ligne *B*, le fusible porte l'indication 16 A.
Sur la ligne *A*, il porte l'indication 20 A.
Le disjoncteur est réglé pour se déclencher si le courant qui le traverse excède 30 A.

Lorsqu'ils fonctionnent, les appareils doivent être alimentés par des courants d'intensités respectives $I_1 = 9$ A ; $I_2 = 8$ A ; $I_3 = 5$ A ; $I_4 = I_5 = 7$ A.

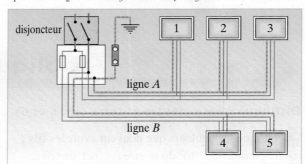

1) Que se passe-t-il :

a) si l'on fait fonctionner ensemble les récepteurs 1, 2 et 3 ? Pourquoi ?

b) si l'on fait fonctionner ensemble les récepteurs 1, 2, 4 et 5 ? Pourquoi ?

2) Peut-on faire fonctionner ensemble les récepteurs 1, 3, 4 et 5 ? Justifie ta réponse.

16 Prévois la section des fils électriques

La norme NFC 15-100 préconise la correspondance suivante pour le courant du secteur 230 V :

section du fil en mm²	1,5	2,5	4	6
intensité admise en A	10	16	20	32

Y a-t-il un risque d'incendie si on alimente une prise avec des fils :

a) de 6 mm² et si le calibre du fusible correspondant est 20 A ?

b) de 2,5 mm² et si le calibre du fusible correspondant est 10 A ?

c) de 1,5 mm² et si le calibre du fusible correspondant est 20 A ?

Mathématiques (ex. 17 et 18)

17 Calcule l'intensité du courant dans une ligne

Une ligne destinée à l'éclairage est protégée par un fusible de 5 A.

Combien de lampes nécessitant un courant d'intensité 430 mA peuvent fonctionner simultanément ?

18 Calcule une intensité maximale

L'éclairage d'une maison nécessite un courant de 2 A, le four 10 A, le chauffe-eau 9 A, le chauffage électrique 7 A par radiateur, une plaque de cuisson 7 A. Il y a trois plaques de cuisson et quatre radiateurs ; le disjoncteur est réglé pour se déclencher à 45 A.

a) Tous les appareils peuvent-ils être mis en service simultanément ?

b) L'été, les radiateurs sont arrêtés. Les autres appareils peuvent-ils fonctionner simultanément ?

Sécurité (ex. 19 et 20)

19 Relève les défauts d'une installation
Observe cette installation.

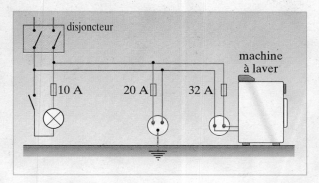

a) Pourquoi l'interrupteur, sur la ligne des lampes, est-il mal installé ?

b) Le branchement de la machine à laver est-il conforme aux règles de sécurité ? Justifie ta réponse.

c) On branche, sur la prise, un four qui nécessite un courant d'intensité 25 A.

Que se passe-t-il ?

d) Les fils de la ligne qui alimente la machine à laver ont une section de 2,5 mm^2.
L'installation est-elle conforme aux normes ?
(Reporte-toi au tableau de l'exercice 16.)

20 🌵 Répare une douille

Arnaud veut réparer la douille de sa lampe de chevet. Il prend la précaution d'ouvrir l'interrupteur qui en commande le fonctionnement.
Il démonte la douille et, en touchant l'un des fils, il subit une décharge électrique qui, heureusement, ne l'électrocute pas.

a) Quel est le défaut de l'installation électrique ?

b) Quelle précaution Arnaud devait-il prendre avant de procéder à la réparation ?

c) Pourquoi les nouveaux interrupteurs sur les cordons des lampes de chevet coupent-ils les deux fils à la fois ?

d) (SOS) Que faut-il faire face à une personne électrocutée ?

21 Citoyenneté

Qu'est-ce qu'il ne faut pas faire si tu rencontres, dans un champ, des fils électriques tombés par terre ?
Que dois-tu faire ?

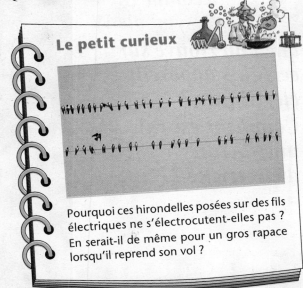

Le petit curieux

Pourquoi ces hirondelles posées sur des fils électriques ne s'électrocutent-elles pas ?
En serait-il de même pour un gros rapace lorsqu'il reprend son vol ?

(SOS) Coup de pouce

Ex. 15 → Le disjoncteur à l'entrée de l'installation coupe l'alimentation électrique si l'intensité dépasse une certaine limite.

Ex. 20 d) → Relis les documents de la *page* 154.

17

Puissance
et énergie électriques

QUE SIGNIFIE le nombre, accompagné du symbole W, que l'on trouve sur certains appareils électriques ?

Comment est calculée une facture d'électricité ?

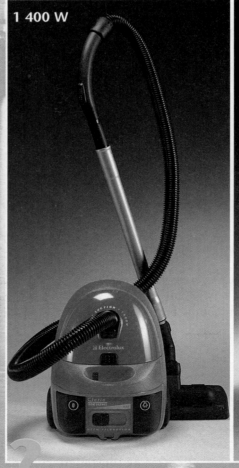

1 400 W

1 500 W

Doc. A. Comment savoir lequel de ces deux aspirateurs est le plus efficace ?

Doc. B. L'éclairage de cette place nécessite une forte puissance électrique. Qu'est-ce que la puissance électrique ?

Doc. D. Toutes les habitations possèdent un compteur électrique. Quel est son rôle ?

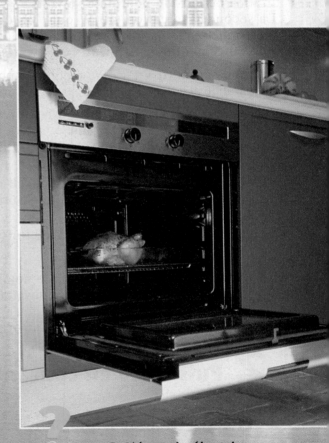

Doc. C. L'énergie électrique reçue par ce four est convertie en chaleur nécessaire à la cuisson des aliments. Comment calculer cette énergie ?

1 Puissance nominale d'un appareil électrique

Lisons les indications inscrites sur les culots de différentes lampes d'un cyclomoteur *(doc. 1 et 2)* : lampe avant (6 V ; 15 W), lampe arrière (6 V ; 4 W).

DOC. 1. *Lampe avant.*

DOC. 2. *Lampe arrière.*

appareil	puissance
lampe de bureau	60 W
téléviseur	100 W
lampadaire halogène	300 W
fer à repasser	1,2 kW
lave-linge	2,3 kW
four	3,5 kW

DOC. 3. *La puissance nominale de quelques appareils électriques.*

La première indication (6 V) donne la tension normale d'utilisation ou **tension nominale** : **6 volts**.
La seconde indication (15 W ou 4 W) donne la puissance électrique reçue par la lampe en fonctionnement normal ou **puissance nominale** : **15 watts** ou **4 watts**.

La lampe avant (6 V ; 15 W) reçoit une puissance électrique plus grande et éclaire mieux que la lampe arrière (6 V ; 4 W).

De même, un aspirateur (230 V ; 1 500 W) reçoit une puissance électrique plus importante et aspire mieux qu'un aspirateur (230 V ; 1 400 W) *(doc. A, p. 158)*.

> **La puissance nominale d'un appareil est la puissance électrique qu'il reçoit lorsqu'il est soumis à sa tension nominale.**
> **Le watt (symbole W) est l'unité de puissance.**

Le *document 3* indique la puissance nominale de quelques appareils, exprimée en watt ou en kilowatt (1 kW = 1 000 W).

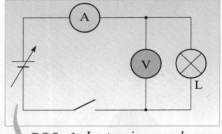

DOC. 4. *La tension aux bornes du générateur est réglable.*

2 Puissance en courant continu

2.1. Expression de la puissance

▶ *Expérimentons* : Réalisons le circuit du *document* 4 avec la lampe (6 V ; 15 W), puis avec la lampe (6 V ; 4 W). Réglons la tension aux bornes de la lampe afin qu'elle corresponde à la tension nominale : 6 V.

Pour chaque lampe, effectuons le produit de la tension U, exprimée en volt, par l'intensité I, mesurée en ampère *(doc. 5)*. Nous constatons que le produit $U \times I$ est égal à la puissance indiquée sur le culot, aux incertitudes de mesure près.

	lampe avant	lampe arrière
tension U	6 V	6 V
intensité I	2,48 A	0,68 A
produit $U \times I$	14,9	4,1
puissance nominale	15 W	4 W

DOC. 5. *Vérification de la puissance nominale des lampes.*

> *Interprétons* :

> **La puissance *P* reçue par un appareil fonctionnant en courant continu est égale au produit de la tension *U* entre ses bornes par l'intensité *I* du courant qui la traverse** (*doc.* B, *p.* 159).
>
> $$P = U \times I$$
> | | | |
> |:-:|:-:|:-:|
> | ↓ | ↓ | ↓ |
> | watt | volt | ampère |
> | (W) | (V) | (A) |

Remarque : Cette relation s'applique également en courant alternatif, dans le cas d'appareils ne comportant que des résistances, à condition de prendre les valeurs efficaces de l'intensité et de la tension.
Pour des appareils comportant des moteurs, la relation s'écrit :
$P = k \cdot U.I$, *où* k *est un coefficient légèrement inférieur à 1.*

> ▶ *Appliquons* : Pour protéger une ligne électrique alimentant un four (230 V ; 3,5 kW), peut-on utiliser un fusible de calibre 20 A ? Pourquoi ?
>
> ▶ Calculons l'intensité efficace du courant qui traverse la résistance chauffante du four :
>
> $$I = \frac{P}{U} = \frac{3\ 500}{230} \text{, soit } I = 15{,}2 \text{ A.}$$
>
> Or 15,2 < 20 ; on peut donc utiliser un fusible de calibre 20 A.

▶ **Pour t'entraîner → Ex. 6, 7 et 8.**

2.2. Puissance reçue par un même appareil soumis à différentes tensions

▶ *Expérimentons* : Toujours avec le montage du *document* 4, soumettons la lampe (6 V ; 15 W) à une tension inférieure à 6 V, puis à une tension supérieure à 6 V ; reportons les mesures dans un tableau (*doc.* 6).

U (V)	4	6	8
I (A)	1,52	2,48	2,85
$U.I$	1,61	14,9	22,8
éclat de la lampe	faible	normal	très vif

▶ **DOC. 6.** *Tableau de mesures.*

▶ *Observons et interprétons* : Lorsque la lampe est en sous-tension (*U* < 6 V), elle brille moins et reçoit une puissance inférieure à sa puissance nominale.
Lorsque la lampe est en surtension (*U* > 6 V), elle brille d'un éclat vif ; elle reçoit une puissance supérieure à sa puissance nominale. Elle peut alors être rapidement détruite.

2.3. Comment calculer la puissance électrique d'une installation ?

La puissance reçue par une installation est égale à la somme des puissances consommées par les appareils qui fonctionnent simultanément.

E.D.F. propose divers types d'abonnements selon la puissance souscrite. L'abonné ne doit pas dépasser cette puissance (*voir documents, p. 164*).

> **Appliquons** : La maison d'Alice possède l'équipement électrique suivant :
> - un lave-linge (2 kW),   • un lave-vaisselle (2 kW),   • un fer à repasser (1 200 W),
> - un réfrigérateur (100 W), • un sèche-cheveux (400 W),   • un téléviseur (100 W).
> - un ordinateur (100 W),   • huit lampes de 40 W,
>
> Un abonnement de 6 kW est-il suffisant ?
>
> ▶ La puissance totale de tous ces appareils vaut :
>
> 2 000 + 2 000 + 1 200 + 100 + 400 + 100 + 100 + 320 = 6 220 W soit 6,22 kW.
>
> Un abonnement de 6 kW est suffisant, car tous ces appareils ne fonctionnent pas en même temps.

▶ *Pour t'entraîner → Ex. 9.*

3 Énergie électrique

3.1. Définition

Un appareil consomme une énergie électrique facturée par E.D.F. Elle se mesure en **kilowatt-heure** (symbole : **kWh**). Nous pouvons donc penser qu'elle dépend de la puissance de l'appareil et de la durée de fonctionnement.

Depuis plusieurs années, il est conseillé d'économiser l'énergie, notamment en limitant la durée de fonctionnement des appareils : la consommation d'énergie augmente en effet avec la durée de fonctionnement.

Pour calculer l'énergie électrique consommée par un appareil *(doc.* C, *p.* 159*)*, nous admettrons que :

DOC. 7. *L'énergie électrique reçue par ce moteur de T.G.V. est transformée en énergie mécanique.*

> **L'énergie électrique *E* consommée par un appareil de puissance *P* pendant une durée *t* est donnée par la relation :**
>
> $$E = P.t.$$

Lorsque *P* est en watt (W) et *t* en heure (h), alors *E* s'exprime en watt-heure (Wh).

Lorsque *P* est en watt (W) et *t* en seconde (s), alors *E* s'exprime en **joule** (symbole : **J**) :

$$1 \text{ Wh} = 1 \times 3\ 600 = 3\ 600 \text{ J}.$$

Un kilowatt-heure, unité d'énergie, vaut 1 000 watt-heure.

L'énergie électrique consommée par un appareil électrique est transformée en énergie thermique (radiateur), en énergie rayonnante (lampe), en énergie mécanique (moteur) *(doc.* 7*)*, en énergie chimique (batterie) *(doc.* 8*)*…

DOC. 8. *Lors de la charge, l'énergie électrique reçue par cette batterie de téléphone portable est transformée en énergie chimique.*

▶ *Pour t'entraîner → Ex. 10 et 11.*

3.2. Comment lire une facture E.D.F. ?

616,97 F   94,06 €

énergie électrique consommée, en kWh :
30 257 − 29 477 = 780

Consommations

FACTURE INTERMEDIAIRE INDEX ESTIMES
ELECTRICITE TARIF 014

Compteur n°	Relevé des compteurs			Coefficient	Consommation en kWh
	nouveau	ancien	différence		
636	30257	29477	780		780

Prochaine facture vers le **09/04/99**

prix hors taxes (en janvier 1999) :
de l'abonnement
de l'énergie consommée

puissance souscrite : 6 kW

Détails de la facturation hors taxes

ELECTRICITE TARIF 014 PUISSANCE   6 KW
- ABONNEMENT :
  . 27,32F/MOIS DU 01/02/99 AU 01/04/99
- CONSOMMATION   DU 02/12/98 AU 02/02/99

Consommation en kWh	Prix unitaire en francs	Montant hors taxes en francs	Total HT par tarif en francs
		5464	5464
780	05311	41426	41426

durée entre deux relevés : 2 mois

prix toutes taxes comprises

Calcul des taxes et récapitulations

	% TVA	Montant HT par tarif	T.V.A.	Taxes locales 132 + 0,0	Montant TTC en francs
ELECTRICITE TARIF 014 ABONNEMENT	5,50	5464	301	577	6342
CONSOMMATION	20,60	41426	8534	4375	54335
TVA SUR TAXES LOCALES	20,60		1020		1020
Total de la facture		4689	9855	4952	61697
Montant A REGLER					61697

prix à payer

Retiens l'essentiel

La puissance nominale d'un appareil électrique est la puissance reçue par l'appareil soumis à sa tension nominale.

La puissance P reçue par un appareil électrique fonctionnant en courant continu, sous une tension U et traversé par un courant d'intensité I, est donnée par la relation :

$$P = U \cdot I$$

$\underset{\text{W (watt)}}{\downarrow} \quad \underset{\text{V}}{\downarrow} \quad \underset{\text{A}}{\downarrow}$

En courant alternatif, cette relation est encore valable avec l'intensité et la tension efficaces, mais uniquement pour des appareils de chauffage et d'éclairage.

L'énergie électrique E consommée par un appareil de puissance P pendant la durée t est donnée par la relation :

$$E = P \cdot t$$

$\underset{\text{Wh(watt-heure)}}{\downarrow} \quad \underset{\text{W}}{\downarrow} \quad \underset{\text{h}}{\downarrow}$

Documents

UN COMPTEUR ÉLECTRIQUE MODERNE

Le nouveau compteur électronique installé par E.D.F. ne se limite pas à l'affichage de l'énergie consommée. Il donne des indications sur l'abonnement ou la puissance et peut être relevé à distance par les employés d'E.D.F. grâce à un câble de liaison appelé « bus ».

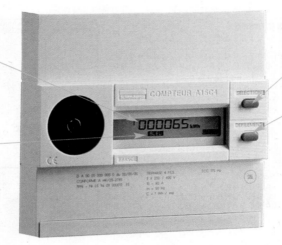

énergie consommée depuis l'installation du compteur : 65 kWh

indication tarifaire en cours

touche de sélection

touche index consommation heures pleines/ heures creuses

En appuyant sur la touche sélection, on affiche successivement :

indicateur visuel de la puissance instantanée

la puissance consommée représente ici les 4/6 de la puissance souscrite (quatre ☐ pour six _)

option tarifaire choisie

`2 HC A`

« HC » correspond au tarif « heures creuses » A est un code interne à E.D.F.

puissance souscrite (ampères et kVA)

`3 60A-12 KVA`

intensité maximale : 60 A puissance souscrite : 12 kVA, soit 12 kW si on ne branche que des appareils chauffants ou des lampes

puissance instantanée utilisée

`4 8130 W`

puissance consommée au moment du relevé : 8 130 W

intensité maximale atteinte

`5 48 A`

intensité maximale atteinte : 48 A

QUESTIONS

1. Des appareils électriques étaient-ils en fonctionnement au moment du relevé ? Pourquoi ?
2. Le rapport de la puissance consommée à la puissance souscrite correspond-il au niveau visualisé ?

Exercices

Sais-tu l'essentiel ?

1 Interprète une notice d'appareil

Que signifient les indications (230 V ; 1 200 W) relevées sur la notice d'un aspirateur ?

2 Compare les indications de deux notices

Sur un radiateur électrique, on lit (230 V ; 1 000 W) et sur un autre (230 V ; 1 500 W).

a) Lequel de ces radiateurs reçoit la plus grande puissance électrique ?

b) Lequel chauffe le plus vite ?

3 Écris une relation

a) Écris la relation entre la tension aux bornes d'une lampe, la puissance électrique qu'elle reçoit et l'intensité du courant qui la traverse.

b) Précise les unités.

4 Choisis la bonne réponse

Recopie en choisissant la bonne proposition :

a) Énergie consommée E, puissance reçue P et durée de fonctionnement t sont liées par la relation :

$$E = P/t \; ; \; P = E.t \; ; \; E = P.t$$

b) L'unité d'énergie est le *joule / watt* ; on utilise très souvent le *kilowatt / kilowatt-heure*.

c) *La puissance / L'énergie* consommée par un appareil électrique est proportionnelle à sa durée de fonctionnement.

d) Pour une même durée de fonctionnement, un convecteur de 1 000 W consomme *plus / moins* d'énergie qu'un convecteur de 1 500 W.

e) Sur une facture d'électricité, l'énergie consommée est exprimée en *joule/watt-heure / kilowatt-heure*.

Applique le cours

5 Calcule une puissance

Un chauffe-eau est branché sur le secteur 230 V. Sa résistance chauffante est traversée par un courant d'intensité efficace 8,7 A.

Calcule la puissance électrique reçue par cet appareil.

Calcule l'intensité du courant (ex. 6 à 9)

6 1) Que signifient ces indications inscrites sur la boîte ?

2) Quelle est l'intensité efficace du courant traversant le filament de cette lampe lorsqu'elle est branchée sur le secteur ?

7 Quelle est l'intensité du courant qui traverse le filament de cette lampe alimentée sous sa tension nominale ?

8 La ligne alimentant les prises d'une habitation est protégée par un fusible de calibre 16 A.

a) On branche un radiateur de puissance 2 kW. Calcule l'intensité du courant dans cette ligne.

b) Peut-on brancher sur cette ligne un deuxième radiateur de 2 kW ? Pourquoi ?

9 Dans une habitation, une ligne est protégée par un fusible de calibre 20 A.

a) Calcule la puissance totale maximale des appareils qui peuvent être branchés simultanément sur cette ligne.

b) Peut-on brancher simultanément sur cette ligne un four électrique de 3 kW, un fer à repasser de 1 200 W et une machine à laver de 2,1 kW ?

Calcule l'énergie à partir de la puissance (ex. 10 à 12)

10 Les lampes des phares d'une automobile ont une puissance de 45 W chacune.

Calcule l'énergie consommée par les deux lampes pour une durée de fonctionnement de trois heures.

Exprime ce résultat en joule, puis en kilowatt-heure.

Exercices

11 La lampe d'un garage est restée allumée durant vingt-quatre heures. Sa puissance est de 75 W ; elle est branchée sur le secteur.

Sachant que le prix moyen du kWh, taxes comprises, est de l'ordre de 0,12 €, quelle a été la dépense ?

12 Une ampoule à faible consommation est une ampoule fluorescente compacte qui éclaire autant et consomme cinq fois moins d'énergie qu'une ampoule classique à incandescence.

a) Indique la puissance nominale d'une ampoule à incandescence équivalente à une ampoule (230 V ; 20 W) à faible consommation d'énergie. Justifie ta réponse.

b) Calcule la valeur efficace de l'intensité du courant qui traverse chacune de ces lampes.

13 Calcule la puissance à partir de l'énergie

Une cellule d'électrolyse permettant de fabriquer du chlore consomme chaque jour environ 250 kWh.

a) Calcule la puissance électrique consommée par cette cellule.

b) Sachant que cette cellule fonctionne sous une tension continue de 3,45 V, calcule l'intensité du courant la traversant.

Utilise tes connaissances

14 Calcule une intensité efficace

Trois lampes à incandescence (230 V ; 75 W) faisant partie du circuit d'un lampadaire fonctionnent normalement.

a) Comment ces lampes sont-elles branchées ?

b) Quelle est la puissance totale reçue ?

c) Quelle est l'intensité efficace du courant qui circule dans les fils de la prise de courant du lampadaire ?

15 Calcule la puissance électrique totale

Noémie veut brancher simultanément, sur une prise du secteur protégée par un fusible de 10 A :

– un radiateur électrique de 2 kW,

– un fer à repasser de 800 W,

– une lampe de 100 W.

Raoul lui déconseille de le faire. Pourquoi ?

16 Calcule des puissances

Sur un adaptateur de batterie de téléphone portable, on relève les indications suivantes :

– entrée : 230 V ~ 50 Hz ; 10,5 W ;

– sortie : 12 V⎓ 500 mA.

a) Cet adaptateur peut-il être branché sur le secteur ?

b) La tension, aux bornes de sortie, est-elle *continue* ou *alternative* ?

c) Calcule la puissance que l'adaptateur peut fournir en sortie.
Compare-la à la puissance reçue. Conclus.

17 Étudie une installation

Le schéma représente une partie d'une installation électrique domestique.

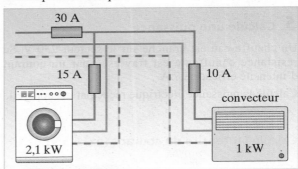

a) Quel fusible est branché sur la ligne principale ?

b) (SOS) Vérifie si les fusibles sont bien adaptés.

c) (SOS) Calcule l'intensité efficace du courant dans le fil neutre de la ligne principale lorsque les deux appareils fonctionnent simultanément.

d) Quel est le rôle du fil de terre ?

18 Calcule la puissance reçue par une résistance

1) (SOS) Une résistance de valeur R est soumise à une tension U.

a) Quelle est l'expression de l'intensité du courant dans cette résistance ?

b) Quelle est l'expression, en fonction de U et de R, de la puissance reçue par cette résistance ?

2) La puissance reçue par une résistance est évacuée à l'extérieur sous forme de puissance thermique. La photo montre des résistances de 18 Ω de puissance admissible : 1/4 W – 1/2 W – 1 W.
Pourquoi ces résistances ont-elles des tailles différentes ?

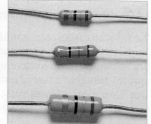

19 Étudie l'influence de la section d'un fil

La section d'un fil électrique est prévue en fonction de l'intensité maximale du courant qui peut le traverser.

section	1,5 mm²	2,5 mm²	6 mm²
intensité maximale	10 A	16 A	32 A

Quelle doit être la section des fils d'une ligne électrique qui alimente les appareils suivants, fonctionnant sur le secteur :

appareil	table de cuisson	four	lampes	lave-linge
puissance	6 800 W	3 000 W	500 W	2 100 W

Présente tes résultats dans un tableau.

Éducation du consommateur (ex. 20 et 21)

20

N LA CENTRALE PRESSING MOULINEX JET STEAM 70

Plateau amovible et rotatif

Sur le fer : gâchette vapeur avec cran bloquant pour une vapeur continue sans effort. Débit vapeur réglable jusqu'à 70 g/mn. Cuve inox. Cordon 1,50 m.
L/H/P : 25 x 33 x 27 cm.
Capacité du réservoir 0,9 l (autonomie 1 h 30 env.). Puissance 2 250 W (dont fer 800 W). Semelle inox. Poids 4,1 kg env. (dont fer 1,4 kg).

N 228 €

Réf. 0141110 B   Prix : **228 €**

Option demain chez vous   10,7 €

Moulinex

Autonomie illimitée : réservoir indépendant se remplissant à tout moment.

a) Quelles sont les deux indications de puissance apparaissant dans cette notice ?

b) (SOS) Quelle est la puissance nécessaire pour chauffer l'eau de la cuve ?

c) Cette centrale est branchée sur le secteur 230 V. Quelle est l'intensité efficace du courant qui traverse la résistance chauffante du fer ?

21

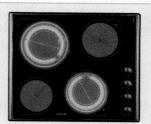

Scholtès

C
533 €

Sécurité : témoins de chaleur

C LA TABLE SCHOLTÈS THE420
Témoin de chaleur résiduelle au bord de chaque foyer.
2 foyers radiants : ARD 1 400, AVG 1 200 W + 2 à halogène : ARG 2 400, AVD 1 800 W. Puissance maxi : 6 800 W. L/P hors tout : 59,5 x 51 cm. L/H/P d'encastrement : 56 x 4,8 x 49 cm. Coloris anthracite. Fabriquée en Lorraine. Garantie 3 ans. S.A.V. Réparation à domicile de 1 à 4 jours.
Livraison sur rendez-vous à domicile.
Réf. 2113014 K   Prix : **533 €**

1) Les foyers à halogène sont-ils plus puissants que les foyers radiants ?

2) Quelle est la puissance du foyer avant gauche ?

3) Un foyer radiant est constitué d'une résistance chauffante enroulée en spirale.

a) Quelle est l'intensité du courant traversant la résistance chauffante du foyer avant gauche ?

b) Quelle est la valeur de la résistance de ce foyer ?

4) Comment retrouve-t-on la valeur de la puissance maximale 6 800 W ?

5) Quelle est l'intensité efficace du courant dans les fils d'alimentation de la table de cuisson lorsque toutes les plaques fonctionnent en même temps ?
Conclus.

22 Exploite les résultats d'une expérience

a) Fais le schéma d'un montage permettant de déterminer la puissance reçue par une lampe, en utilisant un ampèremètre et un voltmètre.

b) On réalise cette expérience avec une lampe « stop » d'automobile. Le voltmètre indique 12,1 V et l'ampèremètre 1,75 A. Quelle est alors la puissance électrique reçue par la lampe ?

c) Cette lampe a une tension nominale de 12 V. Sa puissance nominale est-elle *7W*, *21 W* ou *45 W* ?

Exercices

23 Choisis le bon fusible

Dans un jardin, le circuit d'éclairage se compose de 18 lampes susceptibles de fonctionner simultanément :
– 8 sont des lampes de 60 W,
– 4 des lampes de 40 W,
– 5 des lampes de 100 W,
– 1 lampe de 150 W.

a) Calcule la puissance totale du circuit d'éclairage.

b) La tension efficace d'alimentation étant 230 V, détermine quel calibre de fusible doit-on utiliser sur la ligne d'alimentation, afin de protéger le circuit :

5 A, 10 A, 32 A ?

24 Étudie la valorisation thermique des déchets

L'énergie produite par l'incinération des déchets ménagers est utilisée pour produire de l'électricité. Le dessin ci-dessous indique la quantité d'énergie dégagée par la combustion de trois combustibles.

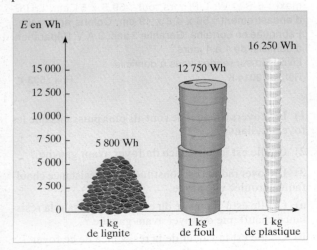

a) Quel est le meilleur combustible ?

b) Pendant combien de temps pourrait-on faire fonctionner un appareil de chauffage de puissance 1 000 W en faisant brûler :

1 kg de lignite ? 1 kg de fioul ? 1 kg de plastique ?

25 Choisis l'abonnement E.D.F.

Le tableau ci-dessous donne la puissance P de quelques appareils alimentés sous une tension efficace $U = 230$ V. Ils se comportent comme une résistance R. Le courant qui les traverse a une intensité efficace I. On admettra que l'on a les mêmes relations qu'en courant continu entre P, U, I et R.

a) Recopie et complète le tableau.

	puissance P	intensité efficace I	résistance R
fer à repasser	800 W		
four de cuisine	3,27 kW		
résistance chauffante d'une machine à laver le linge	2,80 kW		
lampe d'éclairage	100 W		

b) Avec un abonnement de 6 kW, peut-on faire fonctionner en même temps ces quatre appareils ?

26 Étudie une équivalence énergétique

En brûlant, cinq pots de yaourt de 5 g en polystyrène dégagent suffisamment d'énergie pour alimenter en courant une ampoule électrique de puissance 60 W durant 1 heure.

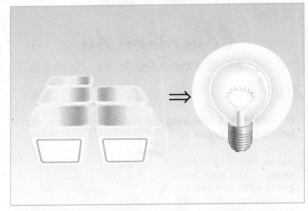

Quelle est l'énergie dégagée par la combustion de ces cinq pots, en joule et en watt-heure ?

Coup de pouce

Ex. 17 b) → **Ces appareils sont branchés en dérivation sur la ligne principale. La tension du secteur doit être connue.**

c) → **Le fil neutre et le fil de phase sont parcourus par le même courant.**

Ex. 18 1) → **Utiliser la loi d'Ohm.**

Ex. 20 b) → **Le fer reçoit une puissance de 800 W.**

Mécanique

18

Mouvement et vitesse

COMMENT *peut-on décrire le mouvement d'un objet ?*

Doc. A. Les nacelles de cette grande roue effectuent-elles un mouvement de translation ou de rotation ?

Doc. B. Lors de ce ravitaillement en vol, est-il correct de dire que l'avion de chasse est immobile ?

Doc. C. Comment calcule-t-on la vitesse d'un roller ?

Doc. D. Quel type de mouvement effectuent les aiguilles de ce cadran ?

1 Mouvement et trajectoire

1.1. Mouvement d'un objet

▶ *Observons* : Étudions le mouvement d'un voyageur assis dans un train en marche *(doc.* 1).

Par rapport aux autres personnes assises dans le wagon ou par rapport au train, le voyageur est immobile.

Par rapport au sol, le voyageur est en mouvement.

▶ *Concluons* :

> **L'état de repos ou de mouvement d'un objet est décrit par rapport à un autre objet qui sert de référence (référentiel).**

Ainsi, pendant son ravitaillement en vol, un avion de chasse est immobile par rapport à l'avion ravitailleur, mais il est en mouvement par rapport au sol *(doc.* B, *p.* 171).

Le plus souvent, on étudie le mouvement des objets par rapport au sol (référentiel terrestre).

▶ *Pour t'entraîner → Ex. 6 et 9.*

DOC. 1. *Le voyageur A est immobile par rapport au train, mais il est en mouvement par rapport à l'animal B.*

1.2. Trajectoire d'un point

▶ *Observons* : Lors du mouvement d'un club de golf *(doc.* 2), son extrémité A décrit une ligne qui est appelée la trajectoire du point A.

▶ *Concluons* :

> **La trajectoire d'un point d'un mobile est l'ensemble des positions occupées par ce point lors du mouvement du mobile.**

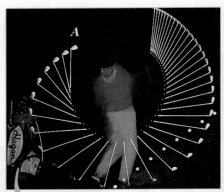

DOC. 2. *Lors du mouvement, l'extrémité A du club de golf décrit une ligne : c'est sa trajectoire.*

2 Quelques mouvements

2.1. Mouvements de translation

▶ *Observons* : Au cours du mouvement d'un ascenseur *(doc.* 3) ou d'une grande roue *(doc.* A, *p.* 170), tout segment du mobile garde la même direction.

▶ *Concluons* : Cette propriété caractérise un mouvement de translation.

> **Un mobile effectue un mouvement de translation si n'importe lequel de ses segments se déplace en conservant la même direction.**

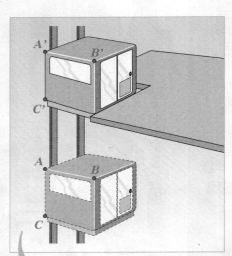

DOC. 3. *Au cours du mouvement de la cabine de l'ascenseur, le segment [AC] reste vertical, tandis que le segment [AB] reste horizontal.*

2.2. Mouvements de rotation

▶ *Observons* : Retournons une bicyclette et regardons le mouvement d'une roue autour de son axe horizontal fixe *(doc. 4)*. Chacun des points de la roue décrit un arc de cercle centré sur l'axe.

▶ *Concluons* : Cette propriété caractérise un mouvement de rotation.

> **Un mobile effectue un mouvement de rotation si tous ses points décrivent des arcs de cercle centrés sur l'axe de rotation.**

Ainsi, les aiguilles du cadran du *document* D, page 171, effectuent un mouvement de rotation autour d'un axe horizontal.

▶ *Pour t'entraîner → Ex. 7 et 8.*

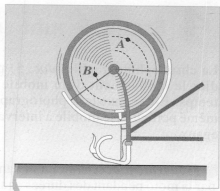

DOC. 4. *La bicyclette est retournée. Les points A et B de la roue décrivent deux arcs de cercle centrés sur l'axe de rotation de la roue.*

3 Vitesse moyenne

> **La vitesse moyenne d'un mobile est égale au quotient de la distance *d* parcourue par la durée *t* du parcours :**
>
> $$v = \frac{d}{t}.$$

Dans le système international d'unités, la vitesse s'exprime en mètre par seconde (m/s ou m.s^{-1}).
On utilise couramment le kilomètre à l'heure ou kilomètre par heure (km/h ou km.h^{-1}).

Remarque : *La vitesse indiquée par le compteur de vitesse d'une voiture ou le radar des gendarmes est appelée* **vitesse instantanée** *du véhicule. Ce n'est pas sa vitesse moyenne.*

▶ *Appliquons* : Lors d'un championnat de roller *(doc. C, p. 171)*, un cadet a parcouru 500 m en 46,53 s, tandis qu'une championne cadette a mis 29,69 s pour effectuer 300 m.

Lequel de ces champions est allé le plus vite ?

▶ Calculons la vitesse moyenne de chacun des champions, en m.s^{-1} et en km.h^{-1}.

La vitesse moyenne est égale à : $v = \dfrac{d}{t}$.

Pour le cadet, $d = 500$ m et $t = 46,53$ s, soit : $v = 500/46,53 \approx$ **10,7 m.s^{-1}**.

Sachant que 1 m.s^{-1} = 3 600 m.h^{-1} = 3,6 km.h^{-1}, nous obtenons : $v = 10,7 \times 3,6 =$ **38,5 km.h^{-1}**.

Pour la cadette, on trouve : $v =$ **10,1 m.s^{-1}**, soit : $v = (10,1 \times 3,6) =$ **36,4 km.h^{-1}**.

Le cadet est le plus rapide.

▶ *Pour t'entraîner → Ex. 10.*

4 Étude de mouvements au cours du temps

La chronophotographie (*doc. 5*) permet d'étudier le mouvement d'un mobile au cours du temps. Elle consiste à photographier, sur une même pellicule, le mobile à intervalles de temps égaux.

■ **Mouvement accéléré :** La distance parcourue par la moto pendant des durées égales est de plus en plus grande (*doc. 5a*). **La vitesse augmente au cours du temps** (*doc. 6a*).
Le mouvement est **accéléré.**

■ **Mouvement uniforme :** Des distances égales sont parcourues par la moto pendant des durées égales (*doc. 5b*). **La vitesse est constante** (elle ne change pas au cours du temps) (*doc. 6b*).
Le mouvement est **uniforme.**

■ **Mouvement ralenti :** Les distances parcourues pendant des durées égales sont de plus en plus petites (*doc. 5c*). **La vitesse diminue au cours du temps** (*doc. 6c*).
Le mouvement est **ralenti.**

DOC. 5. *Chronophotographie d'une moto télécommandée.*
a) *En mouvement accéléré ;*
b) *en mouvement uniforme ;*
c) *en mouvement ralenti.*

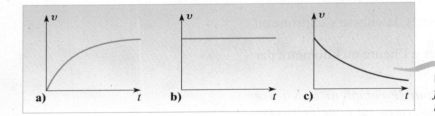

DOC. 6. *Variations de la vitesse en fonction du temps pour différents mouvements.*

Retiens l'essentiel

Le mouvement d'un mobile est décrit par rapport à un **o**bjet de référence.

La trajectoire d'un point d'un mobile est l'ensemble des positions qu'il occupe durant le mouvement.

Dans un mouvement de translation, chacun des segments du mobile conserve une direction fixe.

Dans un mouvement de rotation, chacun des points du mobile décrit un arc de cercle centré sur l'axe de rotation.

La vitesse moyenne est égale au quotient de la distance d parcourue par la durée t du parcours. Elle s'exprime en mètre par seconde (m/s ou m.s^{-1}) ou en kilomètre par heure (km/h ou km.h^{-1}).

Fiche-méthode

Étude d'un mouvement

A. Expérience

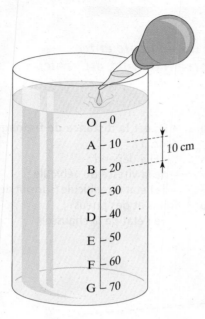

Le montage expérimental est constitué d'un tube transparent contenant de l'huile.

Le tube est gradué tous les 10 cm, c'est-à-dire tous les 0,1 m.

• Laisse tomber une goutte d'eau dans le tube, à l'aide d'un compte-gouttes.

• Déclenche le chronomètre lorsque la goutte d'eau passe devant le repère 0.

• Note dans un tableau le temps de passage de la goutte d'eau devant chaque graduation.

• Calcule, pour chaque point (*A, B, C...*), la vitesse moyenne de la goutte d'eau durant les trajets *OA,OB,OC...*

distance parcourue en cm	0	10	20	30	40	50	60
temps (s)	0	9,7	19	28,5	37,7	47,3	56,5
vitesse moyenne en cm/s	✕	1,03	1,05	1,05	1,06	1,05	1,06

B. Représentations graphiques

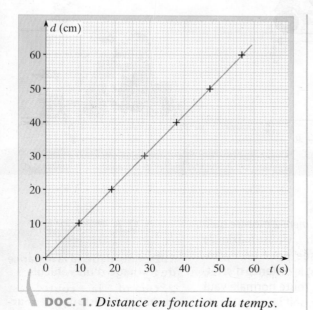

DOC. 1. *Distance en fonction du temps.*

La courbe représentative est une ligne droite passant par l'origine. La distance parcourue par la goutte est proportionnelle au temps :
$$d = v.t \ .$$

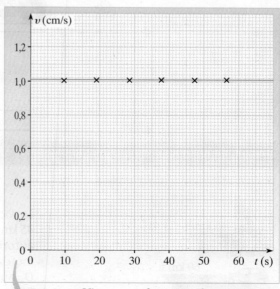

DOC. 2. *Vitesse en fonction du temps.*

La vitesse reste constante tout au long du parcours. Le mouvement est rectiligne uniforme, de l'ordre de $v = 1$ cm/s.

Documents

LA DISTANCE D'ARRÊT D'UN VÉHICULE

La distance d'arrêt D_A est la distance parcourue par un véhicule entre le moment où le conducteur perçoit un obstacle et l'arrêt complet du véhicule. Elle est la somme de deux termes : $D_A = D_R + D_F$.

• **D_R est la distance de réaction.** C'est la distance parcourue par le véhicule entre le moment où le conducteur voit l'obstacle et celui où il commence à freiner *(doc. 1)*.

Elle est proportionnelle au temps de réflexe du conducteur.

Celui-ci vaut environ 1 s, mais peut atteindre 2 s en cas d'alcoolémie.

D_R dépend aussi de la vitesse du véhicule.

• **D_F est la distance de freinage** *(doc. 1)*.

Elle dépend :
– de la vitesse du véhicule ;
– de l'état du véhicule (surtout des freins et des pneus) ;
– de l'état de la chaussée.

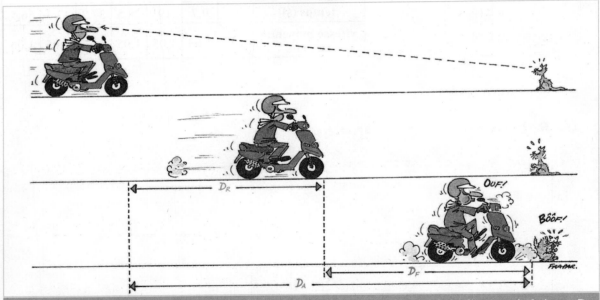

Doc. 1. *La distance d'arrêt D_A est la somme de la distance de réaction D_R et de la distance de freinage D_F.*

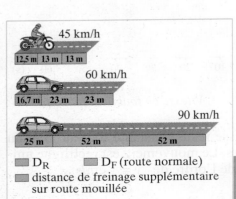

45 km/h
12,5 m | 13 m | 13 m

60 km/h
16,7 m | 23 m | 23 m

90 km/h
25 m | 52 m | 52 m

D_R D_F (route normale)
distance de freinage supplémentaire
sur route mouillée

Doc. 2. *Quelques valeurs de D_A, D_R et D_F en fonction de la vitesse du véhicule.*

Le *document* 2 montre qu'à 45 km.h^{-1}, vitesse maximale autorisée pour un cyclomoteur, la distance d'arrêt, D_A, sur route normale vaut 25,5 m, soit la longueur de deux salles de classe.

QUESTIONS

1. De quoi dépend la distance de freinage d'un véhicule ?

2. Quand la route est mouillée, la distance de réaction est-elle plus grande que sur route sèche ?

3. Calcule les distances d'arrêt D_A sur route sèche et sur route mouillée pour les trois véhicules du *document* 2.

Sais-tu l'essentiel ?

1 Recopie ces phrases en les complétant

a) L'état de repos ou de ..... d'un mobile se détermine par rapport à un autre objet servant de ..... .

b) La trajectoire d'un point d'un mobile est l'ensemble des ..... occupées par ce point lors du ..... du mobile.

2 Différencie des mouvements

Recopie ces phrases en mettant le mot juste :

a) Un mobile effectue un mouvement de *translation/ rotation* si tous ses points décrivent des arcs de cercle centrés sur l'axe de *translation/rotation*.

b) Un mobile effectue un mouvement de *translation/ rotation* si n'importe lequel de ses segments se déplace *en conservant/en ne conservant pas* la même direction.

3 Définis une vitesse moyenne

a) Écris la définition de la vitesse moyenne d'un mobile et la formule qui permet de la calculer.

b) En quelles unités peut-elle s'exprimer ?

4 Reconnais la nature de certains mouvements

Recopie les phrases suivantes en rectifiant celles qui sont fausses :

a) Si la vitesse d'un mobile diminue au cours du temps, alors le mouvement est uniforme.

b) Si la vitesse d'un mobile reste constante, alors le mouvement est ralenti.

c) Si la vitesse d'un mobile augmente au cours du temps, alors le mouvement est accéléré.

5 Distingue les phases d'un mouvement

Recopie et complète les phrases suivantes avec ces mots : *uniforme, accéléré, ralenti*.

Durant les premières secondes d'une course de 100 m, le mouvement de l'athlète est ..... . Ensuite, l'athlète s'efforce de maintenir sa vitesse maximale ; le mouvement est alors ..... .

Après la ligne d'arrivée, le mouvement du coureur est ..... .

Applique le cours

6 Choisis le référentiel

Parmi les personnages *A*, *B* et *C* du dessin ci-dessus, lequel ou lesquels sont en mouvement :

a) par rapport au sol ?

b) par rapport au tapis roulant ?

7 Observe autour de toi

Parmi les objets de ton environnement, cite un exemple d'objet effectuant :

– un mouvement de translation ;
– un mouvement de rotation.

8 Détermine la nature du mouvement

Précise la nature du mouvement (translation ou rotation) des objets suivants :

a) poignée de porte que l'on actionne ;

b) tiroir que l'on referme ;

c) porte que l'on ouvre ;

d) siège d'un télésiège.

2 Précise le référentiel

Hubert, Chloé et Éloi sont assis dans un taxi en mouvement. Hubert somnole.
Chloé affirme qu'Hubert est en mouvement, mais Éloi prétend qu'il est immobile.

Ont-ils tort ou raison ? Que doivent-ils préciser ?

10 Calcule des vitesses moyennes

Le tableau ci-dessous indique les horaires et les distances parcourues par le T.G.V. Sud-Est.

	km parcourus	horaires
ville de départ : Paris	0	14 h 00 min
ville desservie : Lyon	500	16 h 00 min
ville d'arrivée : Marseille	820	18 h 15 min

1) Calcule la vitesse moyenne du T.G.V. entre :

a) Paris et Lyon ;

b) Lyon et Marseille ;

c) Paris et Marseille.

2) Le mouvement est-il uniforme entre Paris et Marseille ?

11 (SOS) Change d'unités de vitesse

a) En navigation aérienne et maritime, on utilise le nœud comme unité de vitesse : c'est la vitesse d'un avion ou d'un bateau qui parcourt un mille (1 852 m) par heure. Calcule en km/h la vitesse d'un catamaran qui file à 35 nœuds.

b) Aux États-Unis, la vitesse maximale des automobiles est limitée à 50 miles/heure sur autoroute. Le mile est une unité de longueur égale à 1 609 m.

Calcule cette vitesse en km.h^{-1}.

Utilise tes connaissances

12 Interprète une notice

FICHE TECHNIQUE

MOTEUR :	4 cy. en ligne, 16 S
Puiss. maxi :	107 ch à 5 750 tr/mn
Couple :	148 Nm à 3 750 tr/mn
Alimentation :	Essence
TRANSMISSION :	Aux roues AV, boîte 5 vitesses
POIDS :	1 044 kg
DIMENSIONS (L x l x H) :	3,77 m × 1,64 m × 1,42 m
V. MAX. :	189 km/h
400 m/1 000 m D.A. :	17 s 1/31 s 6
Reprises de 80 à 120 km/h en 4e/5e :	8 s 8/12 s 8
CONSO. MOY. :	8,2 L/100 km

D'après L'Automobile magazine.

1) a) Quelle est la vitesse maximale de cette automobile ?

b) Cette vitesse a-t-elle été mesurée sur autoroute ou sur circuit ?

2) a) Lors d'un essai sur 1 000 m en départ arrêté (D.A.), quelle durée met l'automobile pour passer de 400 m à 1 000 m ?

b) (SOS) Montre qu'après les 400 premiers mètres, l'automobile n'a pas atteint sa vitesse maximale.

3) Pour passer de 80 à 120 km/h le plus rapidement, vaut-il mieux être en 4e vitesse ou en 5e ?

Sécurité routière (ex. 13 à 16)

13 Connais la réglementation de vitesse

Complète les phrases suivantes :

a) En agglomération, la vitesse est limitée à ..... km.h⁻¹.

b) Sur route, elle est limitée à ..... km.h⁻¹.

c) Sur autoroute, on ne peut pas dépasser ..... km.h⁻¹. Cette limitation de vitesse est ramenée à ..... km.h⁻¹ par temps de pluie.

14 Réfléchis à la distance d'arrêt

a) Calcule la distance d'arrêt.

b) Le temps de réaction est égal à 1,0 s.
Vérifie la distance indiquée.

c) Quelle est l'influence de l'absorption d'alcool sur le temps de réaction ? sur la distance de réaction ?

d) Quelle est l'influence de l'état des pneus ou de l'état de la route sur la distance de freinage ? Donne des exemples.

Calcule la distance d'arrêt (ex. 15 et 16)

15 On montre que la distance de freinage (D_F) d'une automobile est donnée par la relation : $D_F = k.v^2$.

Dans cette relation, D_F est exprimée en m et v en m/s, v^2 est le carré de la vitesse de l'automobile et k un coefficient qui dépend des frottements des pneumatiques sur le sol.
À cette distance, il faut ajouter la longueur parcourue par le véhicule pendant le temps de réflexe du conducteur, que l'on estime à 0,75 s pour un bon conducteur.

a) Calcule la distance d'arrêt pour un véhicule roulant à 54 km/h et à 108 km/h sur route sèche. Le coefficient k est alors égal à 0,08.

b) Calcule la distance d'arrêt pour les mêmes vitesses sur route mouillée. Le coefficient k est alors égal à 0,16.

16 Sur le livret d'un code de la route, on lit :

$$D_A = D_R + D_F$$

D_A : distance d'arrêt ; D_R : distance de réaction ;
D_F : distance de freinage.

	D_R	D_F (route sèche)	D_F (route mouillée)
45 km/h	12,5 m	13 m	26 m
90 km/h	25 m	52 m	104 m
130 km/h	37 m	123 m	246 m

a) Calcule les distances d'arrêt sur route sèche et sur route mouillée dans les trois cas du tableau ci-dessus.

b) Peut-on dire que le temps de réaction est constant ? Pourquoi ?

c) Comment varie la distance de freinage lorsqu'il se met à pleuvoir ?

Mathématiques (ex. 17 et 18)

17 Calcule une vitesse moyenne

La vitesse maximale autorisée sur autoroute est de 130 km/h par temps sec et de 110 km/h par temps de pluie.
Deux péages d'autoroute sont distants de 250 km.

a) Une automobile met 1 heure et 20 minutes pour parcourir cette distance. Les gendarmes peuvent-ils dresser procès-verbal ? Justifie ta réponse.

b) Un jour de pluie, une autre automobile a mis 2 heures et 30 minutes pour parcourir cette distance.
A-t-elle pu être en infraction durant le parcours ?

18 Trace un graphique

Une automobile roule sur une autoroute. On a mesuré les temps de passage pour différentes positions :

d (m)	0	100	150	200	300	350	500
t (s)	0	5	7,6	9,9	15	17,6	25,1

a) Trace le graphique représentant les variations de la distance en fonction du temps. (Échelle : axe des abscisses : 1 cm ↔ 5 s ; axe des ordonnées : 1 cm ↔ 100 m.)

b) Reproduis, puis complète le tableau suivant avec le calcul de la vitesse moyenne (v) pour chaque intervalle.

intervalle	0 et 100 m	100 et 150 m	150 et 200 m	200 et 300 m	300 et 350 m	350 et 500 m
durée						
v (m/s)						

c) Quelle est la nature du mouvement de l'automobile ?

SOS Coup de pouce

Ex. 11 → Ne pas confondre le mille marin et le mile.

Ex. 12 → 2) b) Calcule la distance que mettrait le véhicule, roulant à 200 km/h, pour aller de 400 à 1 000 m.

19

Actions mécaniques
Forces

POUR DÉPLACER *ou déformer un objet,* il faut lui faire subir une action mécanique. Les actions mécaniques sont modélisées par des forces. Comment représenter une force ?

O B J E C T I F S

◆ Distinguer les différents effets d'une action mécanique.

◆ Mesurer l'intensité d'une force avec un dynamomètre.

◆ Savoir représenter une force par un segment fléché.

? **Doc. A.** Les mains du sauteur exercent une action mécanique sur la perche.
Quel effet cette action produit-elle sur la perche ?

Doc. B. L'action du vent sur la voile de la planche est-elle une action de contact ou à distance ? localisée ou répartie ?

Doc. C. À quoi est due l'attraction des cheveux par la brosse ?

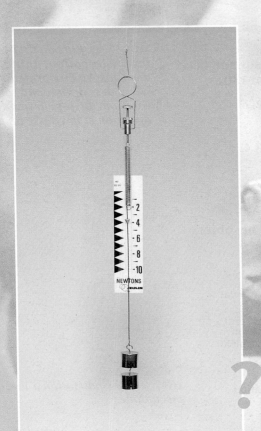

Doc. D. Le dynamomètre permet de mesurer l'intensité des forces. En quelle unité est-il gradué ?

1 Les actions mécaniques et leurs effets

▶ *Observons* : Lorsqu'un footballeur frappe le ballon, une **action mécanique** est exercée **par** le pied du joueur **sur** le ballon. Cette action met le ballon en mouvement (cas d'un coup franc, *doc.* 1a) ou modifie la trajectoire et la vitesse du ballon (cas d'un coup de tête, *doc.* 1b).

a)

b)

DOC. 1.a). *Lors du tir d'un coup franc, le ballon, initialement au repos, va être projeté.*
b). *Lors d'un coup de tête, l'action du joueur modifie la direction et la vitesse du ballon.*

L'action mécanique exercée **par** les mains du sauteur **sur** la perche a pour effet de déformer la perche *(doc.* A, *p.* 180*)*.

▶ *Concluons* :

> Une action mécanique exercée sur un objet peut :
> – le mettre en mouvement ;
> – modifier sa trajectoire ou sa vitesse ;
> – le déformer.

Une action mécanique est toujours exercée **par** un objet (l'acteur) **sur** un autre objet (le receveur) *(doc.* 2*)*.

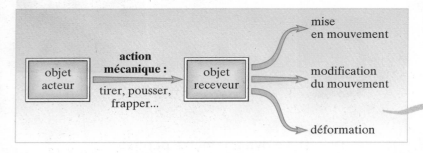

DOC. 2. *Schématisation d'une action mécanique.*

▶ *Pour t'entraîner → Ex. 5.*

2 Différentes actions mécaniques

2.1. Les actions de contact

Ces actions nécessitent un contact entre l'acteur et le receveur.

La main de la lanceuse de javelot *(doc. 3)* exerce une action de contact sur le javelot. Cette action est **localisée** au contact de la main. La zone de contact, réduite à un point, est le **point d'application** de l'action.

L'action du vent sur une voile *(doc. B, p. 181)* est aussi une action de contact, mais elle est **répartie** sur toute la surface de la voile. On ne peut pas préciser le point d'application.

DOC. 3. *La main de la lanceuse exerce une action de contact sur le javelot.*

2.2. Les actions à distance

Ces actions s'exercent sans qu'il y ait contact entre l'acteur et le receveur.

■ Actions d'origine électrique

▶ *Expérimentons* : Après avoir été frottée avec de la laine, une règle en matière plastique est électrisée. Elle est alors capable d'attirer de petits morceaux de papier *(doc. 4)*.

De même, une brosse à cheveux peut s'électriser par frottement et attirer les cheveux *(doc. C, p. 181)*.

■ Actions d'origine magnétique

▶ *Expérimentons* : Un clou, une bille d'acier, une pièce de monnaie en nickel sont attirés à distance par un aimant.

L'aiguille d'une boussole s'oriente suivant la direction sud-nord *(doc. 5)*. Elle est soumise à une action magnétique à distance due au champ magnétique terrestre.

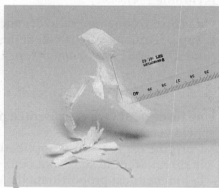

DOC. 4. *La règle électrisée attire les morceaux de papier.*

■ Actions liées à l'attraction terrestre

▶ *Expérimentons* : Lorsqu'on lâche un objet, il tombe : il est attiré par la Terre. L'action à distance exercée par la planète Terre est appelée pesanteur.

▶ *Concluons* :

> Les actions électriques, magnétiques et de pesanteur sont des actions mécaniques *à distance*.
> Elles sont réparties dans tout le volume de l'objet.

DOC. 5. *L'aiguille s'oriente suivant la direction sud-nord.*

▶ *Pour t'entraîner → Ex. 6.*

3 Modélisation d'une action mécanique par une force

3.1. La notion de force

Lorsque Julie tire sur l'extrémité d'un élastique *(doc. 6)*, elle exerce une **action de contact localisée** à laquelle on peut attribuer :
– un point d'application (la petite surface de contact entre sa main et le tendeur) ;
– une direction (celle de l'élastique) ;
– un sens (de l'élastique vers Julie) ;
– une valeur (qui dépend de la déformation du tendeur).

> **Une action mécanique est modélisée par une force. Une force est caractérisée par son point d'application, sa direction, son sens et sa valeur.**

La **valeur (ou intensité) d'une force s'exprime en newton (symbole : N).**

On utilise fréquemment le décanewton (daN) : 1 daN = 10 N. L'appareil qui mesure la valeur des forces est le **dynamomètre** *(doc. D, p. 181 et documents, p. 186)*.

DOC. 6. *La déformation de l'élastique permet de connaître les caractéristiques de la force exercée par Julie sur l'élastique.*

3.2. La représentation d'une force

Une force peut être représentée par un segment fléché (aussi appelé vecteur) dont :
– l'origine est le point d'application de la force ;
– la direction et le sens sont ceux de la force ;
– la longueur est proportionnelle à la valeur de la force *(doc. 7 et fiche-méthode, p. 185)*.

On désigne souvent une force par la notation $\vec{F}$ ou $\vec{F}_{\text{acteur/receveur}}$.

▶ *Pour t'entraîner → Ex. 7 à 9.*

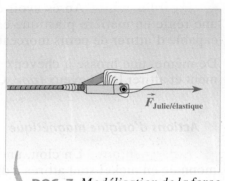

DOC. 7. *Modélisation de la force exercée par Julie sur l'élastique.*

Retiens l'essentiel

Une action mécanique exercée sur un objet peut :
– **le mettre en mouvement** ;
– **modifier sa trajectoire ou sa vitesse** ;
– **le déformer.**

Il existe différentes actions mécaniques : de contact ou à distance, localisées ou réparties.

Une action mécanique est modélisée par une force. Une force est caractérisée par son point d'application, sa direction, son sens et sa valeur.

Une force peut être représentée par un segment fléché ; elle est notée $\vec{F}$.

Fiche-méthode

Comment représenter une force ?

Représenter une force revient à déterminer ses caractéristiques (point d'application, direction, sens, valeur) pour la représenter par un segment fléché.

Problème

Une automobile tracte une caravane sur une route horizontale.

Représente la force, d'une valeur de 1 000 N, exercée par l'automobile sur la caravane.

(Échelle : 1 cm pour 500 N.)

Résolution

a) Distingue l'acteur du receveur :
– l'acteur, qui exerce l'action, est l'automobile ;
– le receveur, qui subit l'action, est la caravane.

b) Isole le système qui subit l'action et représente-le :
Il s'agit de la caravane. Le dessin de l'automobile n'est plus nécessaire.

Le système qui subit l'action est le receveur ; ici, la caravane.

c) Détermine le point d'application :
C'est le point d'attache de la caravane ((**1**) sur le schéma).

d) Trace la direction de la force :
C'est la droite horizontale qui passe par le point d'attache (en rouge sur le schéma).

e) Indique le sens :
C'est ici le sens du déplacement de la caravane, de la gauche vers la droite (flèche verte sur le schéma).

f) Représente la valeur de la force :
Elle vaut 1 000 N.
Avec l'échelle proposée, la longueur du segment fléché sera : 1 000/500 = 2 cm.

g) Nomme la force :
C'est la force exercée par l'automobile sur la caravane. On la note $\overrightarrow{F}_{auto/caravane}$.

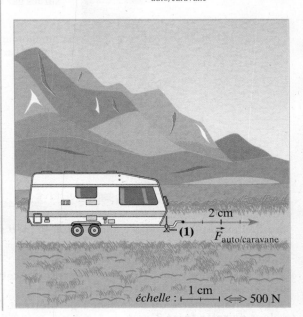

2 cm
(1) $\overrightarrow{F}_{auto/caravane}$

échelle : 1 cm ⟺ 500 N

MESURE DE LA VALEUR DES FORCES

Les dynamomètres

La plupart des dynamomètres usuels comportent un ressort dont la déformation est proportionnelle à la valeur de la force exercée (doc. D, p. 181).

Il existe des modèles de dynamomètres très variés ; ils permettent la mesure de la force exercée par un doigt, jusqu'à celle exercée par une locomotive (doc. 1).

Doc. 1. *Dynamomètre industriel.*

Quelques valeurs de forces

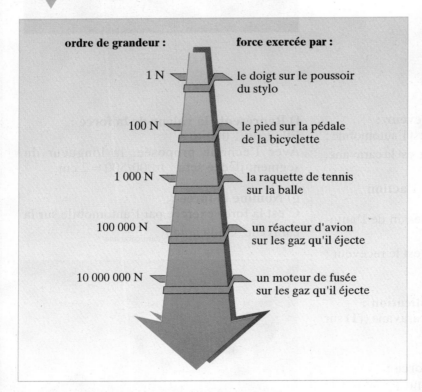

ordre de grandeur :

force exercée par :

1 N — le doigt sur le poussoir du stylo

100 N — le pied sur la pédale de la bicyclette

1 000 N — la raquette de tennis sur la balle

100 000 N — un réacteur d'avion sur les gaz qu'il éjecte

10 000 000 N — un moteur de fusée sur les gaz qu'il éjecte

Doc. 2. *Au service, la force exercée par la raquette sur la balle vaut 1 200 N.*

Doc. 3. *Au décollage, les moteurs de la fusée Ariane V exercent une poussée de 11 360 kN.*

QUESTIONS

Étudie l'exemple de la force exercée par le pied sur la pédale de la bicyclette.

1. Quel est l'acteur ? Quel est le receveur ?

2. Le pied pousse sur la pédale. Représente cette force sur un dessin schématisant le pied et la pédale.

3. Le dynamomètre du *document* 1 permettrait-il de mesurer la valeur de cette force ?

Sais-tu l'essentiel ?

1 Décris une action mécanique

Cite quelques exemples d'actions mécaniques pro-voquant :

– la mise en mouvement d'un objet ;

– la déformation d'un objet.

2 Précise l'acteur et le receveur

Dans les exemples suivants, indique qui exerce l'action et qui la subit.

a) L'haltérophile soulève les haltères.

b) Les petits bouts de papier sont attirés par la règle en P.V.C., préalablement frottée avec un chiffon de laine.

c) En tombant, la pomme est attirée par la Terre.

d) Le vent gonfle la voile du bateau.

3 Recopie et choisis la bonne réponse

a) Un objet tombe lorsqu'on le lâche. C'est une action *à distance / de contact* exercée par la Terre sur l'objet.

b) Le vent exerce une action *à distance / de contact* sur la voile du bateau. C'est une action *localisée / répartie*.

c) La pression du gaz exerce une action *de contact / à distance* sur le bouchon de la bouteille de champagne.

d) L'aimant exerce une action *de contact / à distance* sur le clou.

4 Étudie l'intensité des forces

Réponds par des phrases aux questions suivantes :

a) Quelle est l'unité de force et quel est son symbole ?

b) Quel est le nom de l'appareil servant à mesurer l'intensité de forces ?

Applique le cours

5 Distingue l'acteur et le receveur

Joachim s'appuie sur un arbre. Son pied gauche repose sur le sol.

Pour chacune des forces représentées, écris une phrase sur le modèle suivant :

$\overrightarrow{F}_1$: force exercée par ..... sur ....., notée ..... .

Précise l'acteur et le receveur.

6 Distingue différents types d'actions

Recopie et complète le tableau en indiquant le type d'action et ses effets.

action mécanique	type d'action	effets
Joëlle renvoie la balle de tennis		modification de la trajectoire et de la vitesse
Paul tire un penalty	action de contact localisée	
une bille d'acier roule devant un aimant		modification de la trajectoire
Pierre tire sur la corde et sur l'arc		

7 Représente une force

La corde exerce sur le crochet C une force $\overrightarrow{F}$ de direction horizontale, dont le sens est de la gauche vers la droite. Cette force a pour valeur 3 N.

Reproduis le dessin ci-dessous et représente la force exercée par la corde à l'échelle 1 cm ↔ 1 N.

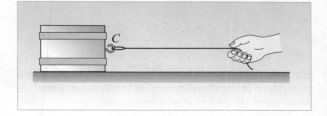

8 Précise les caractéristiques d'une force

Frédéric tire sur le ressort en exerçant une force $\overrightarrow{F}$ appliquée au point A. Quelles sont les caractéristiques de la force $\overrightarrow{F}$?
(Échelle : 1 cm ↔ 2 N.)

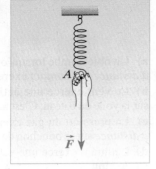

9 Représente la force exercée sur un tendeur

Anaïs tire sur le tendeur avec sa main.

Reproduis le dessin du tendeur ci-contre.

Représente la force exercée par la main (M) sur le tendeur (T) sachant qu'elle a pour valeur 5 N.

Échelle : 1 cm ↔ 2 N.

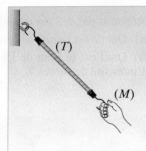

10 Compare la direction de la force et celle du déplacement

Autrefois, les péniches étaient tirées par des chevaux le long des chemins de halage.

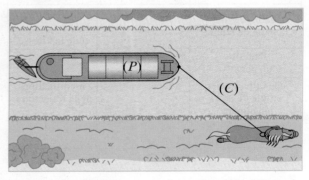

a) Représente la force exercée par le câble (C) sur la péniche (P) sachant qu'elle a pour valeur 200 N.
Échelle : 1 cm ↔ 100 N.

b) Cette force a-t-elle la même direction que le déplacement de la péniche ?

11 Éducation physique

Lance le « poids » le plus loin possible

En athlétisme, pour lancer le « poids » le plus loin possible, il faut que la direction de la force que tu exerces fasse un angle de 45° avec l'horizontale.

Schématise la force exercée sur le « poids » sachant qu'elle passe par le centre du poids et qu'elle a pour valeur 200 N (échelle 1 cm ↔ 50 N).

12 Représente la force exercée par une punaise

Lorsqu'on enfonce une punaise dans un mur, la pointe de la punaise exerce sur le mur une force perpendiculaire au mur de valeur 30 N.

a) Schématise la punaise sur le mur.

b) Représente la force exercée par la punaise sur le mur à l'échelle 1 cm ↔ 10 N.

13 Représente une force pressante

Reproduis le schéma et représente la force exercée par le gaz comprimé sur le bouchon de la bouteille de champagne, sachant que cette force a une valeur de 100 N et qu'elle est appliquée au centre de la base du bouchon.

Échelle : 1 cm ↔ 25 N.

14 Étudie l'action du marteau

On enfonce un clou dans une planche à l'aide d'un marteau.

Fais un schéma en représentant :

a) la force exercée par le marteau sur le clou, sachant qu'elle a pour valeur 50 N (échelle : 1 cm ↔ 25 N) ;

b) la force exercée par le clou sur la planche (sa valeur est la même).

15 Représente des forces

Au service, la force $\overrightarrow{F_1}$ exercée par la raquette d'un joueur de tennis sur la balle vaut 1 200 N.

La force $\overrightarrow{F_2}$ exercée par la balle sur la raquette a la même intensité. Sur le schéma ci-contre, on a représenté en rouge la ligne d'action de ces forces.

Représente $\overrightarrow{F_1}$ et $\overrightarrow{F_2}$ à l'échelle 1 cm ↔ 500 N.

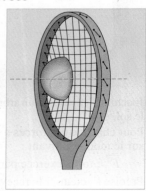

16 Trace un graphique

On veut déterminer la relation qui existe entre l'allongement l d'un ressort et la valeur de la force $\overrightarrow{F}$ qui lui est appliquée (l'allongement du ressort est la différence entre sa longueur lorsqu'il est étiré et sa longueur au repos).

Pour cela, on utilise le montage schématisé ci-dessous. Un ressort R est fixé à un support face à une règle graduée. On exerce une force $\overrightarrow{F}$ à l'autre extrémité, par l'intermédiaire d'un dynamomètre qui permet de mesurer la valeur de la force.

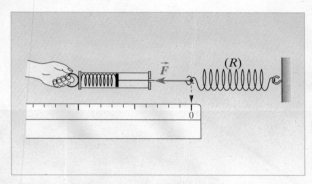

On a obtenu les résultats suivants :

force F (en N)	0	0,2	0,5	1	1,2	1,5	2
allongement l (en mm)	0	7	18	34	42	55	71

a) Trace le graphique correspondant.
Échelle :
axe des abscisses (allongement) : 1 cm ↔ 1 cm ;
axe des ordonnées (force) : 1 cm ↔ 0,2 N.

b) (SOS) Calcule pour chaque couple (l,F) le rapport F/l. Que constates-tu ?

c) (SOS) Quelle est la valeur de la force qui provoque un allongement de 30 mm ?

17 Représente une force

Au décollage, les moteurs de la fusée *Ariane V* exercent une pousée égale à 11 360 kN.

a) Quels sont la direction et le sens de cette force ?

b) Représente cette force à l'échelle 1 cm ↔ 5 000 kN.

18 Analyse une force

À l'aide d'un dynamomètre, on exerce une force sur une lame de métal fixée dans un étau.
Plusieurs situations différentes sont représentées dans les schémas ci-dessous.

a) Dans quel(s) cas les forces ont-elles le même point d'application ?

b) Dans quel(s) cas les forces ont-elles la même direction ?

c) Dans quel(s) cas les forces ont-elles la même valeur ?

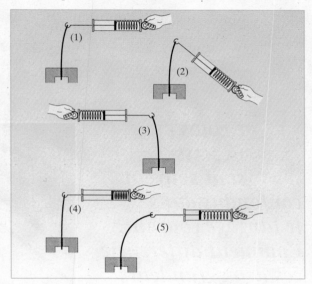

19 Étudie la force exercée par un électroaimant

Un électroaimant attire des objets en fer. La valeur F de la force qu'il exerce dépend de l'intensité I du courant qui traverse ses bobines.

F (en N)	1 000	4 000	9 000	25 000
I (en A)	10	20	30	50

a) F est-elle proportionnelle à I ?

b) Représente la valeur de la force en fonction de I^2 (carré de I). Que peux-tu en conclure ?

c) Pour soulever une *Clio*, on a besoin d'une force de valeur 9 000 N. Détermine I.

(SOS) *Coup de pouce*

Ex. 16 b) → Détermine le coefficient directeur de la droite obtenue. Le coefficient est égal au rapport $\dfrac{F}{l}$.

c) → Tu peux utiliser soit le graphique, soit la relation établie à la question 16 b).

Poids et masse
Équilibre d'un objet

LE POIDS ET
LA MASSE sont souvent
confondus dans
le langage courant.
Comment différencier
ces deux grandeurs
physiques ?

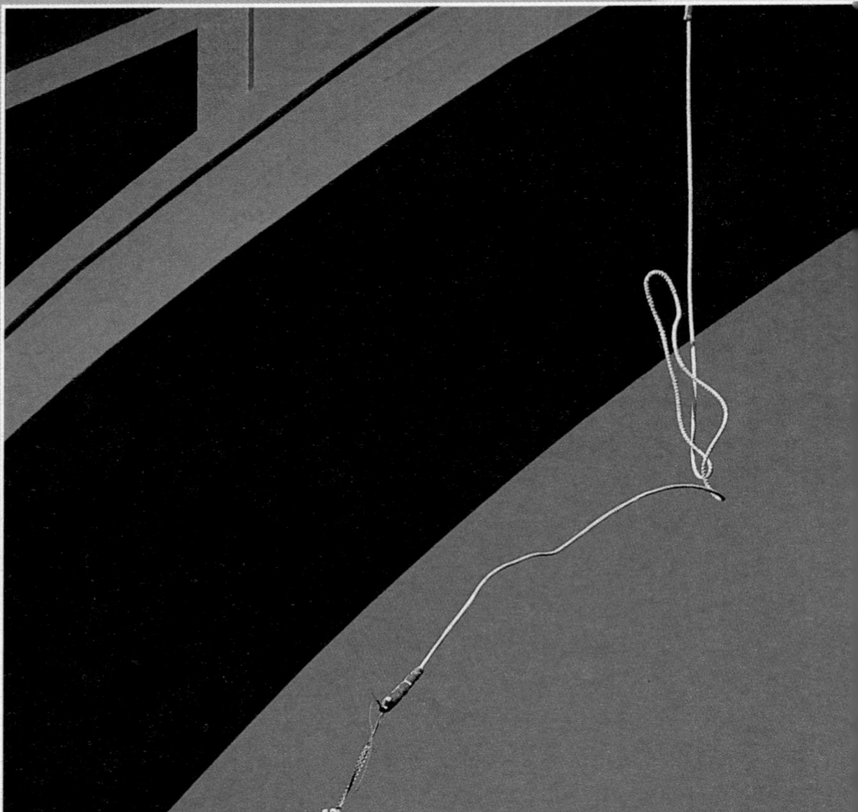

◆ Distinguer poids et masse.

◆ Utiliser la relation $P = m.g$.

◆ Utiliser la condition d'équilibre d'un objet soumis à deux
forces.

**Doc. A. La Terre attire tous les objets.
Comment s'appelle cette force d'attraction
qui précipite le sauteur à l'élastique ?**

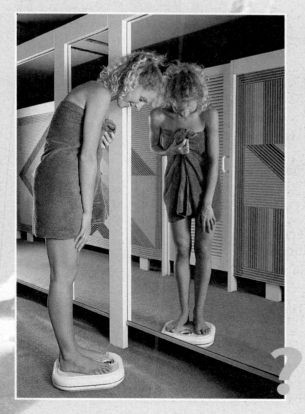

Doc. B. La légende raconte que c'est en voyant tomber une pomme que ce savant anglais comprit l'attraction exercée par la Terre.
Quel est ce savant ?

Doc. C. En avril 1972, John YOUNG bondit sur la Lune.
Pourquoi se déplaçait-il plus facilement que sur Terre, malgré la masse importante de son équipement ?

Doc. D. Le pèse-personne mesure-t-il la masse ou le poids ?

1 Le poids d'un objet

1.1. Les effets du poids

Le sauteur à l'élastique tombe en chute libre *(doc. A, p. 190)* : il est attiré par la Terre.

La Terre exerce une action à distance sur tous les objets qui l'entourent. Cette action répartie dans tout le volume de l'objet est le poids de l'objet.

> **Le poids d'un objet est l'attraction que la Terre exerce sur cet objet.**

Le poids ralentit le mouvement d'une balle lancée vers le haut et incurve vers le bas la trajectoire d'une balle lancée obliquement *(doc. 1)*.

C'est Isaac Newton (1642-1727) qui, le premier, identifia l'attraction exercée par la Terre *(doc. B, p. 191)*.

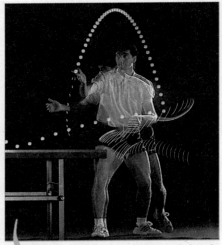

DOC. 1. *Le poids modifie la trajectoire de la balle.*

1.2. Les caractéristiques du poids

▶ *Expérimentons* : Suspendons un objet lourd par un fil *(doc. 2)*. Nous réalisons ainsi un fil à plomb. Le fil tendu est rectiligne.

▶ *Interprétons* : La direction du fil à plomb définit la **verticale du lieu**.

Le poids, action répartie dans tout le volume de l'objet, est équivalent à une force, notée $\overrightarrow{P}$, exercée par la Terre sur l'objet.

DOC. 2. *Le fil à plomb donne la verticale du lieu.*

> **Les caractéristiques du poids $\overrightarrow{P}$ sont :**
> • **sa direction verticale ;**
> • **son sens orienté vers le bas ;**
> • **son point d'application G, appelé centre de gravité de l'objet** *(voir fiche-méthode, p. 195)* ;
> • **sa valeur, ou son intensité, mesurée avec un dynamomètre et exprimée en newton (symbole : N)** *(doc. 3)*.

Le poids d'un objet est représenté par un **segment fléché** (ou vecteur) dont la direction, le sens et le point d'application sont ceux de $\overrightarrow{P}$ et dont la longueur est proportionnelle à la valeur du poids.

Le dynamomètre mesure le poids de l'objet suspendu *(doc. 3)*.

▶ *Pour t'entraîner → Ex. 5 et 7.*

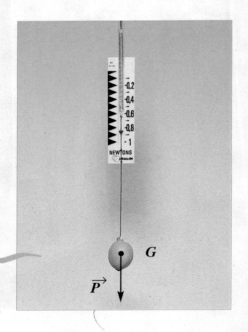

DOC. 3. *Le poids est représenté par un segment fléché d'origine G, dirigé vers le bas, dont la direction verticale est celle du fil de suspension. G est sur la droite colinéaire au fil.*

2 Poids et masse d'un objet

2.1. Relation entre poids et masse

La masse d'un objet représente la quantité de matière liée au nombre d'atomes qui le constituent. La masse, mesurée avec une balance, s'exprime en kilogramme (kg).

On utilise aussi d'autres unités : la tonne (1 t = 10^3 kg) et le gramme (1 g = 10^{-3} kg).

▶ *Expérimentons* : Mesurons le poids P de différentes masses marquées m et calculons le rapport $\dfrac{P}{m}$.

masse m (en kg)	0,2	0,4	0,6	0,8
poids P (en N)	2	4	6	8
$\dfrac{P}{m}$ (en N/kg)	10	10	10	10

▶ *Interprétons* : Nous constatons que le rapport $\dfrac{P}{m}$ est constant et égal à 10 N/kg.

> **En un lieu donné, le poids d'un objet est proportionnel à sa masse :**
> $$\frac{P}{m} = g \quad \text{ou} \quad P = m.g \ ;$$
> g **est l'intensité de la pesanteur ; elle s'exprime en newton par kilogramme (symbole : N/kg ou N.kg^{-1}).**

lieu	latitude	g (N/kg)
Paris	49°	9,81
pôle Nord	90°	9,83
équateur	0	9,78

lieu	altitude	g (N/kg)
Chamonix	1 008 m	9,801
mont Blanc	4 807 m	9,792

DOC. 4. *Variations de l'intensité de la pesanteur g avec la latitude et l'altitude.*

2.2. Distinction entre poids et masse

Une masse d'un kilogramme d'oranges représente toujours la même quantité de nourriture sur Terre, dans l'espace ou sur la Lune.

La masse est une grandeur qui ne varie pas avec le lieu.
En revanche, l'intensité de la pesanteur g, et par conséquent le poids, sont des grandeurs qui varient avec le lieu et avec l'altitude *(doc. 4)*.

Comme g varie peu sur Terre et que le poids est proportionnel à la masse, on a gardé l'habitude de graduer les pèse-personnes (qui sont, en fait, des dynamomètres) en unités de masse *(doc. D, p. 191)*.

Des mesures précises à Paris donnent g : 9,81 N.kg^{-1}.
Nous prendrons sur Terre comme valeur de g : 10 N.kg^{-1}.

Sur les planètes du système solaire, tout objet est soumis à l'attraction de la planète où il se trouve.

Par exemple, l'intensité de pesanteur lunaire, g_L, vaut 1,6 N/kg, soit un sixième de l'intensité de pesanteur terrestre. Ainsi, le poids d'un astronaute sur la Lune est environ six fois plus faible que sur la Terre *(doc. 5 et doc. C, p. 191)*.

▶ *Pour t'entraîner → Ex. 6, 8 et 9.*

DOC. 5. *Le poids sur la Lune est six fois plus petit que sur la Terre.*

3 Équilibre d'un objet soumis à deux forces

▶ *Expérimentons* : Un morceau de polystyrène *S* est soumis aux actions de deux fils tendus *(doc. 6 et 7)*.

Ces fils exercent sur le solide *S* la force $\vec{F_1}$ appliquée au point *A* et la force $\vec{F_2}$ appliquée au point *B*. Le poids du solide peut être négligé devant ces deux forces beaucoup plus importantes.

Deux dynamomètres permettent de mesurer les valeurs de ces deux forces.

Nous constatons que, lorsque le solide est immobile, c'est-à-dire en équilibre :

– les fils sont dans le prolongement l'un de l'autre ;

– les dynamomètres donnent la même indication.

DOC. 6. *Le bloc de polystyrène est immobile.*

▶ *Interprétons* :

– Les fils dans le prolongement l'un de l'autre impliquent que les deux forces aient la même droite d'action. On dit qu'elles sont **colinéaires**.

– Les deux forces ont la même valeur. Les deux forces sont représentées par deux segments fléchés de même longueur, mais de sens opposés.

> **Lorsqu'un objet soumis à deux forces est en équilibre, les deux forces ont :**
>
> **– la même droite d'action : elles sont dites colinéaires ;**
>
> **– des sens opposés ;**
>
> **– la même valeur.**
>
> **Ces deux forces sont représentées par deux segments fléchés colinéaires, de même longueur et de sens opposés.**

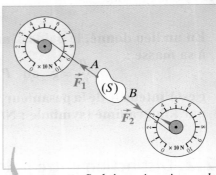

DOC. 7. *Schématisation de l'expérience.*

▶ *Pour t'entraîner → Ex. 11 et 12.*

Retiens l'essentiel

Le poids d'un objet est l'attraction que la Terre exerce sur cet objet.

Le poids d'un objet est une force de direction verticale, dirigée vers le bas, de valeur déterminée par un dynamomètre et appliquée au centre de gravité *G* de l'objet.

En un lieu donné, le poids d'un objet est proportionnel à sa masse :
$$P = m.g \text{ (avec } g \approx 10 \text{ N.kg}^{-1}\text{)}.$$

Lorsqu'un objet soumis à deux forces est en équilibre, ces deux forces sont colinéaires, de sens opposés et ont la même valeur.

▼

Comment déterminer le centre de gravité d'une plaque ?

A. Apprends à déterminer le centre de gravité

1. Suspends la plaque de carton par un fil fixé au point *A* (*doc.* 1a).
À l'équilibre, la tension du fil a la même direction que la droite d'action du poids.
Le centre de gravité se trouve sur cette droite d'action.

2. Prolonge la direction du fil sur la plaque.

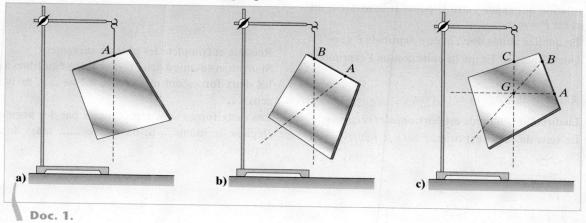

Doc. 1.

3. Recommence l'expérience en suspendant la plaque par deux autres points *B* et *C*.
Les droites obtenues sont concourantes et le point de concours est le centre de gravité *G* de la plaque (*doc.* 1b *et* c).

B. Centre de gravité de quelques plaques

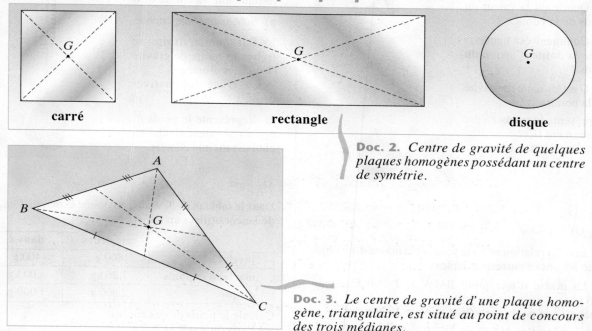

carré

rectangle

disque

Doc. 2. *Centre de gravité de quelques plaques homogènes possédant un centre de symétrie.*

Doc. 3. *Le centre de gravité d'une plaque homogène, triangulaire, est situé au point de concours des trois médianes.*

Exercices

1 Étudie le poids

Réponds par des phrases aux questions suivantes :

a) Quelle est la définition du poids d'un objet ?

b) En quelle unité se mesure le poids d'un objet ?

c) Quel est l'appareil de mesure du poids d'un objet ?

2 Reconnais les éléments d'une formule

La relation qui existe entre le poids et la masse d'un objet est $P = m.g$.

a) En quelles unités doivent être exprimés P et m ?

b) Que désigne g ? En quelle unité doit-on l'exprimer ?

3 Choisis la bonne réponse

a) La direction du poids est *horizontale / verticale*.

b) Le sens du poids est orienté *vers le haut / vers la Terre*.

c) Le poids d'un objet se mesure avec *une balance / un dynamomètre*.

d) La masse d'un objet *dépend / ne dépend pas* du lieu.

e) Le poids d'un objet *dépend / ne dépend pas* de sa masse.

f) Sur la Lune, la masse d'un objet est *identique / différente* de sa masse sur Terre.

g) Sur la Terre, le poids d'un objet est *identique / différent* de son poids sur la Lune.

4 Étudie les forces

Recopie et complète les phrases suivantes :

Si un objet soumis à deux forces est en équilibre, alors les deux forces ont même ....., même ....., mais des sens ..... .

Les deux forces sont représentées par des segments fléchés de même ....., de même ....., mais de ..... opposés.

5 Donne les caractéristiques du poids

a) Fais un schéma de l'expérience photographiée ci-contre.

b) Quelle est la valeur du poids de la pomme ?

c) Comment est matérialisée la droite d'action du poids ?

d) G est le centre de gravité de la pomme.
Représente le poids $\vec{P}$ par un segment fléché.
Échelle : 1 cm = 1 N.

6 Utilise une formule

a) Écris la relation entre le poids et la masse d'un objet avec les unités correspondantes.

b) La masse d'une moto BMW R 1 200 C est de 256 kg.
Quel est son poids (on admet que $g = 10$ N/kg) ?

c) Le poids d'un V.T.T. est de 8,4 daN.
Sachant que 1 daN = 10 N, calcule la masse du V.T.T.

7 Représente le poids d'un objet

Sur la photographie ci-contre, le dynamomètre indique une valeur de 6 N.

a) Schématise l'expérience.

b) Sur quelle droite se trouve le centre de gravité G du filet d'oranges ?
Place G approximativement.

c) Représente le poids $\vec{P}$ par un segment fléché en choisissant une échelle.

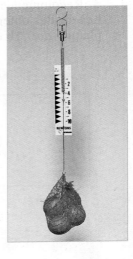

8 Fais des calculs

Dans le tableau ci-dessous, on donne la masse d'engins de lancer utilisés en athlétisme.

	messieurs	dames
javelot	800 g	400 g
marteau et poids	7,26 kg	4,00 kg
disque	2 000 g	1 000 g

Calcule le poids de ces engins :
– à Paris où $g = 9,81$ N/kg ;
– à Rio de Janeiro où $g = 9,79$ N/kg.

2 Distingue masse et poids

Recopie et complète les phrases suivantes à l'aide des mots suivants : *le poids* ; *la masse*.

Quand je porte le plateau à la cantine, j'exerce une force pour équilibrer ..... des aliments.

Quand j'ai faim, c'est ..... des aliments qui m'importe.

Si j'allais sur la Lune avec mon plateau, ... de mes aliments n'aurait pas changé.

En revanche, ... des aliments aurait changé.

..... se mesure en newton et ..... se mesure en kilogramme.

10 Compare masse et poids sur Terre et sur la Lune

En juillet 1969, l'astronaute Neil Armstrong a rapporté un échantillon de roche lunaire (*photo* ci-dessous).

Sachant que l'intensité de la pesanteur sur la Lune est six fois plus faible que sur la Terre, complète ce tableau :

	intensité de la pesanteur	masse de l'échantillon	poids de l'échantillon
Terre	9,8 N/kg	1,2 kg	
Lune			

11 Étudie l'équilibre d'un objet soumis à deux forces

a) Un solide est soumis à deux forces. Énonce les caractéristiques de ces deux forces pour qu'il soit en équilibre.

b) Reproduis le schéma ci-dessous et représente, à l'échelle 1 cm ↔ 10 N :
– la force exercée en *A* sur le solide *S* ;
– la force exercée en *B* sur le solide *S*.

c) Le solide *S* peut-il être en équilibre dans ces conditions ? On négligera son poids par rapport à la valeur des autres forces.

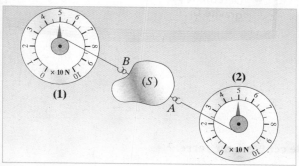

12 Reconnais les solides en équilibre

Sur le schéma ci-dessous plusieurs solides sont soumis à l'action de deux forces.

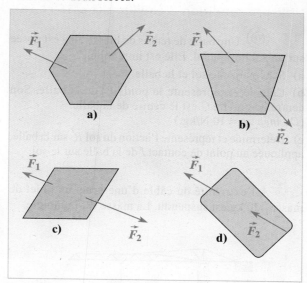

Indique, dans chaque cas, si le solide peut être en équilibre.

Justifie tes réponses.

13 Applique la condition d'équilibre

Une boule de pétanque est posée sur un plan incliné faisant un angle de 30° avec le plan horizontal. Les deux forces qui s'exercent sur elle sont le poids $\vec{P}$ et l'action du support.

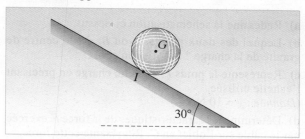

L'action du support est une force $\vec{R}$ appliquée en *I*, point de contact entre la boule et le plan incliné. $\vec{R}$ est perpendiculaire au support.

a) Reproduis le schéma. Représente le poids $\vec{P}$ et l'action $\vec{R}$ du support, sans considération d'échelle.

b) La boule peut-elle rester en équilibre ? Justifie ta réponse.

14 Trouve le bon poids

Recopie les phrases suivantes en choisissant la bonne valeur du poids (on admet que *g* = 10 N/kg).

a) Un « kilo » de sucre pèse *1 N / 10 N*.

b) Un cartable plein pèse *80 N / 800 N*.

c) Un sac de ciment pèse *5 N / 500 N*.

d) Une voiture Renault Clio pèse *8 500 N / 850 N*.

Exercices

Utilise la condition d'équilibre (ex. 15 et 16)

15 (SOS) Une balle de tennis de masse 58 g est posée sur un sol horizontal. Elle est immobile.

a) Schématise le sol et la balle.

b) Calcule et représente le poids $\vec{P}$ de la balle. Son centre de gravité G est le centre de la balle.
(*Donnée : g = 10 N/kg.*)

c) Détermine et représente l'action du sol $\vec{R}$ sur la balle, appliquée au point de contact I de la balle sur le sol.

16 À l'extrémité du câble d'une grue, un objet de masse 420 kg est suspendu. La masse est immobile.

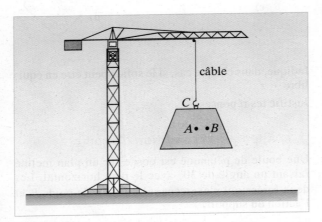

câble

C

A • • B

a) Redessine la schématisation ci-dessus.

b) Lequel des deux points, A ou B, est le centre de gravité de la charge ? Justifie ton choix.

c) Représente le poids $\vec{P}$ de cette charge en précisant l'échelle utilisée.
(*Donnée : g = 10 N/kg.*)

d) Détermine les caractéristiques de la force $\vec{F}$ exercée par le câble sur l'objet en C. Représente cette force.

17 Compare des poids sur les planètes

À la surface des planètes du système solaire, on peut définir, comme sur la Terre, une intensité de pesanteur consignée dans le tableau ci-dessous (*g* est en N/kg).

Mercure	Vénus	Terre	Mars	Jupiter	Saturne
3,78	8,60	9,80	3,72	22,9	9,05

a) Rappelle la relation entre le poids P et la masse m d'un objet.

b) La sonde *Galiléo*, lancée de la navette spatiale *Atlantis* pour explorer le système solaire, a une masse de 2 688 kg.
Sur quelle planète cette sonde a-t-elle le poids le plus grand ? le plus petit ?

c) Sur Terre, une sonde a un poids de 2 500 N. Calcule le poids de cette même sonde sur les autres planètes.

18 (SOS) Dessine le poids d'un corps

Des élèves ont représenté le poids d'un objet situé en différentes positions de la surface de la Terre.

Quels sont les schémas qui ne sont pas corrects ? Justifie tes réponses par des phrases.

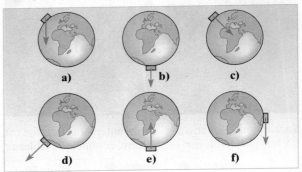

a) b) c)

d) e) f)

Le petit curieux

Mathématiques

a) Découpe un triangle dans un carton rigide.
Détermine le point G d'intersection des médianes.
Pique la plaque en G, sur la pointe de ton compas tenu verticalement.
La plaque est-elle en équilibre ?

b) Découpe une figure quelconque dans un carton rigide. Pose cet objet sur la pointe de ton compas.
Détermine par tâtonnement son centre de gravité G.

(SOS) *Coup de pouce*

Ex. 15 → **Refais l'application du cours.**

Ex. 18 → **La verticale est dirigée pratiquement vers le centre de la Terre.**

21

Les lentilles

Q UEL EST LE RÔLE *des lentilles dans les appareils imageurs ?*

OBJECTIFS

◆ Distinguer une lentille convergente d'une lentille divergente.

◆ Savoir positionner une lentille par rapport à un objet pour obtenir une image nette de l'objet sur un écran.

◆ Trouver le foyer d'une lentille convergente et estimer sa distance focale.

Doc. A. Certains véhicules, par exemple les bus, comportent une lentille collée sur la vitre arrière pour élargir le champ de vision.
Qu'est-ce qu'une lentille ?

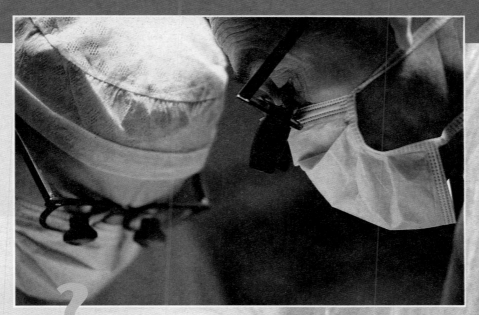

Doc. B. Pourquoi ces chirurgiens
utilisent-ils des loupes ?
Qu'est-ce qu'une loupe ?

Doc. C. Quelle est l'utilité
de l'œilleton de porte ?
Comment est-il constitué ?

Doc. D. Quelle est la grandeur qui
caractérise des verres de lunettes ?

1 Deux types de lentilles

1.1. Qu'est-ce qu'une lentille ?

Une lentille est formée d'un bloc transparent de verre ou de matière plastique (*doc*. A, *p*. 200). L'épaisseur au centre de la lentille est différente de celle des bords.

Une loupe, un œilleton de porte, des verres de lunettes sont constitués de lentilles (*doc*. B, C *et* D, *p*. 201).

1.2. Lentilles convergentes et divergentes

Pour savoir si une lentille est convergente ou divergente, pose-la sur le texte de ce livre. Éloigne légèrement la lentille du texte.

Si le texte apparaît plus gros, la lentille est convergente (*doc*. 1). L'épaisseur au centre de la lentille est supérieure à celle des bords.

Si le texte devient plus petit, la lentille est divergente (*doc*. 2). L'épaisseur au centre de la lentille est inférieure à celle des bords.

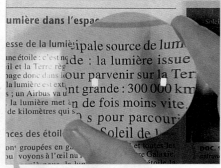

DOC. 1. *La lentille est convergente : le texte apparaît plus gros.*

DOC. 2. *La lentille est divergente : le texte apparaît plus petit.*

2 Foyer et distance focale d'une lentille convergente

2.1. Foyer

▶ *Expérimentons* : Avec une lentille convergente dont l'axe est dirigé vers le Soleil, nous pouvons concentrer la lumière en une petite tache pratiquement réduite à un point (*doc*. 3). Si nous plaçons en ce point une feuille de papier, elle s'enflamme. Ce point, noté **F**, est appelé **foyer** de la lentille.

▶ *Interprétons* : Le Soleil, source de lumière très éloignée, envoie sur la lentille un faisceau de rayons parallèles à l'axe de la lentille. La lentille fait converger ces rayons au foyer *F* (*doc*. 4).

DOC. 3. *La lentille convergente permet de concentrer les rayons solaires au foyer.*

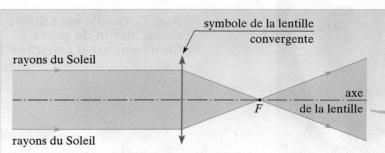

DOC. 4. *Le faisceau de rayons parallèles provenant du Soleil converge au foyer F.*

> **Le foyer d'une lentille convergente est le point où converge la lumière lorsque la lentille est traversée par un faisceau de rayons parallèles à son axe.**

2.2. Distance focale

On appelle distance focale, notée _f_, la distance entre le foyer et le centre de la lentille (_doc._ 5).

La distance focale caractérise une lentille : des lentilles différentes possèdent des distances focales différentes (_doc._ D, p. 201 _et documents_, p. 205).

Plus la distance focale est petite, plus la lentille est convergente.

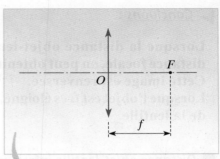

DOC. 5. _La distance focale_ f _est égale à_ [OF].

3 Image d'un objet donnée par une lentille convergente

■ _Distance objet-lentille supérieure à la distance focale_

▶ _Expérimentons_ :

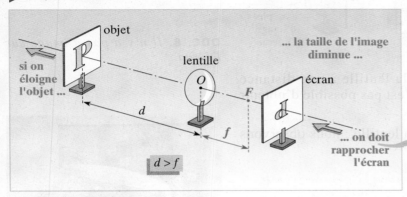

si on éloigne l'objet ...

objet

lentille

écran

... la taille de l'image diminue ...

... on doit rapprocher l'écran

_d_

_f_

_d > f_

DOC. 6. _L'écran est placé derrière la lentille ; on ajuste sa position afin d'obtenir une image nette._

Dans l'expérience du _document_ 6, on observe une image nette sur l'écran pour une seule position de ce dernier, située au-delà du foyer _F_. Cette image est renversée.

– Lorsqu'on éloigne l'objet de la lentille, il faut rapprocher l'écran de la lentille pour observer l'image, qui est de plus en plus petite.

– Éloignons encore l'objet.

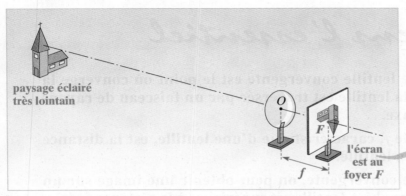

paysage éclairé très lointain

l'écran est au foyer _F_

_f_

DOC. 7. _L'écran est placé au foyer F de la lentille._

Lorsque l'objet est très éloigné (un paysage, par exemple), l'image est observée si l'écran est situé au foyer de la lentille (_doc._ 7).

► *Concluons :*

Lorsque la distance objet-lentille est supérieure à la distance focale, on peut obtenir une image sur un écran. Cette image est renversée.
Lorsque l'objet est très éloigné, l'image se forme au foyer de la lentille.

■ *Distance objet-lentille inférieure à la distance focale*

► *Expérimentons :*

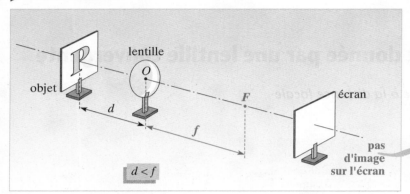

lentille

objet

O

d

f

F

écran

pas d'image sur l'écran

d < f

DOC. 8. *Il n'y a pas d'image sur l'écran.*

Lorsque l'objet est placé devant la lentille à une distance inférieure à sa distance focale, il n'est pas possible d'obtenir une image sur un écran *(doc. 8).*

Regardons alors l'objet à travers la lentille : nous observons une image agrandie.

► *Concluons :*

Lorsque la distance objet-lentille est inférieure à la distance focale, on ne peut pas obtenir une image sur un écran ; on peut observer une image à travers la lentille. Celle-ci joue alors le rôle de loupe *(doc. 9).*

► *Pour t'entraîner → Ex. 4 à 6.*

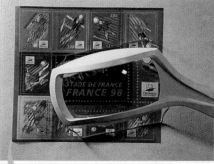

DOC. 9. *La lentille joue le rôle d'une loupe.*

Retiens l'essentiel

Le foyer *F* d'une lentille convergente est le point où converge la lumière lorsque la lentille est traversée par un faisceau de rayons parallèles à son axe.

La distance focale *f*, caractéristique d'une lentille, est la distance entre le foyer et la lentille.

Avec une lentille convergente, on peut obtenir une image sur un écran si la distance objet-lentille est supérieure à la distance focale.

L'image obtenue est alors renversée.

VISITE CHEZ L'OPHTALMOLOGISTE

Place-toi à 5 mètres de ton livre pour essayer de lire ces lettres.
Cache d'abord l'œil gauche, puis l'œil droit.
Donne ensuite une note à chaque œil : 10/10 si tu lis la première ligne,
8/10 si tu lis la deuxième, 6/10 si tu lis la troisième.

M R T V F U E N C X

R C Y H O F M E S

Y O E L K S F

Si tu n'as pas 10/10, il faut consulter un ophtalmologiste.
Il te prescrira des lunettes.
Sur l'ordonnance destinée à l'opticien seront indiqués des nombres. Ils correspondent à la vergence des verres des lunettes qu'il te faudra porter.

La vergence C d'une lentille se mesure en **dioptries** (δ). Elle est positive pour une lentille convergente, et négative pour une lentille divergente.

Par définition, $C = \dfrac{1}{f}$ ou $f = \dfrac{1}{C}$, f étant exprimée en mètre.

Ainsi, si la vergence du verre est de + 2 dioptries ($C = +2\delta$), le verre est une lentille convergente de distance focale :
$$f = \frac{1}{C} = \frac{1}{2} = 0,5 \text{ m, soit 50 cm.}$$
Si la vergence est $C = -3\delta$, le verre est une lentille divergente de distance focale :
$$f = \frac{1}{3} = 0,33 \text{ m, soit 33 cm.}$$
Les lentilles convergentes sont utilisées pour corriger l'hypermétropie de l'œil, les lentilles divergentes pour corriger la myopie. Un œil myope ne distingue que de très près. Un œil hypermétrope distingue mal les objets qui sont très proches.

QUESTIONS

Éléonore présente à l'opticien l'ordonnance que lui a prescrit l'ophtalmologiste. On y lit entre autres :
œil droit : -2δ ;
œil gauche : $-1,5\delta$.

1. Qu'est-ce qu'un ophtalmologiste ? un opticien ?

2. Que signifie la lettre δ ? Pourquoi le signe $-$?

3. Calcule la distance focale de chaque verre.

4. Éléonore souffre-t-elle de myopie ou d'hypermétropie ?

Exercices

Applique le cours

1 Définis une lentille

Recopie en choisissant la bonne proposition :

a) Une lentille est formée d'un bloc *opaque* / *transparent* de verre ou de matière plastique.

b) Une lentille convergente éloignée d'un texte *diminue* / *grossit* les lettres de ce texte.

c) Une lentille divergente éloignée d'un texte *diminue* / *grossit* les lettres de ce texte.

d) *Le foyer* / *La distance focale* caractérise une lentille.

La distance focale est la distance entre la lentille et *le foyer* / *le centre* de cette lentille.

2 Complète un schéma

Reproduis, puis complète ce schéma avec les légendes suivantes :
axe de la lentille, *foyer*, *faisceau de rayons parallèles*, *distance focale*.

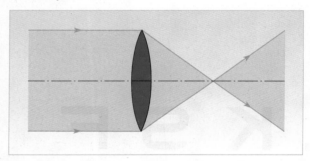

3 Précise comment obtenir une image

Corrige la phrase lorsqu'elle est fausse.

a) Pour obtenir une image sur un écran, il faut que la distance objet-lentille convergente soit inférieure à la distance focale.

b) L'image donnée par une lentille convergente sur un écran est toujours renversée par rapport à l'objet.

c) Lorsqu'on éloigne l'objet de la lentille, l'image se rapproche de la lentille.

4 Schématise une lentille

Une lentille convergente a une distance focale de 5 cm.

a) Schématise cette lentille avec son axe.

b) Place le foyer *F* de cette lentille (échelle : 1).

c) Colorie en rouge la partie de l'axe où l'on doit placer un objet pour obtenir une image sur un écran.

d) Colorie en vert la partie de l'axe où l'on doit placer un écran pour recueillir une image.

5 Interprète une expérience

Mathieu a placé un objet à 40 cm d'une lentille. L'image se forme à 40 cm derrière cette lentille.

a) L'image est-elle renversée ?

b) La distance focale est-elle *supérieure* / *égale* / *inférieure* à 40 cm ?

c) Mathieu rapproche l'objet de la lentille.

Doit-il rapprocher ou éloigner l'écran de la lentille pour obtenir une image nette ?

d) Il place l'écran à 60 cm de la lentille.
Doit-il placer l'objet à *30 cm* / *50 cm* de la lentille ?

6 Dessine une image

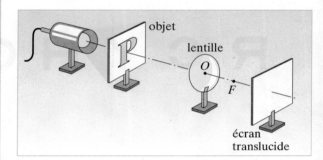

On réalise l'expérience schématisée ci-dessus avec une lentille de distance focale 20 cm. On observe une image sur l'écran.

a) Reproduis l'écran translucide et dessine sur celui-ci l'image formée en regardant derrière l'écran, par rapport à la lentille.

b) On rapproche l'objet lumineux *P* de la lentille. Dans quel sens doit-on déplacer l'écran pour observer une image nette ?

c) On éloigne l'objet lumineux *P* de la lentille. Peut-on encore observer une image nette sur l'écran ? Que doit-on faire pour observer une image nette ?

d) On place l'objet lumineux *P* à 18 cm de la lentille. Peut-on observer une image nette sur l'écran ? Pourquoi ?

7 Interprète une expérience

Kevin concentre les rayons du Soleil sur un écran à l'aide d'une lentille convergente. Le faisceau de lumière se concentre en un point *P* situé à 10 cm du centre *O* de la lentille.

a) Représente cette expérience par un schéma.

b) De quel objet le point *P* est-il l'image ?

c) Que représente le point *P* pour la lentille ? Pourquoi ce point est-il lumineux ?

d) Quelle est la distance focale de cette lentille ?

Utilise tes connaissances

Interprète une expérience (ex. 8 et 9)

8 On désire obtenir sur un écran l'image d'une flamme située à 10 cm d'une lentille convergente.
On n'y parvient pas quelle que soit la position de l'écran derrière la lentille.

Quelle conclusion peut-on en tirer ?

9 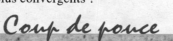 Paul essaie de déterminer le foyer d'une lentille très convergente. Pour cela, il déplace un écran derrière la lentille dont l'axe est dirigé vers le Soleil.
En éloignant l'écran de la lentille, il observe une tache sur l'écran, de plus en plus grande.

Où est situé l'écran par rapport au foyer et à la lentille ? Aide-toi d'un schéma pour répondre.

10 Exploite des mesures

Au cours d'une séance de travaux pratiques, un groupe d'élèves a mesuré la distance de l'objet lumineux à la lentille et la distance séparant la lentille de l'écran lorsque celui-ci intercepte une image nette.

distance objet-lentille (cm)	90	30	20	10	9,5	9
distance image-lentille (cm)	10	13	16,5	90	170	plus d'image

a) Lorsqu'on éloigne l'objet de la lentille, l'image se rapproche-t-elle ou s'éloigne-t-elle de la lentille ?

b) Évalue la distance focale de la lentille.

c) On place l'objet à 40 cm de la lentille ; l'image est-elle située à : *14,5 cm* ; *11,5 cm* ; *20 cm* ?

d) On recueille une image nette lorsque l'écran est situé à 100 cm de la lentille.
L'objet est-il situé à *9,9 cm* ou à *10,9 cm* de la lentille ?

11 Fais des expériences

Demande à deux camarades hypermétropes de te prêter leurs lunettes.

a) Comment vérifies-tu que les verres de ces lunettes sont convergents ?

b) Comment procèdes-tu pour savoir quels sont les verres les plus convergents ?

12 Prévois le résultat d'une expérience

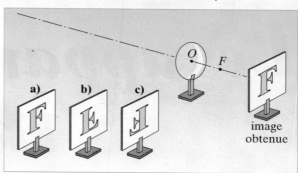

Lequel de ces trois objets a pu donner l'image représentée sur l'écran ?

13 Sciences de la Vie et de la Terre

Un microscope, utilisé en S.V.T., possède un oculaire de vergence 80 dioptries.

Quelle est la distance focale de cet oculaire ?

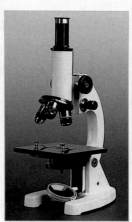

Le petit curieux

Dépose délicatement une goutte d'eau sur une vitre ou sur une règle plate en matière plastique transparente.

Observe un petit objet ou les lettres d'un texte à travers la goutte.

Qu'observes-tu ? Qu'en déduis-tu ?

SOS *Coup de pouce*

Ex. 9 → Reporte-toi au *document* 4 du paragraphe 2, page 202.

Ex. 10 c) et d) → Utilise le résultat de la première question ainsi que le tableau.

Ex. 13 → Reporte-toi aux *documents*, p. 205.

22

Les appareils imageurs

L'ŒIL, l'appareil photographique, le microscope, le caméscope... permettent d'obtenir l'image d'un objet. Ce sont des appareils imageurs. Étudions deux appareils imageurs.

O B J E C T I F S

◆ Être capable d'utiliser un appareil imageur et de décrire son fonctionnement.

◆ Savoir que la vision résulte de la formation d'une image sur la rétine.

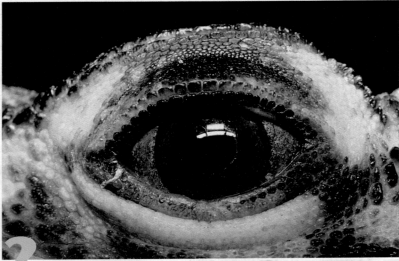

Doc. A. L'œil permet de voir.
Où se forme l'image des objets qu'il observe ?

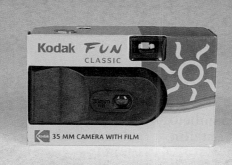

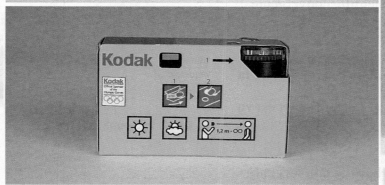

Doc. B. Comment est constitué cet appareil photographique ?

Doc. C. Image d'un acarien vu au microscope (× 1 000). Combien de lentilles comporte un microscope ?

Doc. D. Qu'est-ce qui est commun à un caméscope et à un appareil photographique ?

1 L'œil

1.1. Description et schématisation

La lumière qui pénètre dans notre œil traverse des milieux transparents : la cornée, l'humeur aqueuse, le cristallin, l'humeur vitrée sont transparents *(doc. 1)*.
Cet ensemble se comporte comme une lentille convergente.

La lumière arrive sur la rétine, qui joue le rôle d'un écran sensible à la lumière.

L'œil donne d'un objet éclairé une image renversée sur la rétine *(doc. 2 et doc. A, p. 208)*.
Des messages sont alors transmis au cerveau, et l'objet est vu redressé.

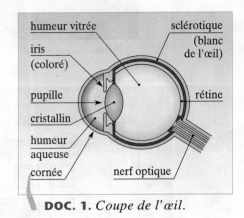

DOC. 1. *Coupe de l'œil.*

> **On peut schématiser l'œil par une lentille convergente et par une feuille de papier-calque jouant le rôle de la rétine** *(doc. 3).*

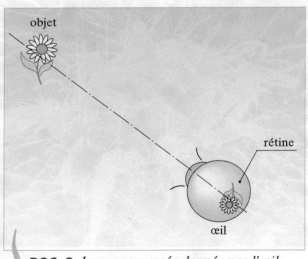

DOC. 2. *Image renversée donnée par l'œil.*

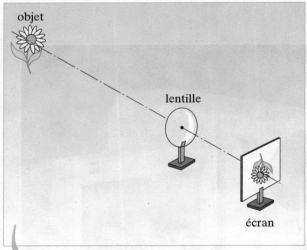

DOC. 3. *Schématisation de l'œil.*

▶ *Pour t'entraîner → Ex. 4.*

1.2. Pourquoi l'image se forme-t-elle toujours sur la rétine ?

Nous avons vu que, lorsqu'on modifie la distance objet-lentille, il faut, pour obtenir une image nette, modifier la distance lentille-écran *(voir chapitre 21, p. 203)*.

Dans l'œil, cette distance n'est pas modifiable. Or, un œil normal voit toujours une image nette. En effet, **la distance focale de l'œil peut varier : l'œil accommode.**

Ce sont des muscles qui, en contractant ou en étirant le cristallin, permettent de modifier la distance focale.

2 Quelques appareils imageurs

Les appareils imageurs : appareil photographique, microscope (*doc. C, p. 209*), comportent généralement plusieurs lentilles.

2.1. L'appareil photographique

■ Constitution

L'appareil photographique jetable (*doc. B, p. 209*), schématisé sur le *document 4*, comporte :

– **un boîtier** : boîte étanche à la lumière ;
– **un objectif** : équivalent à une lentille convergente ;
– **un diaphragme** : trou par lequel la lumière pénètre dans le boîtier après avoir traversé l'objectif ;
– **un obturateur** : sorte de rideau qui ferme le diaphragme ;
– **un déclencheur** : bouton qui commande l'ouverture de l'obturateur ;
– **une pellicule** : film en matière plastique recouvert d'une substance sensible à la lumière, situé au fond du boîtier.

■ Principe de fonctionnement

> **L'objectif est équivalent à une lentille convergente. Il donne d'un objet éclairé une image renversée, située sur la pellicule (*doc. 5*).**

Pour faire apparaître l'image, la pellicule doit subir un traitement appelé **développement**.

▶ *Pour t'entraîner → Ex. 5 et 8.*

2.2. La caméra et le caméscope

Le principe de la caméra est analogue à celui d'un appareil photographique qui réalise des prises de vue successives.

Le caméscope comprend une caméra et un magnétoscope (*doc. D, p. 209*). La caméra comporte un objectif et un écran (recouvert de cellules C.C.D. sensibles à la lumière) sur lequel l'image se forme. Le magnétoscope enregistre l'image sur une bande magnétique ou sur une disquette (magnétoscopes numériques).

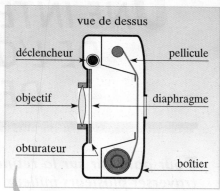

DOC. 4. *Schéma d'un appareil photographique jetable.*

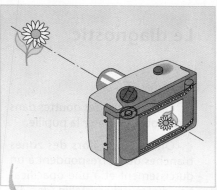

DOC. 5. *Image renversée donnée par l'objectif.*

Retiens l'essentiel

L'œil donne d'un objet éclairé une image renversée sur la rétine.

L'œil peut être schématisé par une lentille convergente et un écran. Sa distance focale est variable.

Un appareil photographique est constitué d'un objectif, équivalent à une lentille convergente, qui donne d'un objet éclairé une image renversée sur la pellicule.

UNE INTERVENTION COURANTE DE L'ŒIL : LA CHIRURGIE DE LA CATARACTE

Pour parvenir sur la rétine et former une image, la lumière doit traverser plusieurs milieux transparents, dont le cristallin.

Le cristallin peut devenir opaque en vieillissant ou lors d'un choc avec un corps étranger. Cette affection est appelée la **cataracte**.

Comment la traite-t-on ?

▼ Le diagnostic

On introduit des gouttes dans l'œil pour en dilater la pupille.

On aperçoit alors des zones blanches qui correspondent à un durcissement et à une opacification du cœur du cristallin *(doc. 1)*.

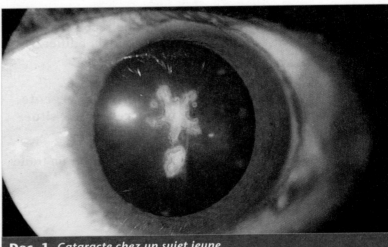

Doc. 1. *Cataracte chez un sujet jeune.*

▼ Le traitement

Il se fait par voie chirurgicale.

En 1976, l'Américain Charles KELMAN a inventé un appareil permettant, à travers une incision minuscule, d'enlever le cristallin après l'avoir fragmenté avec des ultrasons, sous anesthésie.

Le cristallin est ensuite remplacé par un implant, petite lentille en matière plastique *(doc. 2)*.

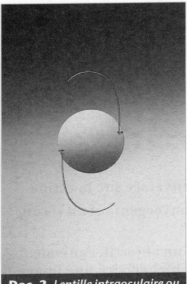

Doc. 2. *Lentille intraoculaire ou implant.*

QUESTIONS ❓

1. Cherche dans le dictionnaire la définition des mots *opacification* et *diagnostic*.

2. Quelle est la signification du terme « opaque ». Quel est le mot de sens contraire ?

3. Pourquoi l'opacité du cristallin est-elle gênante ?

4. Recherche dans une encyclopédie en quoi consistent les ultrasons.

5. Connais-tu d'autres applications médicales des ultrasons ?

Exercices

Sais-tu l'essentiel ?

1 Définis un appareil imageur

a) Qu'est-ce qu'un appareil imageur ?

b) Cite des appareils imageurs comportant des lentilles.

2 Situe les images

a) Sur quelle partie de l'œil se forment les images ? Sont-elles droites ou renversées ?

b) Sur quelle partie de l'appareil photographique se forment les images ?
Sont-elles droites ou renversées ?

3 Étudie l'œil

a) Quelles sont les parties transparentes de l'œil ? À quoi sont-elles équivalentes ?

b) En quoi consiste l'accommodation ?

Applique le cours

4 Complète le schéma de l'œil

a) Reproduis le schéma de l'œil et complète la légende.

b) Quelles sont les parties de l'œil qui se comportent comme une lentille convergente ?

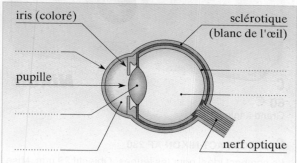

5 Complète le schéma de l'appareil photographique

Reproduis le schéma de l'appareil photographique ci-dessous et complète la légende.

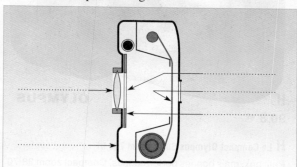

Utilise tes connaissances

Étudie le fonctionnement d'un appareil photographique (ex. 6 et 7)

6 Pourquoi un appareil photographique possède-t-il un obturateur ?

Pourquoi, par temps sombre, faut-il utiliser un flash pour photographier un objet ?

7 Examine les photos du *document* B, page 209.

a) Où doit se situer un objet pour être photographié avec cet appareil ?

b) À quelle distance de l'objectif se trouve la pellicule ?

8 Compare un œil et un appareil photographique

a) Dans l'œil, quelles sont les parties équivalentes à un objectif ? à une pellicule ?

b) Dans ces appareils imageurs, l'image formée est-elle renversée ?

9 Précise le fonctionnement d'un appareil photographique

François photographie une maison très éloignée, à l'aide d'un appareil photographique dont la distance focale est de 50 mm.
Quelle est la distance entre la pellicule et l'objectif ? Pourquoi ? L'image est-elle droite ou renversée ?

10 *Éducation du citoyen*

Comment choisir son appareil photographique ?

Voici l'extrait d'un catalogue par correspondance (d'après Camif, automne-hiver 1998-1999).

NOTRE SÉLECTION MARQUE/MODÈLE	objectif focale (mm) format 24 × 36	nombre d'ouverture	mise au point mini (m)	vitesse d'exposition	dimensions (L/H/P en cm)	poids (g)	prix
Nikon AF 230	29	4,5	1,30	1/125^e	11,8 × 6,5 × 4,2	165	60 €
Olympus Super-zoom 700 BF	38/70	5,6-9,6	1	1/125^e	13 × 7,7 × 5,3	255	90,8 €
Minolta Rivazoom 70	35/70	5,3-9,8	1,30	1/200^e	12,9 × 7,3 × 5,3	245	106,1 €

Mise au point indiquée dans le viseur

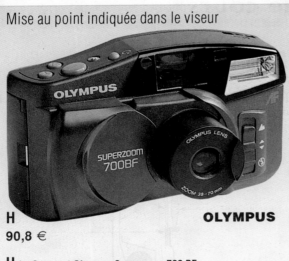

H   **OLYMPUS**

90,8 €

H Le Compact Olympus Superzoom 700 BF

Petit prix, mais bonnes performances. Compact zoom 38/70 mm dont le viseur indique la zone de mise au point. Mise au point mémorisable. Rembobinage automatique du film (possible en cours de film). Alimentation 2 piles 1,5 V (fournies).

Idéal pour les photos de paysage

C   **Nikon**

60 €
Grand angle 29 mm

C LE COMPACT NIKON AF 230

Le compact idéal pour les jeunes. Objectif 29 mm. Mise au point automatique par infrarouge mémorisable. Flash intégré avec déclenchement automatique en basse lumière. Alimentation 2 piles 1,5 V AA alcalines (non fournies).

Point info

• **Distance minimale de mise au point**

C'est la plus petite distance entre l'objet et l'appareil photographique pour obtenir une image nette.

• **Focale**

Distance focale *f* de l'objectif.
– *f* < 40 mm : grand angle (champ élargi) ;
– *f* > 70 mm : téléobjectif (« rapprochement » du sujet).

• **Zoom**

Objectif à distance focale réglable.

• **Nombre d'ouverture**

C'est un nombre qui est d'autant plus grand que le diamètre du diaphragme est petit.
Plus le diamètre du diaphragme est grand, plus il est commode de photographier dans des conditions d'éclairage difficiles.

• **Vitesse d'exposition**

Durée d'ouverture du diaphragme, exprimée en fraction de seconde.

1) Étude du Nikon AF 230

a) Quelle est la distance focale de cet appareil ? Justifie le terme « idéal pour les photos de paysage » (voir Point info).

b) Peut-on photographier avec cet appareil une fleur située à 50 cm de l'objectif ?

c) La « vitesse d'exposition » donne la durée d'ouverture du diaphragme.
Calcule cette durée en seconde.

d) Si l'éclairage n'est pas suffisant, est-ce que le flash se déclenche automatiquement ?

e) Est-il nécessaire de faire une mise au point ?

2) Étude comparative du Nikon AF 230 et de l'Olympus Superzoom 700 BF

a) Indique :
– ce qui est commun à ces deux appareils ;
– ce qui les différencie.

b) Lequel de ces deux appareils peut mieux photographier dans des conditions d'éclairage difficiles (voir Point info) ?

c) Lequel de ces deux appareils est adapté pour photographier des objets de près ?

d) Qu'est-ce qui permet de justifier la différence de prix entre ces deux appareils ?

3) Étude du Minolta Rivazoom 70

a) Quelle particularité la distance focale de cet appareil présente-t-elle ?

b) Cet appareil permet-il de photographier :
– un objet éloigné ;
– un objet proche ?
Indique, dans ce dernier cas, quelle est la distance minimale du sujet à photographier.

c) Si l'on compare l'Olympus Superzoom 700 BF et le Minolta Rivazoom 70, quel est l'appareil le mieux adapté pour photographier un sportif se déplaçant rapidement ?

11 (SOS) Étudie un projecteur de diapositives

L'objectif du projecteur de diapositives peut être assimilé à une lentille mince de 28 mm de distance focale. L'image de la diapositive est projetée sur un écran situé au fond de la salle.

a) Dans quel ordre sont disposés l'objectif, la source de lumière, l'écran, la diapositive ?

b) À quelle distance de l'objectif est placée la diapositive ? Pourquoi ?

12 Utilise des jumelles

Procure-toi des jumelles et utilise-les à l'envers pour observer :

a) un objet très éloigné ;

b) des lettres de ton livre en plaçant les jumelles près du texte.

Décris ce que tu observes.

13 Utilise un appareil photographique jetable

Observe l'appareil photographique jetable du *document* B, p. 209.

Que représentent les trois indications du bas figurant au dos de l'appareil ?

Le petit curieux

a) Lorsqu'on achète une pellicule 24 x 36, à quoi correspondent ces nombres ?

b) Quelle est la différence entre un « négatif » et une diapositive ?

(SOS) Coup de pouce

Ex. 11 → Reporte-toi à la leçon précédente : « Image d'un objet donnée par une lentille convergente », pages 203 et 204.

Accumulateur (électrique) : dipôle qui emmagasine de l'énergie sous forme chimique, puis la restitue sous forme électrique. Les accumulateurs sont rechargeables.

Acide : dans le langage courant, cet adjectif caractérise une saveur aigre, piquante. En chimie, il désigne une substance qui, en solution dans l'eau, donne des ions hydrogène H^+. Une solution acide a un pH inférieur à 7.

Acide chlorhydrique : solution de chlorure d'hydrogène contenant des ions hydrogène H^+ et des ions chlorure Cl^-.
Il a pour formule : $(H^+ + Cl^-)$.

Acier : alliage de fer et de carbone contenant moins de 2 % de carbone.

Action mécanique : une action mécanique exercée sur un objet peut le mettre en mouvement, modifier sa trajectoire ou sa vitesse, le déformer.

Adaptateur (électrique) : appareil permettant d'obtenir, à partir de la tension alternative du secteur, une tension continue adaptée au fonctionnement d'un appareil électrique.

Alternateur : machine destinée à produire des courants alternatifs ; par exemple l'alternateur de bicyclette.

Alternatif : qualifie un mouvement qui s'effectue tantôt dans un sens, tantôt dans l'autre.

Aluminium : métal qui fond à 600 °C et bout à 2 470 °C. Ce métal, très léger (2,7 kg/dm^3), entre dans la composition de nombreux alliages utilisés dans les emballages, les câbles électriques, les véhicules de transport...

AMPÈRE André-Marie (1775-1836) : physicien français. Il a notamment ouvert la voie aux recherches sur l'électromagnétisme.

Ampère (symbole : A) : unité de l'intensité du courant électrique.

Amphore : vase en terre cuite à deux anses utilisé dans l'Antiquité pour transporter l'huile, le blé, le vin...

Anhydre : caractérise une substance qui ne contient pas d'eau.

Anion : résulte d'un atome ou d'un groupe d'atomes ayant gagné des électrons. Un anion a une charge négative.

Atome : particule formée d'un noyau et d'un nuage d'électrons.

Bar : unité de pression, égale à 100 000 pascals ou 1 000 hectopascals.

Basique : caractérise une solution dont le pH est supérieur à 7.

Bec Bunsen : brûleur à gaz utilisé dans les laboratoires.

Butane : hydrocarbure facilement liquéfiable, de formule C_4H_{10}. Il est produit à partir du pétrole.

Calibre d'un multimètre : valeur maximale de la grandeur que peut mesurer le multimètre (tension, intensité ou résistance).

Caméscope : appareil portatif réunissant dans le même boîtier une caméra électronique et un magnétoscope.

Carbonate : ion de formule CO_3^{2-}. Le carbonate de sodium a pour formule : $(2\,Na^+ + CO_3^{2-})$.

Carburant : produit qui contient une matière combustible (un hydrocarbure, par exemple).

Cation : provient d'un atome ou d'un groupe d'atomes ayant perdu des électrons. La charge d'un cation est positive.

C.C.D. : détecteur de lumière utilisé en vidéo, constitué d'une mosaïque de cellules photosensibles.

C.F.C. : chlorofluorocarbone. Substance utilisée dans les bombes aérosols, dangereuse pour la couche d'ozone.

Chlorure : l'ion chlorure Cl^- possède une charge négative. Exemples : chlorure de sodium $(Na^+ + Cl^-)$, chlorure de fer II $(Fe^{2+} + 2\,Cl^-)$, chlorure de fer III $(Fe^{3+} + 3\,Cl^-)$.

Comburant : substance (le dioxygène le plus souvent) qui se combine à un combustible et qui permet une combustion.

Combustible : substance qui peut brûler.

Combustion : réaction chimique vive dont l'un des réactifs (le comburant) est très souvent le dioxygène.

Combustion complète et incomplète : une combustion est complète si les produits obtenus ne peuvent plus se combiner avec du dioxygène. Dans une combustion incomplète, les produits de la réaction peuvent encore brûler.

Condensateur : dipôle utilisé en électronique, capable d'emmagasiner de l'énergie électrique.

Conducteur ohmique (ou résistance) : dipôle dont la tension aux bornes, U, est proportionnelle à l'intensité du courant I qui le traverse. Il est caractérisé par sa résistance R, telle que $U = R.I$.

Conductivité : grandeur qui permet de caractériser l'aptitude d'un matériau à conduire le courant électrique.

Corrosif : qui corrode, qui ronge.

Corrosion : détérioration superficielle des métaux d'origine chimique ou électrochimique.

Courant alternatif : courant qui circule tantôt dans un sens, tantôt dans l'autre.

Cuivre : métal de couleur brun-orangé qui fond à 1 083 °C. Un dm^3 de cuivre a une masse de 8,9 kg. Très bon conducteur de l'électricité.

D.E.L. : diode électroluminescente. Elle s'éclaire quand le courant la traverse dans un sens.

Démocrite (vers 460-370 av. J.-C.) : philosophe grec, un des pères de la notion d'atome.

Densité : rapport de la masse d'un corps à la masse du même volume d'eau (ou du même volume d'air dans le cas d'un gaz).

Diazote : gaz de formule N_2, constituant les 4/5, en volume, de l'air.

Dioptrie : unité de mesure utilisée pour les lentilles ou les lunettes ; elle mesure la convergence égale à $1/f$, avec f : distance focale de la lentille (en m).

Dioxygène : gaz constituant de l'air (1/5 en volume) de formule O_2. Il permet les combustions.

Dipôle : appareil électrique ne comportant que deux bornes.

Disjoncteur : interrupteur automatique du courant commandé par une variation brusque de la tension ou de l'intensité électrique.

Dynamomètre : appareil de mesure de l'intensité (ou de la valeur) d'une force. Il est gradué en newton (N) ou en décanewton (1 daN = 10 N).

Écran : surface diffusante sur laquelle peuvent être projetées des images. Écran thermique : panneau servant à se protéger de la chaleur.

Électro-aimant : appareil constitué d'un noyau en fer et d'un bobinage dans lequel on fait passer un courant électrique. Il devient alors équivalent à un aimant.

Électrocardiographe : appareil enregistrant les courants électriques qui accompagnent les contractions du cœur. Les électrocardiogrammes obtenus permettent de déceler d'éventuelles affections.

Électrocution : mort accidentelle causée par le courant électrique.

Électro-encéphalographie : enregistrement graphique, au moyen d'électrodes placées à la surface du crâne, des tensions électriques qui se produisent au niveau de l'écorce cérébrale.

Électron : particule de l'atome qui porte une charge négative. Dans les métaux, ce sont les électrons qui assurent le passage du courant électrique.

Faisceau de lumière : ensemble de rayons lumineux issus d'une même source.

FARADAY Michaël (1791-1867) : physicien et chimiste anglais. Il découvrit le phénomène expliquant le fonctionnement des transformateurs, des alternateurs et des moteurs.

Focale (distance) : distance entre le foyer et le centre de la lentille.

Fonte : alliage de fer et de carbone dont la teneur en carbone est supérieure à 2 %.

Foyer (d'une lentille) : le foyer (noté F) d'une lentille convergente est le point où converge la lumière lorsque la lentille est traversée par un faisceau de rayons parallèles à son axe.

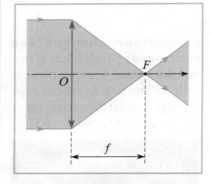

Fréquence : nombre de fois qu'un phénomène périodique se produit pendant une seconde. Elle s'exprime en hertz (Hz).

Gaz naturel : hydrocarbure gazeux essentiellement constitué de méthane (CH_4).

Générateur électrique : un générateur électrique fait circuler un courant électrique dans un circuit. Un générateur (B.F.) délivre une tension variable, de fréquences comprises entre quelques dizaines de hertz et des dizaines de kilohertz. Un générateur T.B.F. délivre une tension variable, de fréquences très faibles (0,01 Hz à une dizaine de hertz).

G.P.L. : gaz de pétrole liquéfié. C'est un mélange de butane (C_4H_{10}) et de propane (C_3H_8). Il est stocké sous forme

liquide, sous une pression de 8 à 10 bars.

Gravitation : attraction qui s'exerce entre les corps. La gravitation s'exerce à l'intérieur des noyaux des atomes aussi bien qu'entre les planètes.

Hydraté : une substance hydratée est une substance qui a fixé de l'eau.

Hydrocarbure : composé constitué uniquement d'atomes de carbone et d'hydrogène.

Incandescent : un corps incandescent émet de la lumière quand on le chauffe fortement.

Incinérateur : appareil servant à brûler les déchets et les ordures.

Intensité efficace d'un courant alternatif : c'est l'intensité d'un courant électrique continu qui produit le même effet, thermique dans une résistance ou lumineux dans une lampe à incandescence, que le courant alternatif. L'intensité efficace d'un courant alternatif sinusoïdal se mesure avec un multimètre. Elle est reliée à la valeur maximale I_m du courant par : $I_m = \sqrt{2}.I$.

Intoxication : introduction ou accumulation d'un corps toxique dans l'organisme.

Ion : provient d'un atome ou d'un groupement d'atomes ayant perdu ou gagné un ou plusieurs électrons.

Joule : unité de mesure de l'énergie.

Kilowatt : unité de puissance (1 kW = 1 000 W).

Kilowattheure (kWh) : unité d'énergie (1 kWh = 3 600 000 J).

Laser : source de lumière très puissante. Le terme L.A.S.E.R. est constitué des initiales des mots : Light Amplification by Stimulated Emission of Radiation (amplification de lumière par émission stimulée de radiations).

Lavoisier Antoine-Laurent de (1743-1794) : chimiste français. Il fut le créateur de la chimie moderne.

Lentille : objet transparent limité par deux surfaces.

Leucippe (vers 460 -370 av. J.-C.) : philosophe grec fondateur de l'atomisme.

Logo (logotype) : groupe de lettres ou de signes qui sert d'emblème à une société, à une marque commerciale, à une idée.

Loi d'Ohm : aux bornes d'une résistance, la tension U est proportionnelle à l'intensité I du courant qui la traverse.

Magnésie : oxyde de magnésium de formule MgO.

Masse : grandeur liée à la quantité de matière que contient un objet. Le kilogramme est une unité de masse.
En un lieu, la masse et le poids d'un objet sont liés par la relation $P = m.g$, g étant l'intensité de la pesanteur. À Paris, $g = 9,81$ N.kg^{-1}.

Matériau : toute matière entrant dans la composition d'un objet.

Matériau composite : matériau présentant une grande résistance ; il est constitué de fibres (verre, bore, silice, graphite, alumine) maintenues par un liant (résine, aluminium).

Matière organique : matière qui provient d'organismes et de tissus vivants. Elle contient des atomes de carbone.

Matières plastiques : produits constitués de substances organiques auxquelles on a ajouté des composés destinés à améliorer leurs caractéristiques. La corne, l'écaille, la gélatine sont des matières plastiques naturelles. Les matières plastiques synthétiques sont fabriquées à partir des dérivés du pétrole ou du charbon. Les matières plastiques artificielles sont obtenues à partir de produits naturels (cellophane, nitrocellulose).

Neutre (acidité) : une solution est neutre du point de vue de son acidité si son pH est égal à 7.

Neutre (atome) : un atome est électriquement neutre, car la charge positive du noyau est opposée à celle des électrons.

Neutre (fil électrique) : fil ou câble utilisé pour transporter le courant électrique et dont la tension électrique par rapport à un point du sol est nulle.

Neutre (solution ionique) : une solution ionique est électriquement neutre, car la charge des ions positifs est opposée à celle des ions négatifs.

Newton Isaac (1642-1727) : astronome, mathématicien et physicien anglais. Célèbre pour ses travaux sur l'attraction universelle.

Newton (symbole : N) : unité de mesure de la valeur d'une force (1 daN = 10 N).

Nitrate d'argent : de formule $(Ag^+ + NO_3^-)$; il sert de test pour les ions chlorure en donnant un préci-pité de chlorure d'argent qui noir-cit à la lumière.

Nominale (valeur) : valeur d'une grandeur électrique (inten-sité, tension, puissance) pour le fonctionnement normal d'un appa-reil électrique.

Nylon : textile synthétique, à base de polyamide, utilisé pour fabriquer des fils et des tissus.

Ohm Georg (1787-1854) : phy-sicien allemand qui a découvert certaines lois fondamentales des circuits électriques.

Ohm (symbole : Ω) : unité de résistance électrique.

Oxydation : fixation d'oxygène sur un corps. La corrosion lente des métaux est due à une oxydation. La combustion vive est une oxydation.

Oxyde : composé résultant de la combinaison du dioxygène avec un autre élément. Par exemple : oxydes de fer $(Fe_3O_4 ; FeO)$, oxyde de zinc (ZnO), alumine (Al_2O_3), oxydes de cuivre $(CuO ; Cu_2O)$.

Ozone : gaz de formule O_3, de cou-leur légèrement bleutée.
À haute altitude, il nous protège des rayons U.V. du soleil.
Au sol, il est très irritant pour les voies respiratoires.

Pascal (symbole : Pa) : unité de pression. La pression atmo-sphérique normale vaut environ 1 000 hPa.

Période : intervalle de temps qui s'écoule entre deux passages suc-cessifs par le même état d'une gran-deur périodique. La période T se mesure en seconde : $T = 1/f$, avec f : la fréquence (en Hz).

pH : coefficient caractérisant l'état acide (pH < 7), basique (pH > 7), ou neutre (pH = 7) d'une solution.

Phase (fil de) : fil ou câble uti-lisé pour transporter le courant élec-trique. Dans les installations domes-tiques, la valeur de la tension efficace entre le fil de phase et le neutre est de 230 V.

Pluies acides : pluies chargées de substances acides d'origine industrielle (oxydes de soufre et d'azote), nuisibles à la végétation.

Polyamide : matière plastique contenant des atomes de carbone, d'hydrogène, d'azote et d'oxygène.

Polychlorure de vinyle (P.V.C.) : matière plastique contenant des atomes de chlore. Il est dangereux de faire brûler des objets en P.V.C.

Polyéthylène : matière plastique obtenue par polymérisation de l'éthylène (C_2H_4) utilisée pour fabriquer des récipients souples, des tuyaux, des bouteilles…

Polymérisation : réaction chi-mique constituant en l'union de molécules d'un même composé (monomère) en une seule molécule plus grosse (macromolécule).

Polystyrène : matière plastique obtenue par polymérisation du styrène.

Potentiomètre : résistance réglable servant, selon son branchement, de divi-seur de tension ou de rhéostat. Il comporte trois bornes.

Précipité : corps solide insoluble, formé au sein d'un liquide au cours d'une réaction chimique. Les ions métalliques $(Fe^{2+}, Fe^{3+}, Zn^{2+}, Cu^{2+})$ donnent, avec l'ion OH^- de la soude, des précipités caractéristiques.

Prise (de terre) : piquet en acier inoxydable ou en cuivre, enfoncé dans la terre, à l'extérieur d'une mai-son. Il permet d'écouler les courants de fuite en cas de mauvais fonc-tionnement d'un appareil électrique.

Profondeur de champ : inter-valle dans lequel doit être situé un objet pour que son image soit nette à travers une lentille.

Propergol : substance ou ensemble de substances dont la réaction chimique produit l'énergie utilisée pour la propulsion des fusées.

Puissance : énergie fournie par unité de temps ; sa valeur s'exprime en watt (symbole : W).
1 kW = 1 000 W ;
1 cheval-vapeur (CV) = 736 W.

Puissance électrique : énergie fournie à un dipôle électrique pendant une seconde :

$$P = U.I. \; ; \; E = P.t.$$

Rayons infrarouges : rayonnement invisible situé dans l'extrémité rouge du spectre de la lumière blanche. Les rayons infrarouges sont émis par des substances chaudes : les résistances chauffantes, par exemple.

Rayons ultraviolets (U.V.) : rayons invisibles, situés dans l'extrémité violette du spectre de la lumière blanche.

Redresseur (en électricité) : appareil servant à transformer un courant alternatif en courant de sens constant.

Résistance : dipôle encore appelé conducteur ohmique. On définit aussi une grandeur caractéristique, « résistance », exprimée en ohm (Ω), de ce dipôle.

Rhéostat : résistance variable permettant de modifier la valeur de l'intensité d'un courant électrique dans un circuit.

Rouille : mélange complexe de différents oxydes et hydroxydes de fer obtenus lors de la corrosion lente du fer à l'air humide. Elle contient entre autres des produits de formule Fe_3O_4, $(Fe_2O_3 ; H_2O)$, $Fe(OH)_2$…

Sélecteur : bouton d'un multimètre qui permet de choisir la grandeur et le calibre désirés (intensité, tension, résistance…).

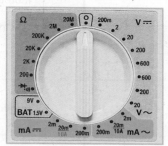

Sinusoïde : courbe qui traduit les variations d'une fonction périodique $y = f(x)$ ou $x = f(t)$. Elle a l'aspect d'une série de vagues.

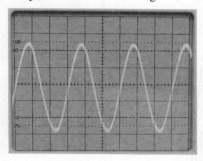

Téléobjectif : objectif photographique de grande distance focale.

Tension efficace : la valeur efficace U d'une tension sinusoïdale est égale à la valeur maximale U_m de la tension divisée par $\sqrt{2}$:

$$U = U_m/\sqrt{2}.$$

Transformateur : appareil électrique qui sert à abaisser ou à élever la valeur efficace d'une tension alternative.

Vitrail : panneau fait de morceaux de verre peints et assemblés au moyen de plomb. Les vitraux étaient notamment utilisés dans les cathédrales au Moyen Âge.

Volt (symbole : V) : unité de mesure de la tension électrique.

VOLTA Alessandro (1745-1827) : physicien italien qui inventa la pile électrique.

WATT James (1736-1819) : ingénieur écossais. Il apporta de multiples perfectionnements à la machine à vapeur.

Zinc : métal qui fond à 419,6 °C et bout à 907 °C. (Un dm^3 de ce métal a une masse de 7,14 kg.) Il est utilisé pour la confection des toitures, des gouttières et pour la protection du fer par galvanisation.

Zoom : objectif photographique dont on peut faire varier la distance focale.

TABLEAU DES SYMBOLES

fil électrique		conducteur ohmique (résistance)	
fils sans contact électrique		moteur	(M)
fils avec contact électrique		ampèremètre	(A)
interrupteur ouvert		diode	
interrupteur fermé		diode électroluminescente	
lampe	⊗	générateur (pile)	

● les puissances de 10

1 000 000	1 000	100	10		0,1	0,01	0,001	0,000 001	0,000 000 001
⇕	⇕	⇕	⇕		⇕	⇕	⇕	⇕	⇕
méga	kilo	hecto	déca		déci	centi	milli	micro	nano
⇕	⇕	⇕	⇕		⇕	⇕	⇕	⇕	⇕
10^6	10^3	10^2	10		10^{-1}	10^{-2}	10^{-3}	10^{-6}	10^{-9}

● mesure des grandeurs physiques

grandeurs physiques	instruments de mesure	unités (symboles)
longueur	règle graduée	mètre (m)
masse	balance	kilogramme (kg)
temps	chronomètre	seconde (s)
intensité	ampèremètre	ampère (A)
température	thermomètre	degré Celsius (°C)
tension	voltmètre	volt (V)
résistance	ohmmètre	ohm (Ω)

● tableau des unités de longueur et des unités de masse

	multiples			unité	sous-multiples		
	1 000	100	10	1	0,1	0,01	0,001
	10^3	10^2	10^1	——	10^{-1}	10^{-2}	10^{-3}
unités de longueur	kilomètre (km)	hectomètre (hm)	décamètre (dam)	mètre (m)	décimètre (dm)	centimètre (cm)	millimètre (mm)
unités de masse	tonne (t)	quintal (q)	——	kilogramme (kg)	hectogramme (hg)	décagramme (dag)	gramme (g)

● les sous-multiples du gramme

1	0,1	0,01	0,001
gramme (g)	décigramme (dg)	centigramme (cg)	milligramme (mg)

● tableau des unités de surface

	multiples			unité	sous-multiples		
	1 000 000	10 000	10	1	0,01	0,0001	0,000 001
	10^6	10^4	10^1	——	10^{-2}	10^{-4}	10^{-6}
	kilomètre carré (km²)	hectomètre carré (hm²) (hectare)	décamètre carré (dam²) (are)	mètre carré (m²)	décimètre carré (dm²)	centimètre carré (cm²)	millimètre carré (mm²)

● tableau des unités de volume et de capacité

	multiples			unité	sous-multiples		
	1 000	100	10	1	0,1	0,01	0,001
	10^3	10^2	10^1	——	10^{-1}	10^{-2}	10^{-3}
unités de volume	mètre cube (m³)	——	——	décimètre cube (dm³)	——	——	centimètre cube (cm³)
unités de capacité	——	hectolitre (hL)	décalitre (daL)	litre (L)	décilitre (dL)	centilitre (cL)	millilitre (mL)

En savoir plus avec Internet*

Attention ! les adresses peuvent changer... Nous indiquons en gras le site, le reste de l'adresse est très mouvant. Certains sites ne fonctionnent qu'avec Netscape ou Internet Explorer.

Électricité

■ **Induction**
http://www.psa.fr/psaDD0014.html

■ **Physique du transformateur**
http://www.gel.ulaval.ca/~odin/circuits_84.html

■ **Voiture électrique**
http://www.ville-larochelle.fr/
http://legh722.enoieg.inpg.fr/cuelec

■ **TGV**
http://www.sncf.fr/co/materiel/tgv/index.htm

■ **EDF**
http://www.edf.fr/html/fr/index.html

■ **Production d'électricité**
http://paprika.saclay.cea.fr/edit/iu95/271.html
http://www.electrabel.be/fr/col2/col2_02.htm

■ **Batteries**
http://www.lci.espci.fr/activites/

■ **Alternateur**
http://pages.intnet.mu/llb/%E9l%E8ves/expobagasse/alter
nat.htm

■ **Éolienne**
http://www.cole.org/

■ **Chauffage électrique**
http://www.convectair.ca/

Mécanique

■ **Serveur brgm**
http://www.brgm.fr/

■ **Terre et géode**
http://www.insu.cnrs-dir.fr/Documentation/Insu_doc/
idyl.html

http://geoscope.ipgp.jussieu.fr/

■ **Vitesse**
http://www.speedx2.com/fr/index.html
http://ambafrance.org/ENFANTS/ENG/forcemou.html
http://www.ac-strasbourg.fr:80/Etablissements/belair/
projhtml/vitesse.htm

■ **Gravitation**
http://www.androide.com/~a5383035/Amuse/theorie.htm
http://eopg.u-strasbg.fr/obsgrav/Accueil.html
http://www.evalutel.fr/elec/elec0107.html
http://www.elf.fr/odyssée/fr/genese/grav
http://www.ggl.ulaval.ca/

■ **Satellite Spot**
http://www.spotimage.fr/welcome.htm

Lumière

■ **L'œil et la vision**
http://www.md.ucl.ac.be/nefy/vis-Contents.html
http://www.mlink.net/~biopress/bpvol2no11.html

■ **Les illusions d'optique**
http://www.loginnovation.com/rogerg/illusion/
http://www.worldofescher.com/
Glan Gauthier@Enter-Net.com
http://www.illusionworks.com/
http://www.grand-illusions.com/

■ **Lentilles et images**
http://CyberScol.qc.ca/classes/physique/p1/chap5html/5_
imalentochc.html
http://www.sciences.univ-nantes.fr/physique/enseignement/
capes

■ **Les anomalies de la vision**
http://www.mlink.net/~biopress/bpvol2no11.html

* Les adresses correspondant à la partie Matière sont recensées p. 6.

Imprimé en Italie par G. Canale & C. S.p.A. - Borgaro T.se
Dépôt légal: 62957-08/2005 - Collection: 55 - Édition 11
12/5186/7

A – DES MATÉRIAUX AU QUOTIDIEN

1. Quelques propriétés des matériaux (durée conseillée : 10 h).

EXEMPLES D'ACTIVITÉS	CONTENUS-NOTIONS	COMPÉTENCES
Qu'est-ce qui distingue les matériaux ? Comment réalise-t-on un tri sélectif ? – Recherches documentaires sur les emballages de produits alimentaires ; – expériences permettant de distinguer et de classer des matériaux.	Distinction entre objet et matériau. Identification des matériaux constituant un objet. Diversité des matériaux. [*Français, arts plastiques, technologie, histoire, environnement : récupération sélective.*]	Rassembler une documentation sur un sujet donné et restituer à la classe le résultat d'une petite recherche documentaire. Faire la différence entre objet et matériau. Conduire un test permettant de distinguer des matériaux. Connaître quelques classes de matériaux : verres, métaux, matières plastiques.
Qu'est-ce que le courant électrique dans un métal ou dans une solution ? – Étude d'un texte historique sur l'atome ; – étude de documents (textes ou documents multimédias) illustrant la structure microscopique de matériaux (métaux, verres, matières plastiques) ; – réaliser un circuit électrique ; – réaliser une expérience de migration d'ions.	Constituants de l'atome : noyau et électrons. Un ion est un atome ou un groupe d'atomes qui a perdu (ion positif) ou gagné (ion négatif) un ou des électrons. [*S.V.T. : besoins nutritifs, carences alimentaires.*] Un premier modèle du courant électrique dans un métal. Passage du courant électrique dans une solution. Sens du déplacement des ions selon le signe de leur charge.	Connaître les constituants de l'atome : noyau et électrons. Savoir que les atomes sont électriquement neutres. Savoir que les matériaux sont électriquement neutres dans leur état habituel. Savoir que, dans un métal, le courant électrique est un déplacement d'électrons dans le sens opposé au sens conventionnel du courant et qu'il est dû à un déplacement d'ions dans une solution.

2. Comportement chimique de quelques matériaux (durée conseillée : 17 h).

EXEMPLES D'ACTIVITÉS	CONTENUS-NOTIONS	COMPÉTENCES
Que se passe-t-il quand le fer rouille ? – Observer des faits courants associés à la rouille ; – étudier expérimentalement les conditions de formation de la rouille ; – observer l'oxydation complète et à l'air humide d'un échantillon de laine de fer.	Oxydation du fer dans l'air humide. Facteurs de formation de la rouille. L'apparition de taches de rouille correspond à une réaction chimique : l'oxydation du fer par le dioxygène de l'air. Composition de l'air.	Identifier l'oxydation du fer dans l'air humide comme une réaction chimique lente. Il y a corrosion. Comprendre pourquoi le fer pur non protégé ne convient pas pour un emballage : l'oxydation du fer par le dioxygène de l'air en présence d'eau conduit à la formation de rouille. Connaître la composition en volume de l'air en dioxygène et diazote.
Quel autre type d'emballage ? Un exemple : l'aluminium. – Observations courantes ; – étude documentaire sur l'aluminium.	L'aluminium s'oxyde à l'air. Il se forme une couche superficielle d'oxyde imperméable qui protège l'intérieur du métal.	Comprendre le rôle protecteur de l'oxydation superficielle de l'aluminium.
Les métaux peuvent-ils brûler ? – En respectant les règles de sécurité, faire brûler dans l'air de faibles quantités de métaux divisés (fer, cuivre, zinc et aluminium) ; – faire brûler un fil de fer dans le dioxygène pur ; – faire des mesures de masse lors d'une combustion de laine de fer dans l'air.	Réactions exoénergétiques de métaux avec le dioxygène. Influence de l'état de division d'un métal sur sa facilité de combustion. Conservation de la masse au cours d'une réaction chimique. Formules des oxydes ZnO, CuO, Al_2O_3 et Fe_3O_4. Équations-bilans des réactions d'oxydation du zinc, du cuivre, de l'aluminium et du fer. Conservation des atomes. [*S.V.T. : besoins nutritifs en énergie et en matière ; environnement : explosions dans les silos.*]	Interpréter la combustion des métaux divisés dans l'air comme une réaction avec le dioxygène. Savoir que la masse est conservée au cours d'une réaction chimique. Savoir que, lors d'une réaction chimique, les atomes se conservent. Connaître les symboles Fe, Cu, Zn et Al. Interpréter les équations-bilans d'oxydation du zinc, du cuivre et de l'aluminium en termes de conservation d'atomes.
Peut-on faire brûler sans risque les matériaux d'emballage ? – Étude documentaire : danger de la combustion de certaines matières plastiques ; – faire brûler dans un récipient couvert de petits échantillons de carton, de polyéthylène, de polystyrène.	Réactions de matériaux organiques avec le dioxygène. [*S.V.T. : énergie libérée par l'oxydation des nutriments.*] Réactifs. Réaction chimique. Produits. [*S.V.T. : activité cellulaire et réactions chimiques.*]	Prendre conscience du danger de la combustion de certaines matières plastiques. Identifier ces transformations comme des réactions chimiques. Vocabulaire : réactifs, produits. Reconnaître la formation de carbone et de dioxyde de carbone. Savoir qu'il se forme aussi de l'eau et parfois des produits toxiques.
Les matériaux réagissent-ils avec les solutions acides ? avec les solutions basiques ? – Mesurer le pH de quelques solutions acides et basiques usuelles (en particulier, boissons et produits d'entretien) ; observer l'effet d'une dilution sur le pH ; – mettre en évidence le caractère conducteur de ces solutions ; – lire des pictogrammes de sécurité ; – réactions chimiques de l'acide chlorhydrique avec le fer et le zinc, mise en évidence des produits de réaction ; – réactions chimiques de l'aluminium avec la soude (expérience professeur) ; – absence de réaction observable de certaines matières plastiques et du verre avec l'acide chlorhydrique et la soude.	Notion de pH. Sécurité d'emploi des solutions acides ou basiques. Précautions à prendre lors des dilutions. [*Environnement : danger pour le milieu naturel présenté par les solutions trop acides ou trop basiques.*] Réactions chimiques de certains métaux avec des solutions acides ou basiques. Inertie chimique de certains matériaux utilisés pour l'emballage. [*Environnement : pollution engendrée par leur abandon.*]	Identifier les solutions acides (pH inférieur à 7) et les solutions basiques (pH supérieur à 7). Savoir que des produits acides ou basiques concentrés présentent un danger. Réaliser une réaction entre un métal et une solution acide et reconnaître un dégagement de dihydrogène. Mettre en œuvre des critères pour reconnaître une réaction chimique. Distinguer réactifs et produits. Être conscient de la pollution engendrée par l'abandon de matériaux non dégradables.

EXEMPLES D'ACTIVITÉS	CONTENUS-NOTIONS	COMPÉTENCES
Comment mettre en évidence les ions présents dans le milieu avant et après ces réactions ? Mettre en évidence la présence d'ions chlorure et d'ions métalliques par des réactions de précipitation.	Formules de quelques ions. Quelques tests de reconnaissance d'ions.	Citer les constituants d'une solution d'acide chlorhydrique et d'une solution de soude. Connaître les formules des ions H^+, HO^-, Cl^-, Na^+, Zn^{2+}, Cu^{2+}, Al^{3+}, Fe^{2+} et Fe^{3+}.
Comment interpréter les réactions du zinc et du fer avec l'acide chlorhydrique ? Utiliser les résultats des tests de présence d'ions pour interpréter les réactions du zinc et du fer avec l'acide chlorhydrique.	Équations-bilans. Conservation des atomes et de la charge.	Écrire les équations-bilans de l'action entre l'acide chlorhydrique et le fer ou le zinc. Savoir que lors d'une réaction chimique, il y a conservation des atomes et de la charge électrique.

3. Les matériaux dans l'environnement (durée conseillée : 3 h).

B – NOTRE ENVIRONNEMENT PHYSIQUE

1. Mouvement et forces (durée conseillée : 10 h).

EXEMPLES D'ACTIVITÉS	CONTENUS-NOTIONS	COMPÉTENCES
Comment peut-on décrire le mouvement d'un objet ? – Quelques techniques d'observation : observation directe, chronophotographie, exploitation d'images ou de mesures de positions (assistée éventuellement par ordinateur) ; – quelques mouvements : êtres vivants, éléments d'une bicyclette, véhicules, projectiles, fusée, étude documentaire (documents textuels et multimédias) sur le système solaire (mouvements orbitaux et rotations propres des planètes et de leurs satellites) ; – analyse d'un document de sécurité routière.	Observation et description du mouvement d'un objet par référence à un autre objet. Observation de différents types de mouvements. [E.P.S. : activité gymnique.] – Trajectoire ; – sens du mouvement ; – vitesse. [Mathématiques : grandeurs quotient.] Représentations graphiques relatives au mouvement de véhicules : distance parcourue en fonction du temps, vitesse en fonction du temps. Freinage et distance de sécurité.	Reconnaître un état de mouvement ou de repos d'un objet par rapport à un autre objet. Reconnaître un mouvement accéléré, ralenti, uniforme. Être capable de calculer, à partir de mesures de longueur et de durée, une vitesse moyenne exprimée en mètre par seconde (m/s ou m.s⁻¹) et en kilomètre par heure (km/h ou km.h⁻¹). Connaître des ordres de grandeur de vitesse. Savoir interpréter un graphique relatif au mouvement rectiligne d'un véhicule.
Pourquoi le mouvement d'un objet est-il modifié ? Pourquoi un objet se déforme-t-il ? – À partir de situations mises en scène en classe ou de documents vidéo, inventorier les actions de contact (actions exercées par des solides, des liquides, des gaz) ou à distance (action magnétique, électrique, de gravitation, poids) ; – utiliser un dynamomètre.	Action exercée sur un objet (par un autre objet), effets observés : – modification du mouvement, – déformation. Modélisation d'actions par des forces. Représentation d'une force localisée par un vecteur et un point d'application. Équilibre ou non-équilibre d'un objet soumis à deux forces colinéaires.	Identifier l'objet d'étude sur lequel s'exerce l'action ; distinguer les différents effets de l'action. Mesurer une force avec un dynamomètre. Le newton (N), unité de force du système international (S.I.). Savoir représenter graphiquement une force. Être capable d'utiliser la condition d'équilibre d'un objet soumis à deux forces colinéaires.
Quelle relation existe-t-il entre poids et masse d'un objet ? – Utilisation d'un dynamomètre, d'une balance ; – étude documentaire : le poids d'un objet sur la Terre et sur la Lune.	Relation entre poids et masse d'un objet. [Mathématiques : proportionnalité.] g, intensité de la pesanteur (en N.kg⁻¹).	Distinguer masse et poids ; connaître et savoir utiliser la relation de proportionnalité entre ces grandeurs en un lieu donné.

2. Électricité et vie quotidienne (durée conseillée : 16 h).

EXEMPLES D'ACTIVITÉS	CONTENUS-NOTIONS	COMPÉTENCES
Quelle est l'influence d'une « résistance » dans un circuit électrique ? – Introduire dans un circuit simple des « résistances » de valeurs différentes et mesurer les intensités ; – soumettre à une même tension des « résistances » de valeurs différentes et mesurer les intensités.	Notion de résistance électrique. Unité.	Savoir que l'intensité du courant dans un circuit est d'autant plus faible que la résistance du circuit est plus élevée. L'ohm (Ω), unité de résistance du S.I.
Comment varie l'intensité dans une résistance quand on augmente la tension appliquée ? – Construire point par point, puis acquérir éventuellement à l'ordinateur la caractéristique d'un dipôle ; – comparer la valeur de la résistance mesurée à l'ohm-mètre à la pente de la caractéristique.	Caractéristique d'un dipôle. Loi d'Ohm. [Mathématiques : proportionnalité, équation d'une droite.]	Schématiser un montage permettant de tracer une caractéristique. Évaluer l'intensité dans un circuit connaissant la valeur de la résistance et celle de la tension appliquée à ses bornes.
Tous les matériaux ont-ils les mêmes propriétés de résistance ? – Mesurer la résistance de divers fils métalliques ; – noter l'influence qualitative des paramètres géométriques (longueur, section).	Qualités conductrices des matériaux. Fusibles.	Savoir que tous les matériaux n'ont pas les mêmes propriétés conductrices, d'où un choix selon l'utilisation souhaitée.
Qu'est-ce qui distingue la tension fournie par le « secteur » de celle fournie par une pile ? – Comparer les effets d'une tension alternative à ceux d'une tension continue en utilisant un générateur T.B.F., une diode D.E.L., un moteur ; – relever la tension manuellement et à l'ordinateur ; – représenter graphiquement les variations d'une tension alternative en fonction du temps.	Tension continue et tension variable au cours du temps. Intensité continue et intensité variable au cours du temps. Tension alternative périodique. Valeurs maximum et minimum. « Motif élémentaire ». Période T définie comme la durée du motif.	Identifier une tension continue, une tension alternative. Réaliser un tableau de mesures pour une grandeur physique variant en fonction du temps. Construire une représentation graphique de l'évolution d'une grandeur. Reconnaître une grandeur alternative périodique. Déterminer graphiquement sa valeur maximum et sa période.